Ce qu'il reste de moi

Kat Zhang

HYBRIDE – 1

Ce qu'il reste de moi

Traduit de l'anglais (États-Unis)
par Brigitte Duquesne et Henry-Paul Steimen

Ouvrage publié sous la direction de Benjamin Kuntzer

Titre original :
WHAT'S LEFT OF ME : THE HYBRID CHRONICLES BOOK 1

Éditeur original :
Children's Books, a division of Harper Collins Publishers

© Kat Zhang, 2012

Pour la traduction française :
© Éditions J'ai lu, 2014

*Pour ma mère et mon père, avec toute ma gratitude
pour ce qu'ils m'ont appris dans la vie.*

Prologue

Addie et moi sommes nées dans le même corps.

Deux âmes entrelacées bien avant de pousser notre premier cri. Les premières années vécues ensemble furent les plus heureuses.

Puis vint le temps de l'inquiétude. La moue sévère de nos parents, le front soucieux de notre institutrice de maternelle, et cette fameuse question que chacun se murmurait lorsque nous n'étions pas dans les parages : « Pourquoi ne tranchent-elles pas ? »

Eh oui, trancher.

Nous tentions d'exprimer ce mot avec nos petites bouches de cinq ans, en le goûtant sur notre langue : « Tran-cher. »

Nous savions de quoi il s'agissait. Enfin, à peu près.

Cela signifiait que l'une de nous devait prendre le contrôle.

Et l'autre devait être prête à s'éteindre. Aujourd'hui, je sais que c'est beaucoup plus grave que ça. Mais à cinq ans, Addie et moi étions si naïves, si oublieuses de la nature des choses.

Le vernis de l'innocence commença à s'estomper durant l'année de cours préparatoire. Notre conseillère d'orientation aux cheveux gris donna le premier coup de griffe.

« Trancher n'est pas si terrible, mes chéries, plaisantait-elle, tandis que nous observions ses fines lèvres peinturlurées de rouge. Cela peut vous paraître difficile, mais c'est arrivé à tout le monde. L'âme faible, quelle qu'elle soit, s'en va tout simplement, euh... dormir. »

Elle ne mentionna jamais qui était, d'après elle, l'âme qui devait survivre. C'était inutile. Tout le monde savait déjà que Addie était l'âme dominante. Elle nous tirait vers la gauche quand je voulais aller à droite, elle refusait d'ouvrir la bouche quand je voulais manger et hurlait *Non* quand je voulais dire *Oui*. Elle faisait ça sans effort et, au fil du temps, je devenais de plus en plus faible tandis qu'elle renforçait son contrôle.

Pourtant, je parvenais parfois à imposer ma volonté.

Quand Maman nous interrogeait sur notre journée, j'osais lui donner *ma* propre version des choses. Au cours d'une partie de cache-cache, je nous forçai même à nous tapir derrière les haies au lieu de revenir en courant vers la base. Un jour, à huit heures du matin, je nous ai tellement secouées en servant le café de Papa que la brûlure a laissé des traces sur nos mains.

Plus je perdais des forces, plus je me perdais en efforts pour me convaincre que je n'allais pas disparaître.

Addie haïssait mon attitude, mais j'étais déchaînée. Je repensais à cette liberté que j'avais eue, tout au moins en partie, à cette période où je pouvais demander à ma mère un simple verre d'eau, un baiser, une étreinte affectueuse.

« *Laisse tomber, Eva*, me criait Addie quand nous nous battions. *Laisse tomber. Va-t'en, abandonne.* »

Pendant longtemps, j'ai bien cru que j'allais effectivement capituler.

Nous avons vu notre premier spécialiste à l'âge de six ans.

Les spécialistes étaient bien plus arrogants que notre conseillère-guide. Ils faisaient leurs petits tests, posaient leurs petites questions et imposaient leurs prix qui, eux, n'étaient pas petits.

À l'époque où nos jeunes frères atteignirent à leur tour l'âge de trancher, Addie et moi avions déjà consulté deux thérapeutes, et suivi quatre types de traitements médicaux afin d'aider la nature à accomplir ce qu'elle aurait dû faire elle-même : se débarrasser de l'âme faible.

C'est-à-dire de moi.

Nos parents furent enchantés d'apprendre que, selon les divers rapports médicaux, ma résistance faiblissait. Ils essayèrent de rester discrets, mais leurs soupirs de soulagement s'entendaient encore derrière la porte, des heures après qu'ils nous avaient souhaité bonne nuit. Pendant des années, nous avions été la honte du voisinage, l'ignoble petit secret qui n'en était plus un.

Les filles qui ne voulaient pas trancher.

Personne n'a jamais su qu'au milieu de la nuit Addie m'avait laissée arpenter la chambre avec ce qu'il me restait de forces, me cognant aux vitres froides, agitée de sanglots.

« *Je suis désolée* », me murmurait-elle. Je la croyais sur parole, en dépit des choses terribles qu'elle m'avait dites auparavant. Mais ça ne changeait rien.

J'étais terrifiée. Depuis onze ans, on me répétait que l'âme faible devait un jour disparaître. Je ne voulais pas m'en aller.

Je voulais voir encore vingt mille soleils levants, vivre trois mille jours d'été au bord de la piscine. Je voulais connaître le parfum d'un premier baiser.

Les autres âmes faibles avaient eu la chance de disparaître à l'âge de trois ou quatre ans. Elles en savaient bien moins que moi.

C'est peut-être pour ça que les choses ont mal tourné. Je voulais rester en vie. Je refusais de partir. Et je n'ai pas disparu.

Mes centres moteurs avaient disparu, c'est vrai, mais moi, j'étais restée. Piégée dans notre tête.

Je regardais, j'écoutais, mais j'étais paralysée.

Addie et moi étions les seules à savoir. Addie n'a rien révélé.

À ce moment, nous sûmes ce que ressentent les enfants qui n'osent pas « trancher » et deviennent des hybrides. Des images emplissaient notre tête, des images d'hôpitaux où l'on enfermait ces êtres. Qui ne revenaient jamais.

Finalement, les médecins ont confirmé notre parfait état de santé.

La conseillère d'orientation nous a dit adieu avec un grand sourire.

Nos parents étaient aux anges. Ils ont préparé les bagages et nous sommes partis à quatre heures de route de là, vers une nouvelle région, un nouveau voisinage. Un endroit où personne ne nous connaissait.

Où nous ne serions plus « la famille avec l'étrange petite fille ».

Je me souviens du premier regard sur notre nouvelle maison, jeté par-dessus l'épaule de notre petit frère à travers le pare-brise.

Une minuscule bâtisse d'un blanc sale au toit de tuiles en ardoise.

Lyle éclata en sanglots en voyant cette bicoque vieillotte et misérable, avec son jardin infesté de mauvaises herbes.

Puis ce fut la panique. Nos parents essayèrent de calmer Lyle tout en déchargeant le camion et en traînant les bagages. Addie et moi restâmes un peu à l'écart, dans la froidure de l'hiver, à humer l'air vivifiant.

Après toutes ces années, les choses finissaient par se dérouler comme prévu. À nouveau, nos parents pouvaient regarder les gens dans les yeux. À nouveau, Lyle pouvait se tenir près d'Addie en public. Pour notre entrée en cinquième, nous intégrâmes une classe qui ne nous avait jamais vues recroquevillées sur notre pupitre avec le désir de disparaître.

Ils formaient à nouveau une famille normale. Avec des soucis normaux. Ils pouvaient être heureux.

Oui, *ils*.

Mais il n'y avait pas de *ils*. Il y avait toujours *nous*. Moi, j'étais toujours là.

Quand nous étions petites, ma mère chantait souvent « Addie et Eva ! Eva et Addie ! » en nous faisant virevolter dans les airs. « Mes petites filles ! »

Maintenant, quand nous l'aidions à préparer le dîner, Papa ne parlait plus qu'au singulier : « Addie, qu'est-ce qui te ferait plaisir, ce soir ? »

Personne n'utilisait plus mon nom. Il n'y avait plus d'Addie et Eva, d'Eva et Addie. Ce n'était plus que Addie, Addie, Addie.

Une seule petite fille, pas deux.

Chapitre 1

La sonnerie annonçant la fin des cours fit bondir tous les élèves de leur siège. Tous desserrèrent leurs cravates, fermèrent bruyamment les bouquins et rangèrent carnets et crayons dans les cartables.

Le brouhaha des conversations semblait submerger la prof, qui hurlait ses derniers conseils pour l'excursion du lendemain.

Addie avait presque franchi la porte lorsque je lui dis : « *Attends, on devait demander à Mme Stimp si on peut faire un examen de rattrapage, tu te rappelles ?*

— *Je le ferai demain* », répondit Addie en traversant la salle d'un pas ferme. Notre professeur d'histoire nous donnait toujours l'impression de connaître notre secret tant elle pinçait ses lèvres et fronçait les sourcils en croyant qu'on ne la remarquait pas.

Peut-être étais-je un peu parano ? Peut-être pas. De toute façon, avoir de mauvaises notes dans son cours n'allait pas arranger nos affaires.

« *Et si jamais elle ne veut pas ?* »

L'école était un tourbillon sonore : les cliquetis des casiers, les éclats de rire… mais j'entendis très clairement la voix d'Addie dans cet espace muet qui liait nos deux esprits.

Un espace paisible où je pouvais sentir son irritation grandir comme une tache sombre dans un coin. « *Elle sera d'accord, Eva. Elle est toujours d'accord. Ne sois pas pénible.*

— *Je ne suis pas pénible. Je pense juste que… »*

— Addie ! cria quelqu'un. (Addie fit volte-face.) Addie ! Attends-moi !

Nous étions tellement absorbées par notre dispute que nous n'avions pas remarqué cette fille qui nous courait après.

Il s'agissait de Hally Mullan, une main essayant de redresser ses lunettes, l'autre occupée à rassembler ses boucles brunes.

Elle passa devant un groupe d'élèves avant de se diriger vers nous avec un soupir de soulagement un peu exagéré. Addie émit un grognement silencieux que je fus la seule à entendre.

— Tu marches drôlement vite, Addie ! s'exclama Hally en souriant comme si elles étaient amies.

— Je ne savais pas que tu me suivais, rétorqua ma sœur.

Hally continuait de sourire. Mais c'était le genre de fille qui pouvait sourire au cœur de la tempête. Dans un autre corps, dans une autre vie, elle ne se serait pas embêtée à poursuivre quelqu'un comme nous dans le couloir. Elle était trop jolie pour ça, avec ses longs cils et sa peau cuivrée. Trop guillerette, aussi.

En revanche, un malaise était inscrit sur son visage, dans l'alignement de ses pommettes et l'arête de son nez. Une étrangeté qui pesait sur elle, une aura qui renvoyait une énergie bizarre. Addie s'était toujours tenue à l'écart de cette fille. Nous avions déjà assez de difficultés à passer pour quelqu'un de normal.

Comment se débarrasser de Hally ? Elle nous emboîta le pas, son sac négligemment posé sur l'épaule :

— Alors ? Ça te passionne, cette excursion ?

— Pas vraiment, répondit Addie.

— Moi non plus, affirma joyeusement Hally. Tu es occupée aujourd'hui ?

— On va dire ça, répondit Addie. Elle tentait de garder une voix détachée pour répondre au ton enjoué et insistant de Hally, mais nos doigts tiraient nerveusement sur le bas de notre corsage. Il nous allait pourtant bien, ce corsage, en début d'année, quand on avait acheté les uniformes pour l'école. Mais depuis, on avait grandi.

Nos parents n'avaient rien remarqué parce que... parce qu'ils étaient trop préoccupés par ce qui se passait avec Lyle. Et nous, on n'avait rien dit.

— On fait quelque chose ? demanda Hally.

Le sourire d'Addie était un peu forcé. D'après la rumeur, Hally ne s'était jamais liée avec personne. De toute façon, personne n'aurait voulu. « *Elle veut pas comprendre ?* » me transmit Addie en silence.

Puis tout haut :

— J'ai pas le temps. Faut que je fasse la baby-sitter.

Hally :

— Pour les Woodard ? Rob et Lucy ?

— Oui, c'est ça, pour les Woodard, répondit Addie. Robby, Will et Lucy.

Les fossettes de Hally se creusèrent.

— J'adore ces mômes. Ils sont tout le temps à la piscine près de chez moi. Je peux venir ?

Addie hésita :

— Euh... je suis pas sûre que les parents accepteraient.

— Ils seront encore là quand tu arriveras ? demanda Hally.

En voyant le signe affirmatif d'Addie, elle ajouta :

— On peut leur demander, non ?

« *Elle comprend pas qu'elle est lourde ?* » se plaignit Addie.

Là, je sus que je devais approuver. Mais Hally continuait à sourire et à sourire, même si l'expression de notre visage devenait de moins en moins amicale.

« *On ne se rend peut-être pas compte à quel point elle est seule ?* » risquai-je.

Après tout, Addie avait ses amis, et moi, au moins, j'avais Addie. Hally, elle, semblait terriblement solitaire.

— Bien sûr, je ne tiens pas à être payée, nous dit-elle. Je viendrais juste te tenir compagnie.

Moi : « *Addie… laisse-la venir et demander aux parents.* »

Addie :

— Bon, ben euh…

— Génial ! (Hally nous attrapa la main sans remarquer le petit mouvement de surprise d'Addie.) J'ai tellement de choses à te dire.

La télé beuglait lorsque Addie ouvrit la porte d'entrée des Woodard. Hally nous suivait de près.

M. Woodard saisit sa sacoche et ses clés dès qu'il nous aperçut.

— Les enfants sont dans le salon, Addie.

En franchissant la porte, il cria par-dessus son épaule :

— Appelle-moi si tu as besoin de quoi que ce soit.

— Voici Hally Mul…, commença Addie. Mais l'homme était déjà parti, nous laissant seules avec notre nouvelle « amie ».

— Il ne m'a même pas remarquée, commenta Hally.

Addie leva les yeux au ciel.

— Ça ne m'étonne pas. Il est toujours comme ça.

Ça faisait pas mal de temps que nous gardions Will, Robby et Lucy. Bien avant que Maman ait réduit ses heures de travail pour s'occuper de Lyle. Mais il arrivait encore à M. Woodard d'oublier le prénom d'Addie.

Nos parents n'étaient pas les seuls, dans cette ville, à être surchargés de boulot. Dans le salon, la télé diffusait un dessin animé avec un lapin rose et deux souris géantes.

Lyle regardait ce truc-là quand il était plus jeune, mais à dix ans il avait décrété qu'il était trop grand pour ces fadaises.

Apparemment, ces gamins de sept ans étaient toujours autorisés à regarder des cartoons. Il suffisait d'observer Lucy, allongée sur le tapis en train d'agiter les jambes. Son petit frère, assis à côté d'elle, était totalement captivé.

— Là, il fait Will, dit-elle sans même se retourner.

Le dessin animé se termina, rapidement remplacé par une déclaration d'intérêt général et Addie leva les yeux au ciel. On en avait marre, de ces discours ! Dans le vieil hôpital où nous avions séjourné, ils les diffusaient en boucle. Un défilé incessant d'hommes et de femmes, bien propres sur eux, avec de beaux sourires et des voix doucereuses nous rappelant qu'il fallait faire attention à ces hybrides qui se cachaient partout en prétendant être normaux. Ces êtres étranges qui avaient été relâchés de l'hôpital. Comme Addie et moi.

« Appelez le numéro qui s'affiche à l'écran, conseillaient-ils avec un parfait sourire aux dents blanches. Un simple appel peut sauver vos enfants, votre famille, votre pays. »

Ils ne disaient jamais ce qui se passerait après l'appel, mais je suppose que c'était inutile. Tout le monde le savait déjà. Les hybrides étaient trop instables pour s'en aller d'eux-mêmes, alors ces appels déclenchaient souvent des enquêtes, qui menaient à des perquisitions.

On voyait ça au journal télévisé ou dans des vidéos fournies par le gouvernement. On en avait par-dessus la tête.

Will se mit debout et s'avança vers nous en lançant un regard surpris et méfiant en direction de Hally. Qui arborait un large sourire.

— Salut, Will.

Elle tomba à genoux malgré sa jupe.

Nous étions venus directement chez les Woodard sans prendre le temps d'abandonner nos uniformes de l'école.

— Je suis Hally. Tu te souviens de moi ?

Lucy décolla enfin son regard de l'écran en faisant la moue :

— Moi, je me souviens de toi. Ma maman disait que...

Will, en marchant sur nos jupes, coupa la parole à Lucy.

— On a faim.

— C'est n'importe quoi, commenta Lucy. Je leur ai donné un biscuit, mais ils en veulent un autre.

Elle se mit sur ses pieds, révélant la boîte qu'elle dissimulait. Puis s'adressant à Hally :

— Tu vas jouer avec nous ?

— Je suis venue faire la baby-sitter, répondit Hally.

— Pour qui ? Will et Robby ? Ils ont besoin de deux gardes du corps, maintenant ?

En nous toisant du haut de ses sept ans, elle nous faisait bien comprendre qu'elle pouvait se passer de nous.

— Hally est là pour me tenir compagnie, intervint rapidement Addie.

Elle souleva Will qui referma ses bras autour de notre cou, posant son petit menton sur notre épaule, ses délicats cheveux de bambin venant chatouiller notre joue.

Hally, sourire aux lèvres, pointa son doigt vers lui :

— Quel âge as-tu, Will ?

Le petit garçon cacha son visage.

C'est Addie qui répondit :

— Trois ans et demi. Ils devraient trancher dans un an environ.

Elle réajusta Will dans nos bras avec un sourire forcé.

— N'est-ce pas, Will ? Vous allez bientôt trancher ?

20

— Ça y est, il fait Robby maintenant, ironisa Lucy en mâchant un biscuit qu'elle venait de sortir de la boîte.

Tout le monde fixait le petit garçon. Il se pencha vers sa sœur en oubliant qu'il était un objet de curiosité.

Moi : « *C'est vrai. Il vient de changer.* »

Eh oui, j'étais la meilleure pour distinguer Will de Robby et ça énervait Addie.

Normal, je n'avais pas à me concentrer sur le fonctionnement de notre corps ou sur le fait de parler aux gens. Je n'avais qu'à regarder, écouter, et remarquer les petits détails qui faisaient la différence entre deux âmes.

— Robby ? demanda Addie à nouveau.

Le bambin gigotait et elle le posa à terre. Il courut vers sa sœur qui agitait sous son nez ce qui restait du biscuit.

— Non ! protesta le petit. On ne veut pas des restes. On en veut un neuf.

Lucy lui tira la langue.

— Will l'aurait pris, lui.

— Sûrement pas ! hurla le petit.

— Si, si. Pas vrai, Will ?

Le visage de Robby se renfrogna.

— Non, pas vrai.

— Ce n'est pas à *toi* que j'ai demandé, rétorqua Lucy.

« *Mieux vaut se dépêcher*, dis-je. *Avant que Robby fasse une crise.* »

À ma grande surprise, Hally fut plus rapide que nous, et elle sortit un biscuit de la boîte avant de le déposer dans les mains tendues de l'enfant.

— Tiens. (Elle s'accroupit de nouveau, et se posa les paumes sur les genoux.) C'est mieux comme ça ?

Robby cilla. Ses yeux naviguèrent entre Hally et le trésor qu'elle venait de lui offrir. Puis il eut un sourire timide et croqua dedans à belles dents, se faisant tomber des miettes plein la chemise.

— Dis merci, exigea Lucy.

— Merci, murmura-t-il.

— Pas de souci, répondit Hally, avec un sourire. Tu aimes les pépites de chocolat ? Moi, c'est ce que je préfère.

Il hocha à peine la tête. Même lui était timide avec les étrangers. Il croqua dans son gâteau.

— Et l'ami Will ? interrogea Hally. C'est quoi, les cookies qu'il préfère, mmh ?

— Les mêmes que moi, marmonna Robby en haussant légèrement les épaules.

La voix de Hally se fit très douce :

— Il te manquerait, Robby, s'il s'en allait ?

— Euh... et si on passait dans la cuisine ? proposa Addie en arrachant la boîte de biscuits des mains de Lucy, provoquant un cri de protestation.

— Allez, Lucy... ne laisse pas Robby grignoter dans le salon. Ta maman va me tuer si elle trouve des miettes sur le tapis.

Addie saisit la main de Robby pour l'éloigner de Hally. Mais elle ne fut pas assez rapide : le bambin avait eu le temps de se retourner et de fixer Hally, toujours accroupie.

Sa réponse fut un murmure :

— Oui... il me manquerait.

Chapitre 2

M. et Mme Woodard regagnèrent leur domicile à la tombée de la nuit. Le ciel était un canevas d'or, de rose et de bleu.

Addie insista pour partager l'argent du baby-sitting avec Hally. Elle haussa les épaules devant mes protestations : « *Elle a été beaucoup plus utile que je ne le pensais.* »

Elle avait raison. Robby et Will, qui s'étaient échangés deux fois de plus dans l'après-midi, adoraient Hally. Même Lucy, en nous raccompagnant à la porte, avait demandé si Hally reviendrait la fois prochaine. Elle avait oublié les commentaires de sa mère à son propos. À voir la tête de Mme Woodward découvrant l'intruse à son retour, ceux-ci avaient dû être peu charitables.

Nous voyant repartir dans la même direction, Hally, tout naturellement, nous emboîta le pas. Dans le soleil couchant, l'air était gorgé d'humidité et de moustiques. Nous n'étions qu'en avril, mais une vague de chaleur récente avait porté la température vers des records jamais atteints. Le col de notre uniforme flottait mollement contre notre cou.

Nous marchions lentement et en silence. L'obscurité naissante effaçait les reflets roux dans la chevelure noire de Hally, et assombrissait encore sa peau mate. Nous avions déjà vu des personnes avec ce teint très particulier. Pas souvent, mais assez pour ne pas être surprises. En revanche, nous n'avions jamais vu quelqu'un avec cette forme de visage et ces caractéristiques physiques. Peut-être sur quelques photos, et encore. Nous ne connaissions pas non plus le type de comportement dont elle avait fait preuve envers Will et Robby.

C'était une métisse, une semi-étrangère, même si elle était née aux États-Unis. Était-ce ce qui expliquait son allure bizarre ? On n'autorisait plus les étrangers dans ce pays depuis belle lurette et tous les réfugiés des guerres passées étaient morts depuis longtemps. Le sang étranger circulant dans les veines de la population devait être l'équivalent d'une goutte dans l'océan. Mais il existait des groupes, disait la rumeur. Des gens qui refusaient de s'intégrer, qui ne se mélangeaient pas, qui préservaient leur *différence*, au lieu d'accepter la protection qu'offraient les Amériques contre la destruction générée par les hybrides des autres continents.

Les parents de Hally venaient-ils de ce genre de communauté ?

— Je me demande si…

Hally s'interrompit soudainement.

Addie n'intervint pas, trop perdue dans ses propres pensées.

Quant à moi, j'écoutais, pendue aux lèvres de Hally.

— Je me demande, reprit-elle après réflexion, qui sera le dominant entre Robby et Will.

— Mmmh ?… probablement Robby. Il contrôle de plus en plus les choses, répliqua Addie.

Hally :

— Ce n'est pas toujours celui qu'on pense.

Elle détacha son regard du sol et la lumière fit scintiller les petits diamants incrustés dans les branches de ses lunettes, l'obligeant à cligner les yeux.

— C'est très scientifique, tout ça. La force et la connexion des neurones sont déterminées bien avant la naissance. Difficile de se faire une idée rien qu'en observant les gens.

Addie haussa les épaules en regardant ailleurs.

— Mouais. C'est possible.

Elle changea de sujet et elles se mirent à discuter de l'école et du dernier film, jusqu'à notre arrivée à la résidence où habitait Hally. Un imposant portail en fer forgé en indiquait l'entrée. Et un garçon de notre âge, un peu maigrichon, se tenait derrière la grille.

Il nous dévisageait sans rien dire et Hally roula des yeux dès qu'elle l'aperçut. Ils se ressemblaient. Il avait la même peau cuivrée, les mêmes boucles brunes et les mêmes yeux noirs. Nous connaissions l'existence du frère aîné de Hally, mais nous ne l'avions encore jamais vu.

Addie s'arrêta à une quinzaine de mètres du portail, ce qui nous empêcha de bien discerner ses traits.

— Bonne soirée, dit Hally en souriant par-dessus son épaule. À demain.

Derrière elle, son frère, après avoir tourné la clé dans la serrure, entrebâillait le portail.

— Ouais, c'est ça... demain, confirma Addie avec un petit signe de la main.

Nous attendîmes que Hally et son frère soient presque hors de vue, avant de reprendre la route. Seules, cette fois.

Enfin, pas vraiment. Addie et moi, nous n'étions jamais seules.

« *Pourquoi elle a fait ça ?* se demandait ma sœur en traînant les pieds. *S'inviter à faire la baby-sitter avec nous ? On la connaît à peine.* »

Moi : « *Je t'avais dit qu'elle se sentait seule. Elle cherche des amis.* »

Elle : « *D'un seul coup ? Après trois ans ?* »

Moi : « *Et pourquoi pas ?* »

Addie hésita. « *Tu sais bien que c'est impossible, Eva. Je ne peux pas être amie avec elle. Surtout pas à l'école, ça va se remarquer. Et c'est quoi, cette histoire avec Robby et Will ?* »

L'agacement d'Addie nous envahissait toutes les deux. Elle laissa passer une voiture avant de traverser la rue.

« *Demander à Robby s'il veut garder Will ? De quoi j'me mêle ? Ces deux-là vont bientôt trancher. Pas la peine de semer la confusion, ça va les retarder. Ils vont devenir comme nous. C'est pas très…* »

Elle ne termina pas sa phrase. D'ailleurs, c'était inutile.

Pendant des années, nos parents s'étaient demandé pourquoi nous ne tranchions pas pour que tout devienne normal. Ils s'en étaient pris à notre institutrice (Pas assez de discipline), à nos médecins (Pourquoi rien ne marche ?), à nos amis (Est-ce qu'ils avaient eux-mêmes tranché sur le tard ? Est-ce qu'ils encourageaient notre comportement étrange ?).

Nombreuses furent les nuits agitées où ils se balançaient leurs reproches à la figure.

Mais pire que les reproches, il y avait la peur.

La peur que, si nous n'arrivions pas à trancher, on ne nous laisserait plus sortir de l'hôpital.

Nous avions grandi avec cette menace au-dessus de notre tête, redoutant la date de notre dixième anniversaire.

Nos parents avaient supplié. Nous les entendions gémir à travers les murs de l'hôpital, demandant du temps, juste un peu plus de temps. « *Elles vont le faire. C'est en cours. C'est pour bientôt. Ayez pitié !* »

J'ignore ce qui s'était passé d'autre derrière ces portes closes. J'ignore ce qui avait finalement convaincu les toubibs et les directeurs, mais nos parents étaient revenus épuisés et livides. En nous disant qu'on avait un peu de répit.

Deux ans plus tard, mon « départ » avait été officiellement prononcé.

Notre ombre s'allongeait à présent, nos jambes se faisaient lourdes. Des reflets dorés traversaient nos mèches de cheveux dans la lumière blafarde. Addie les rassembla en une queue-de-cheval afin de libérer notre cou de la chaleur insupportable.

Si on passait la soirée devant un bon film, proposai-je d'une voix enjouée. *On n'a pas beaucoup de devoirs à faire.* »

« *Pourquoi pas ?* » répondit Addie.

Et j'ajoutai : « *Arrête de te faire du souci à propos de Will et Robby. Tout ira bien. Regarde Lyle, il a bien supporté la situation.* »

« *Ouais, ouais, c'est vrai* », répondit-elle.

Aucune d'entre nous ne mentionnait les problèmes que Lyle avait rencontrés. Toutes ces journées passées au lit en état de léthargie. Ces heures innombrables où il restait branché sur la dialyse à regarder couler le sang pompé hors de son corps pour y être injecté à nouveau.

Lyle était malade, mais pas à la façon des hybrides, et c'est ça qui faisait toute la différence.

Nous marchions en silence, je sentais les pensées brumeuses et menaçantes d'Addie s'incruster dans les miennes. Parfois, quand j'étais très concentrée, je pouvais presque saisir ce qu'elle pensait. Mais pas cette fois-ci.

Quelque part, ça me rassurait, car elle ne pouvait pas non plus me décrypter.

Elle ne pouvait pas deviner que je redoutais terriblement le jour où Will et Robby *trancheraient*. Je redoutais la soirée baby-sitting où nous n'aurions plus qu'un seul gamin, sourire aux lèvres, en face de nous.

Lupside, l'endroit où nous vivions depuis trois ans, était un trou perdu. Ce qu'on ne pouvait pas trouver au centre commercial ou dans les quelques épiceries du coin, on allait le chercher à la ville voisine de Bessimir.

Bessimir était surtout connue pour son musée d'Histoire.

Addie ricanait silencieusement avec une copine tandis que la classe tout entière transpirait devant les portes du musée en question.

L'été n'avait pas encore entamé sa bataille conquérante contre le printemps, mais déjà les garçons se plaignaient d'avoir à porter ces longs pantalons qu'on leur imposait.

En revanche, les jupes des filles raccourcissaient au rythme des vagues de chaleur de la météo.

Mme Stimp nous ordonna d'écouter, ce qui fit taire une bonne moitié de la classe et ramena l'attention. Pour ceux qui avaient grandi dans cette région, la visite du musée d'Histoire de Bessimir était aussi banale qu'une sortie à la piscine en pleine canicule ou au cinéma pour voir le nouveau film du mois. Le bâtiment, officiellement baptisé le « Musée Brian Doulanger de l'Histoire des Amériques » d'après le nom de quelque riche donateur ayant financé sa construction, avait été globalement surnommé « le musée », comme s'il n'en existait pas d'autres dans le monde. En l'espace de deux ans, Addie et moi étions venues deux fois avec deux différentes classes d'Histoire, et chaque visite nous avait flanqué la nausée.

Je pouvais déjà sentir une raideur dans nos muscles, une grimace dans le sourire d'Addie lorsque la prof nous tendit les billets au tarif étudiant. En vérité, quel que soit le nom donné à ce musée, son seul et unique objet était cette bataille d'un siècle et demi que l'Amérique avait mené contre les hybrides.

La gifle d'air conditionné qui nous cueillit à l'entrée fit frissonner Addie, nous donnant la chair de poule sans toutefois dénouer nos tripes. Le bâtiment de trois étages offrait en son centre un large hall situé derrière le guichet, et l'on pouvait apercevoir les deux niveaux supérieurs en basculant la tête en arrière. Addie avait déjà expérimenté cette vision lors de notre première visite. Nous avions douze ans, nous nous sentions écrasées sous le poids de l'Histoire, des batailles, des guerres et de la folie meurtrière.

Personne ne regardait vers le haut. Les autres parce que ça les ennuyait et Addie parce que... nous ne voulions plus jamais voir ça.

Hally s'était éloignée de nous pour copiner avec une fille plus marrante. Ma sœur aurait dû se faire violence, se forcer à sourire, à plaisanter, en se plaignant avec les autres d'avoir à revenir dans ce maudit musée. Elle ne dit rien, ne fit rien. Elle se plaça juste à l'arrière du groupe pour ne pas entendre la guide.

Je n'intervins pas. Comme si mon silence pouvait prouver mon inexistence. Ce qui donnait une chance à Addie de croire, pendant une heure, que je n'étais pas là. Que nous, nous n'avions rien à voir avec les fameux ennemis hybrides dont parlait la guide en pénétrant dans la Salle des Révolutionnaires.

Une main effleura notre épaule. Addie la chassa d'un geste, avant de se rendre compte de ce qu'elle venait de faire.

— Désolée, désolée, bredouilla Hally avec un pâle sourire. Je ne voulais pas t'effrayer.

Nous n'avions que ce cours en commun. Addie l'avait évitée sans difficulté depuis la veille au soir.

— Tu m'as surprise, c'est tout, répondit ma sœur en chassant la chevelure qui balayait notre visage.

Le reste de la classe était loin devant et, quand Addie se mit à accélérer le pas pour rejoindre les autres, Hally effleura à nouveau notre épaule. Elle retira vivement sa main quand Addie se retourna et nous demanda si tout allait bien.

Une chaleur diffuse envahit notre corps tandis que Addie répondait :

— Bien sûr.

Nous restions là, dans le hall, devant cette galerie de portraits des grands héros de la Révolution, pères fondateurs de notre pays. Ces hommes étaient morts depuis près de cent cinquante ans, mais nous foudroyaient toujours de ce regard accusateur et rempli de haine qui avait animé les non-hybrides durant ces terribles années de guerre, quand le mot d'ordre était l'extermination de ceux qui autrefois avaient été au pouvoir.

L'extermination des hybrides. Hommes, femmes et enfants.

On prétendait que le pays s'était ramolli au fil des décennies.

Que l'enthousiasme avait disparu, oubliant que dans le passé les enfants hybrides pouvaient grandir normalement.

Que les immigrés qui trouvaient asile sur le sol américain avaient droit à la nationalité du pays.

La tentative d'invasion étrangère au début du XXe siècle, au début des Grandes Guerres, avait mis fin à tout cela.

Soudain, la vieille flamme se ranimait. Avec le désir de ne plus jamais oublier. Plus jamais.

Hally avait sans doute remarqué notre coup d'œil furtif vers les vieilles peintures à l'huile. Elle nous gratifia d'un sourire tout en fossettes.

— Vous imaginez si les garçons portaient toujours ce genre de chapeaux ridicules ? Je serais toujours en train de me moquer de mon frère.

Addie risqua un demi-sourire. En quatrième, nous avions eu à faire une rédaction sur ces personnages historiques. Addie avait alors essayé de convaincre la prof de la laisser s'exprimer avec son point de vue artistique. Ça n'avait pas marché.

— Rejoignons le groupe, proposa-t-elle.

Personne ne remarqua Addie et Hally reprendre leur place parmi les autres élèves. Tout ce petit monde était déjà dans la pièce que je détestais le plus. Addie gardait nos yeux sur nos mains, sur nos chaussures. Bref, surtout ne pas regarder les portraits aux murs. Je me souvins que l'année précédente, notre classe, qui venait d'étudier les débuts de l'histoire américaine, avait stationné dans cette section du musée plutôt que d'en poursuivre la visite comme ce jour-là. Bien sûr, il ne restait plus grand-chose des photos de l'époque. Mais les artistes qui les avaient restaurées avaient soigné jusqu'au moindre détail. La petite grimace de douleur, le grain de peau brûlé par le soleil, etc.

Et les clichés rescapés s'étalaient fièrement sur les murs. La qualité noir et blanc ne parvenait pas à dissimuler la misère qui régnait alors dans les champs. Ces travailleurs souffreteux traités comme des esclaves étaient tous nos ancêtres. Ces immigrants venus de l'Ancien Monde, où ils avaient souffert pendant des milliers d'années, avaient été expédiés à travers les mers pour se retrouver sur un nouveau continent pour encore souffrir. Jusqu'à la Révolution, qui entraîna finalement la chute des hybrides.

La pièce était petite, avec une seule entrée et une seule sortie.

La pression de la foule des étudiants obligea Addie à retenir notre souffle. Nous avions le cœur qui battait dans la poitrine. Partout où elle se tournait, on se cognait contre des corps, encore des corps.

Certains se bousculaient, d'autres riaient, la prof hurlait en menaçant de noter les noms de ceux qui lui manquaient de respect.

Addie se fraya un chemin à travers la pièce sans s'occuper, pour une fois, des protestations des autres. La sortie fut vite atteinte.

Nous traçâmes notre sillon à travers le troupeau et fûmes les premières à arriver dans l'eau.

Chapitre 3

Addie arrêta brusquement sa course. La fille derrière nous n'ayant pu freiner à temps nous percuta de plein fouet. Nous tombâmes ensemble sur le sol et, immédiatement, nos jupes et nos vestes épongèrent l'eau qui envahissait la pièce. *Hein ? De l'eau ?* Quelqu'un a hurlé : « C'est quoi, ce délire ? » tandis qu'Addie se relevait en frottant nos coudes et nos genoux sérieusement endoloris par la chute.

L'eau n'atteignait même pas nos chevilles, mais notre chemise restait trempée malgré la tentative d'essorage express d'Addie.

Personne n'avait remarqué la scène car ils restaient tous là, pétrifiés devant le hall d'exposition inondé. C'était l'une des plus vastes salles du musée. Elle exposait une foule d'objets de la période révolutionnaire dans des vitrines de verre ainsi que des tableaux d'époque sur ses murs. La salle était maintenant envahie par plusieurs centimètres d'eau boueuse.

La guide avait sorti son talkie-walkie et bredouillait quelque chose. Mme Stimp essaya de ramener ses troupes dans la salle précédente, dont le plancher plus en hauteur empêchait, pour l'instant, l'inondation de se répandre. D'où venait cette eau ?

C'était de pire en pire, elle s'infiltrait partout, trempant les chaussettes de tout le monde. Une eau sale qui laisserait sans doute des traces sur les murs blancs.

Au premier vacillement des lumières, la troupe se mit à hurler.

Certains poussaient de véritables cris de terreur, d'autres semblaient presque amusés par l'excitation de cette situation nouvelle.

— Ce sont ces canalisations, grommela la guide, en passant devant nous à grands pas. (Elle avait les joues rouges et ses yeux lançaient des éclairs de colère.) Depuis le temps qu'on leur demande de les faire réparer ! (Raccrochant son talkie-walkie sur sa chemise, elle éleva la voix pour lancer :) S'il vous plaît, venez tous vous regrouper dans cette pièce !

Les lumières s'éteignirent à nouveau, plongeant la scène dans l'obscurité. Elles restèrent éteintes. Ce furent alors les diffuseurs antifeu qui se déclenchèrent, accompagnés par la stridence insupportable d'une alarme. Addie plaqua ses paumes sur nos oreilles tandis que l'eau giclait sur nos cheveux et nous arrosait le visage. Quelque part dans le musée, un incendie s'était déclaré.

En quinze minutes à peine, tout le monde était remonté dans le bus. Il n'y avait pas eu beaucoup de visiteurs en ce vendredi après-midi de grande chaleur, mais assez quand même pour former un troupeau affolé essayant de quitter l'endroit par toutes les issues. Des gens hagards brandissant leurs billets, des mamans essayant de rassembler leurs enfants, des hommes au pantalon souillé par l'eau boueuse. Certains d'entre eux étaient ruisselants. Ils protestaient, exigeaient des explications, un remboursement ou fixaient la façade du musée d'un œil morne.

— Incendie par court-circuit électrique, expliquait une femme tandis qu'Addie nous ramenait vers le bus. On aurait pu tous se faire électrocuter.

Sur le chemin du retour, nos vêtements restèrent trempés et sales, mais la conversation ne s'attarda pas sur l'inondation, embrayant rapidement sur le bal de fin d'année prévu plus d'un mois plus tard. Lorsque Mme Stimp, éreintée et agacée, fit l'obscurité dans la salle de classe pour y projeter une vidéo, un quart des élèves plongea furtivement dans le sommeil, même si nous étions tous censés prendre des notes.

« *J'espère que les dégâts sont considérables* », murmurai-je à Addie qui regardait bêtement l'écran. La petite ville de Bessimir était si fière des choses merveilleuses que recelait le musée : tous ces tableaux, les sabres, les revolvers datant de la Révolution, cette affiche militaire du début des Grandes Guerres qui célébrait la première attaque sur le sol américain et demandait aux citoyens de signaler tout signe d'activité hybride. Les profs ne mentionnaient pas ce genre de choses en classe, mais je pouvais imaginer l'épidémie de dénonciations qui avait dû s'ensuivre. Les gens de l'époque n'étaient pas si différents des gens d'aujourd'hui.

« *J'espère que les fondations vont s'effondrer et que le musée tout entier va tomber en morceaux.* »

Addie : « *Ne sois pas bête, il n'y avait que quelques centimètres d'eau. Ce sera réparé dans une semaine.*

— *Et le feu ? Enfin bon… c'était juste un espoir.* »

Addie poussa un soupir, posant notre menton sur notre main gauche tout en utilisant la droite pour dessiner la fille d'en face, qui dormait la bouche ouverte. Nous n'avions pas besoin de regarder ce film pour écrire une ou deux pages de notes. Nous connaissions tellement bien les Grandes Guerres du vingtième siècle qu'il nous était facile de réciter par cœur les batailles principales, le nombre des victimes, les discours du président pendant la lutte contre les invasions. Finalement, nous avions, bien sûr, prouvé notre supériorité, et ils étaient retournés s'occuper de leurs continents si chaotiques et désenchantés. C'était ça, le résultat de la guerre. C'était ça, l'action des hybrides. Et ça continuait aujourd'hui.

« *Ouais… moi aussi, j'aimerais bien une catastrophe* », osa Addie.

À la télé, un avion balançait des bombes sur une ville non identifiée.

Le gamin assis à côté de nous se mit à bâiller, abaissant ses paupières lourdes. Il n'existait pas beaucoup de films sur la dernière période des Grandes Guerres, si lointaines. Cependant, ces films étaient diffusés jusqu'à l'écœurement. Je me prenais à imaginer ce que nous aurions enduré s'il y avait eu des reportages pendant les invasions d'il y a plusieurs décennies.

« *Eva ?* »

Il fallait protéger Addie de mes états d'âme afin qu'elle n'éponge pas mes frustrations. « *Tout va bien, tout va bien* », répondis-je.

Nous regardâmes le feu embraser la ville en convulsions. Officiellement, la Grande Guerre s'était terminée lorsque Addie et moi étions encore bébé, mais les hybrides qui occupaient le reste du monde n'avaient jamais cessé de lutter au sein de leurs propres rangs. C'était logique ! Addie et moi, on se bagarrait souvent, même pas au sujet du contrôle. Comment une société formée d'individus possédant deux âmes dans chaque corps pouvait-elle vivre en paix ?

Même les citoyens de notre pays n'arrivaient pas à s'entendre entre eux et cela créait toutes sortes de problèmes. *Frustration constante, violence envers les autres et, pour les plus faibles d'esprit, carrément folie.* Je pouvais lire les sombres pronostics imprimés en caractères gras sur des pamphlets affichés dans les cabinets médicaux.

Je comprenais donc pourquoi les leaders révolutionnaires avaient fondé les Amériques comme une terre sans hybrides, pourquoi ils œuvraient sans relâche à éradiquer les hybrides existants, afin de construire une nouvelle nation débarrassée de toute impureté. Je pouvais même comprendre, en essayant d'être rationnelle, pourquoi ils ne pouvaient pas laisser les êtres comme Addie et moi agir en toute liberté. Mais comprendre un principe et l'accepter sont deux choses bien différentes.

Addie finit de griffonner quelques notes pendant que le film se terminait. On entendit la cloche sonner. En général, je complétais ses notes en y ajoutant quelques détails dont je me souvenais mais là, je n'étais pas d'humeur. Nous avions quitté la salle avant même que notre copie n'ait atteint le bureau de la prof.

Une autre personne nous rejoignit bientôt dans le couloir en appelant Addie.

— Que se passe-t-il, Hally ? répondit ma sœur en réprimant un soupir.

À ma grande surprise, le sourire de la fille se crispa furtivement, me poussant à plaider sa cause.

« *Addie... ne t'en prends pas à elle.* »

« *Elle n'arrête pas de nous suivre partout*, répondit Addie. *D'abord, le baby-sitting, et puis le musée, et puis...* »

— Tu veux venir dîner chez moi ? proposa Hally.

Addie ouvrit des yeux ronds. Le couloir s'était rempli, mais les deux filles restaient plantées en plein milieu.

— Mes parents seront absents, ajouta Hally au bout d'un moment. (Son épaisse chevelure n'avait pas complètement séché, et elle enroula une mèche autour d'un doigt.) Il n'y aura que mon frère et moi, précisa-t-elle en haussant les sourcils, de nouveau souriante. Je préfère éviter de manger en tête à tête avec lui.

« *Addie... arrête de la dévisager comme ça. Dis quelque chose.* »

— Oh, répondit ma sœur. Je... je ne peux pas.

Je n'avais jamais entendu Addie décliner une invitation. En tout cas, pas sans une bonne raison. Beaucoup d'élèves se fréquentaient depuis le primaire. Notre arrivée tardive nous avait forcées à briser des barrières pour nous faire des amis. Chacun avait sa place, son groupe, son siège au réfectoire, et Addie avait appris à serrer les mains. Toutefois, Hally Mullan étant ce qu'elle était, on pouvait logiquement décliner toute proposition d'amitié.

— C'est mon corsage, expliqua Addie en regardant la tache sur le coton blanc. Je dois rentrer à la maison avant mes parents pour le laver. S'ils…

S'ils voient ça, ils vont demander ce qui s'est passé, où ça s'est passé. Puis cette étrange lueur apparaîtra dans leurs yeux, celle qui les frappe systématiquement quand ils assistent à un reportage signalant l'apparition d'un nouvel hybride ou rappelant qu'il faut surveiller ses voisins afin de dépister l'ennemi caché. Et ça nous tordait les tripes, on avait envie de quitter la pièce.

Hally :

— Tu peux le laver chez moi, si tu veux pas que tes parents le voient. (Sa voix s'était radoucie, était devenue moins gaie, mais plus bienveillante.) Je peux t'en prêter un en attendant que le tien soit sec. Tu te changeras avant de repartir et personne n'en saura rien.

Addie hésita. Notre mère était sans doute déjà en route vers la maison. On arriverait sûrement avant elle, mais notre corsage n'aurait pas le temps de sécher. C'est ce que je dis à Addie.

Addie : « *Je pourrais mentir. Dire que je suis tombée et que je me suis salie. Je pourrais dire que…* »

« *Pourquoi ne pas aller chez elle ?* » demandai-je.

« *Tu sais très bien pourquoi* », répondit-elle.

Hally s'approcha de nous. Nous étions sensiblement de même taille. Le reflet l'une de l'autre. Ou plutôt le contre-reflet.

La chevelure de Hally, sombre comme l'ébène, contre la nôtre d'une blondeur insolente. Son teint olivâtre contre notre peau pâle constellée de taches de rousseur.

Je demandai : « *Addie ? Un problème ? Tout va bien ? Tu es sûre ?* »

« *Oui, oui, ça va.* »

— Alors, tu viens ? insista Hally.

« *Vas-y, Addie,* murmurai-je. *Personne n'en saura rien. Personne ne parle à cette fille. Tout ira bien.* »

Je la sentis céder et enfonçai le clou. Addie n'appréciait pas cette fille qui avait questionné Robby à propos de Will et n'avait pas flanché en entendant parler de « trancher », mais moi, elle m'intriguait.

« *On est vendredi. Personne ne sera là pour le dîner, quoi qu'il arrive.* »

Addie, qui mordillait notre lèvre inférieure en prenant conscience de ce qu'elle allait faire, s'empressa de bafouiller :

— Euh, ben ouais, euh… d'accord.

Chapitre 4

Addie dut se précipiter à la cabine téléphonique la plus proche pour prévenir Maman qu'on ne serait pas là pour dîner, si bien que, lorsque nous arrivâmes sur le lieu du rendez-vous, la plupart des autres étudiants avaient disparu. Hally se tenait devant les portes de l'école. Elle n'avait pas remarqué notre approche et sembla s'éveiller d'une rêverie tranquille.

— Tu es prête ? (Addie hocha la tête.) Super. On y va, alors.

Elle n'était plus dans les vapes et bouillonnait maintenant d'énergie. Impossible d'en placer une pour Addie. Hally était un vrai moulin à paroles. Ah ! On était enfin vendredi ! C'était bientôt les vacances d'été ! Cette première année de lycée avait été si difficile !

Addie aborda vaguement les moustiques et l'humidité qui, selon Hally, ne nous avait pas empêchées de passer du bon temps. Aucune des deux n'évoqua la visite catastrophique au musée.

La maison de Hally n'était pas aussi vaste que nous l'avions cru, surtout après la vision du portail d'entrée en fer forgé. Elle était plus grande que la nôtre, évidemment, mais plus modeste que celles de filles que nous fréquentions parfois après les cours.

Le lieu était impressionnant, avec ses briques anciennes, ses volets noirs et cet arbre élégant couronné de fleurs roses dans la cour du devant. Le gazon était taillé de près et la porte fraîchement repeinte. Addie jeta un œil à travers la fenêtre tandis que Hally farfouillait dans sa poche pour trouver les clés.

Une belle table en acajou trônait à l'intérieur. La famille Mullan n'avait sans doute pas besoin d'une aide de l'État pour payer les études de Hally et de son frère.

— Devon ? cria Hally en poussant la porte.

Aucune réponse. Hally roula des yeux à l'intention d'Addie :

— Je ne devrais même pas l'appeler. Il ne répond jamais.

Je me souvenais du garçon que nous avions aperçu l'autre fois derrière les grilles noires de l'entrée. Comme il était en avance de deux années sur nous, Devon était moins au centre des conversations que Hally, mais nous avions appris par certains professeurs qu'il avait sauté une classe.

Hally retira ses chaussures. Addie fit de même et posa les nôtres sur le tapis de sol. En un clin d'œil, Hally fut dans la cuisine, inspectant le frigo ouvert.

— Soda ? Thé ? Jus d'orange ?

Addie demanda un soda.

La cuisine était magnifique, avec ses buffets en bois verni, ses comptoirs façon granit. Une petite statuette richement colorée se tenait dans un coin, flanquée de deux bougies, comme deux sentinelles. Et une petite clémentine à ses pieds.

Addie écarquillait les yeux, j'étais moi-même trop intriguée pour l'en empêcher. Le physique de Hally signalait déjà un exotisme évident, pourquoi exposer à travers la déco les origines étrangères de la famille ?

— J'ai pensé qu'on pourrait aller manger dehors, suggéra Hally.

Addie se retourna juste à temps pour attraper le soda qu'elle balançait dans notre direction. Une canette tellement glacée qu'elle faillit la laisser choir.

— À moins que tu ne sois une splendide cuisinière ! ajouta-t-elle.

— Je me débrouille, bredouilla Addie.

« Arrête, on est nulles. »

— À emporter, ce serait très bien ! précisa-t-elle néanmoins.

Hally avait les yeux dans le vague, le regard étrangement pointé vers ailleurs. Addie remarqua à nouveau le petit autel. Était-ce Hally, son père ou sa mère qui avait disposé si précieusement les bougies et la statuette ?

— Devon ?

Hally venait d'appeler à nouveau, mais toujours pas de réponse. Je vis ses lèvres se pincer.

— Je n'ai jamais rencontré ton frère, dit Addie, détachant son regard de l'autel tandis que Hally revenait vers nous.

— Ah bon ? Tu vas le rencontrer ce soir. Il devrait être à la maison. Je ne sais pas pourquoi il est en retard.

Addie posa son soda sur le comptoir et tira sur son corsage.

— En attendant qu'il arrive, je pourrais peut-être, euh…

— Bien sûr, sourit Hally. Tu peux choisir un vêtement dans ma chambre. Cette tache ne doit pas être impossible à nettoyer.

Addie la suivit dans l'escalier recouvert d'une moquette crème qui ornait aussi le palier du premier étage. Soudain, je sentis que nos chaussettes avaient été détrempées par la flotte. Elles étaient trop sales pour cette maison, pour cette blancheur immaculée. Addie regardait derrière notre dos pour vérifier qu'on ne laissait pas de traces sur la moquette. Hally semblait indifférente à tous ces détails, bondissant en direction de ce qui devait être sa chambre au bout du couloir, tandis qu'Addie lui emboîtait le pas.

« *Regarde*, murmurai-je, comme si quelqu'un avait pu m'entendre. *Ils ont un ordinateur.* »

On aperçut, dans l'une des pièces bordant le couloir, un gros objet à l'allure sophistiquée trônant sur un bureau. Nous avions utilisé une ou deux fois des ordinateurs à l'école et Papa avait proposé, il y a très longtemps, d'en acheter un quand ce serait moins cher, mais ensuite on avait eu du mal à s'installer, et puis Lyle était tombé malade et on n'en avait plus jamais reparlé.

Addie contempla l'objet et, plus largement, le reste de la pièce. Une chambre, apparemment. Une chambre de garçon avec un lit pas fait et… une collection de tournevis sur le bureau. Il y avait même un autre ordinateur, complètement éventré, dans un coin. Enfin, il me semblait que c'était un ordinateur. Je n'en avais jamais vu un avec tous les fils dehors, et les composants en métal argenté dénudés. C'était la chambre de Devon, forcément ! À moins qu'il n'y ait eu un autre membre de la famille Mullan dont j'ignorais l'existence. Combien de garçons de seize ans qui avaient des ordinateurs plein leur chambre ?

Hally héla Addie, qui rappliqua aussitôt.

La chambre de Hally était dix fois plus en désordre que celle de son frère, ce qui ne semblait pas la gêner, car elle nous invita à y entrer et referma la porte. Elle ouvrit une armoire, désignant sa garde-robe accrochée sur des cintres.

— Prends ce que tu veux. On doit faire à peu près la même taille.

L'armoire était pleine de trucs qu'Addie ne porterait jamais.

Des fringues super voyantes, des hauts trop larges qui dévoilaient les épaules, avec des couleurs ultra-flashy et des bijoux qui s'harmonisaient parfaitement avec les montures noires des lunettes de Hally, avec ses cheveux sombres et bouclés mais qui, sur nous, auraient l'air d'être de la quincaillerie. Addie cherchait un truc simple. Hally l'observait du bord du lit. Elle n'avait pas de truc simple.

— Je pourrais peut-être t'emprunter ta veste d'uniforme ou quelque chose comme ça, demanda Addie.

C'est alors que je remarquai quelque chose d'étrange.

Hally nous observait depuis le bord du lit mais un éclair sombre, solennel, dans son regard me donna envie de fuir et de prévenir Addie, sans vraiment savoir pourquoi.

Lentement, très lentement, quelque chose *changea* sur le visage de Hally. C'était tout ce que je pouvais ressentir. Quelque chose d'infime, que personne n'aurait pu remarquer, n'aurait même songé à remarquer, sans la puissance d'observation que nous avions, ma sœur et moi.

Addie fit un pas vers la porte.

Nous assistions à un changement. Une nuance infime. Comme quand Robby s'était mué en Will. Mais... c'était impossible !

Hally se mit debout. Sa chevelure était nette et ordonnée sous son bandeau bleu. Les faux diamants de ses lunettes scintillèrent dans la lumière. Sans un sourire, sans un mouvement de tête, elle ne questionna même pas Addie.

En revanche, elle dit, une lueur triste au fond des yeux :

— Nous voulons parler avec toi.

« *Nous ?* » me fis-je l'écho.

— Toi et Devon ? demanda Addie.

— Non. Moi et Hally, répondit Hally.

Un frisson traversa notre corps. Probablement une réaction partagée, car ni Addie ni moi n'étions au contrôle. Nous fîmes un pas de plus pour nous éloigner de l'armoire.

Notre cœur se mit à battre. Pas vite. Mais fort, très fort. Boum.

Boum.

— Quoi ?

La fille devant nous esquissa un sourire, une torsion de la bouche qui n'atteignit jamais le coin des yeux.

— Désolée, nous dit-elle, on repart de zéro. Je m'appelle Lissa, mais Hally et moi, on veut te parler.

Addie courut vers la porte, si brusquement que notre épaule heurta le bois, nous provoquant une douleur sourde dans le bras. Sans faiblir, elle saisit à deux mains la poignée. Impossible à tourner. Un cliquetis, et puis rien. Il y avait une serrure au-dessus de la poignée, mais la clé avait été enlevée.

Une émotion indescriptible montait en moi. Quelque chose d'énorme, de suffocant, qui paralysait ma pensée.

— Hally... c'est pas drôle, protesta Addie.

— Je ne suis pas Hally, répondit la fille.

Nous n'avions plus qu'une seule main sur la poignée de porte.

Addie avait plaqué notre dos contre le mur, nos épaules raclant le bois. Un gargouillis sortit de notre gorge :

— Tu es... tu-tu as tranché... tu-tu es...

— Je suis Lissa.

— Non ! hurla Addie.

— S'il te plaît, Addie, écoute-nous. S'il te plaît.

La fille tenta de saisir notre bras, mais Addie se dégagea prestement.

La pièce était devenue moite, poisseuse et soudain, trop petite.

C'était impossible. *Irréel !* Quelqu'un aurait dû la signaler aux autorités. Impossible qu'il en soit autrement. Et pourtant, *si.*

Je l'avais vu de mes propres yeux. J'avais vu le changement. J'avais vu la nuance.

Et après tout, était-ce si dingue que ça ? Était-ce si dingue que ça que Hally soit...

— Toi, tu es toi ! insista Addie. Il n'y a pas de nous !

— Non, c'est moi et Hally. C'est nous ! répliqua la fille.

Addie tenta encore de décamper. Nous avions secoué la poignée tellement fort qu'elle paraissait prête à s'extraire de la porte.

Lissa nous empoigna le bras pour essayer de neutraliser Addie face à elle.

— Addie, écoute-moi, écoute-moi, disait-elle.

Mais Addie s'en foutait. Elle remuait dans tous les sens, sans lâcher la poignée de porte. Et moi, j'étais là, hagarde, jusqu'à ce que Hally, enfin, Lissa, euh, Hally cesse de nous secouer et se mette à crier :

— Eva ! Eva, raisonne-la, s'il te plaît !

Le monde se fracassa au son de cette voix, à l'écoute du nom qu'elle venait d'évoquer.

Eva.

Mon nom. *À moi.*

Je ne l'avais pas entendu depuis trois ans.

Addie se figea. Puis lentement, très lentement, elle redressa la tête et verrouilla ses yeux sur ceux de la fille qui nous fixait.

Tout était trop clair, trop évident. Le bandeau glissait de ses cheveux. Ses ongles parfaitement manucurés réfléchissaient la lumière du lustre. Les sillons entre ses sourcils. Les taches de rousseur sur son nez.

— Mais, comment... ? demanda Addie.

— C'est Devon, qui a compris.

La voix de Lissa s'était radoucie.

— Il a consulté les archives de l'école. Les informations sont conservées si vous ne tranchez pas la première année. Votre dossier le plus ancien porte vos deux prénoms.

Sans blague ? Ça ne m'étonnait pas. Lors de nos premières années d'études, quand Addie et moi avions six, sept, huit ans, nos bulletins scolaires arrivaient à la maison avec deux prénoms en tête de page : *Addie et Eva Tamsyn.*

Plus tard, le nom d'Eva avait disparu.

Je n'avais cependant pas conscience que mon nom avait résisté au déménagement, au changement d'écoles.

— Addie ? appela Lissa. (Puis après une longue hésitation :) Eva ?

— Tais-toi ! (Le mot jaillit de notre poitrine, brûla notre gorge et explosa dans l'air, enveloppé d'étincelles.) Ne prononce pas ce nom. (Une douleur nous traversa le cœur.) Mon nom, c'est Addie, d'accord ? A-d-d-i-e !

— *Ton* nom ? rétorqua Lissa. Tu n'es pas toute seule, il y a aussi...

— Arrête ! cria Addie. *Tu n'as pas le droit d'en parler !*

On suffoquait, nos yeux piquaient. On serrait tellement fort les poings que nos ongles pénétraient la chair de nos paumes et y imprimaient des demi-lunes.

— C'est comme ça, aujourd'hui, ajouta Addie. Y a plus que moi. J'ai tranché. Tout va bien, je suis normale, maintenant.

Les yeux de Lissa lancèrent soudain des flammes, ses joues s'empourpraient.

— Comment peux-tu dire ça, Addie ? Alors qu'Eva est toujours présente ?

Addie éclata en sanglots. Les larmes coulaient dans notre gorge. Un goût salé, tiède, métallique.

Je murmurai à Addie de ne pas pleurer. Malgré la confusion.

— Et Eva ? crissa la voix de Lissa. Tu penses à Eva ?

C'était misérable, douloureux, empli de remords. Pas les miens, mais les émotions d'Addie s'immisçaient en moi. Quelles que soient les circonstances, les paroles ou les actes échangés entre Addie et moi, nous étions les deux parties d'un même tout. Tellement proches. Liées ensemble. Son mal-être était le mien.

« *Ne l'écoute pas, Addie. Cette fille ne sait pas ce qu'elle dit.* »

Mais Addie continuait de pleurer, Lissa continuait de hurler et la pièce était saturée de larmes, de colère, de remords et de peur.

Et puis, le monde bascula.

Quelqu'un dut ouvrir la porte, car nous tombâmes la tête en arrière et je hurlai, suppliant Addie de stopper la chute. Je nous préparais toutes les deux à la douleur, c'était tout ce que je pouvais faire en attendant l'impact final.

La chute s'arrêta et nous nous retrouvâmes les yeux braqués sur le plafond. Addie pleurait toujours, tétanisée par la peur, et comme elle pleurait, je pleurais aussi, et rien n'avait plus d'importance que ces larmes. Mais quelqu'un était intervenu. Ses bras avaient enlacé notre corps, nous maintenant en équilibre.

— Qu'est-ce que vous avez *foutu* ? dit la voix.

Chapitre 5

« *Chuuut, Addie*, murmurai-je. *Ça va aller... ça va aller.* »

Nos pleurs avaient cessé, on essayait juste de reprendre notre souffle. Addie ne pouvait pas me parler, mais sa présence pressait contre la mienne, chaude et gonflée de larmes.

« *Chuuut...* », répétai-je.

Quelqu'un parla.

— Je ne voulais pas. Elle n'a pas voulu m'écouter. Je ne savais pas quoi faire. Tu n'aurais pas fait mieux, Ryan, ne me dis pas ça, tu n'étais même pas à la maison alors que tu étais censé...

— J'aurais fait beaucoup mieux que *ça*.

Je les entendais parler, mais Addie avait les yeux clos. Notre douleur submergeait celle du monde.

« *Dis quelque chose Addie, s'te plaît, dis quelque chose.* »

La voix de Hally, ou Lissa, résonna :

— Addie ? Je t'en prie, cesse de pleurer. Je suis sincèrement désolée.

C'était sans importance. L'important, c'était Addie. Qui emplit sa poitrine d'un ultime sanglot avant d'essuyer une larme définitive.

— Ça va aller ?

Elle ne disait plus rien, hoquetant, ses yeux hagards fixés sur le sol. Je ressentis la chaleur de son embarras croissant, de la honte qu'elle éprouvait d'avoir craqué comme ça.

Et moi, je répétais : « *Tout va bien, ne t'inquiète pas. N'y pense plus. Laisse-toi aller.* »

Finalement, Addie dévisagea la fille au sourire forcé.

« Hally ? » Notre voix était rauque.

La fille plissa le front. Elle hésita, puis secoua à nouveau la tête.

— Non. Non. Je suis Lissa.

« *Je ne crois pas qu'elle mente, Addie* », murmurai-je. Mais elle n'avait pas besoin de moi pour le savoir.

— Et Hally ? rétorqua Addie.

Ce fut Lissa qui répondit.

— Elle est là aussi. C'est elle qui t'a accompagnée, c'est elle qui t'a interpellée après la classe.

Un triste sourire apparut sur son visage.

— Elle est meilleure que moi pour annoncer les nouvelles. Je voulais que ce soit elle qui vous parle, mais elle a refusé. Apparemment, elle aurait dû.

Notre bouche béait en silence. Pas un son ne sortait. Étions-nous dans un rêve ? Dans un cauchemar ?

— C'est p-p-pas possible, dit Addie en secouant notre tête.

— Si, c'est possible ! s'écria le frère de Hally.

Il se tenait à quelques mètres, dans son pantalon et sa chemise d'école, la cravate non défaite. Je ne me rappelais plus m'être libérée de son étreinte, je n'avais aucun souvenir de son apparition, je revoyais juste le tournevis dans sa main, la poignée de porte par terre. Il l'avait démontée.

— Nous… commença-t-il.

Nous ? Ça désignait qui, au juste ? Lui et Hally ? Lui, Hally et Lissa ?

Ou encore lui, ses sœurs et un autre garçon à l'intérieur de lui ? Un autre être ? Une autre âme ? À voir la façon dont il nous regardait, je compris que cette dernière proposition était la bonne.

— Nous savons qu'Eva est toujours là, et nous pouvons lui apprendre à se réactiver, affirma-t-il.

Addie se raidit. Elle tremblait. Un spectre s'agitait sous sa peau.

Mais notre corps restait figé.

— Vous voulez savoir comment ? ajouta le garçon.

Lissa intervint.

— Tu nous fais peur, là, Devon.

Ouais, c'était ça, le nom du frangin, c'était Devon. J'étais sûre, pourtant, qu'elle avait utilisé un autre prénom quelques minutes auparavant.

— C'est illégal, répliqua Addie. Vous n'avez pas le droit. S'ils découvrent cela, ils vont vous…

— Ils ne découvriront rien, l'interrompit Devon.

Les déclarations officielles. Les reportages, chaque année lors de la fête de l'Indépendance, décrivant le chaos qui avait envahi l'Europe et l'Asie. Les discours de présidents. Toutes ces visites au musée.

— Je dois y aller, déclara Addie.

Elle se mit debout si brusquement que Lissa resta accroupie, levant juste son regard sur nous.

— Je dois y aller, répéta Addie.

« Addie… »

Elle secoua la tête.

— Il faut que j'y aille.

Lissa bondit sur ses pieds.

— Attends !

Nous tendîmes les mains pour lui enjoindre de ne pas s'approcher.

— Au revoir Hally, Lissa, euh… Lissa, Hally, au revoir… Désolée, mais il faut que je rentre à la maison, maintenant.

Addie s'éloigna à reculons, trébuchant sur toute la longueur du couloir. Lissa s'élançait déjà vers elle, lorsque son frère lui saisit l'épaule.

— Devon ! protesta Lissa.

Il hocha la tête vers nous, les sourcils froncés, en jetant un ordre :

— N'en parlez à personne. Promettez ! Jurez !

On avait la gorge sèche.

— Jurez, j'ai dit !

« *Addie, restons, je t'en prie* », murmurai-je.

Ma sœur avala sa salive en hochant la tête :

— Promis.

Elle tourna les talons et se précipita dans l'escalier.

Elle courut comme une folle sur le chemin de la maison.

— Addie ? C'est toi ? nous apostropha Maman tandis que nous franchissions le seuil. (Addie resta silencieuse et Maman finit par passer la tête hors de la cuisine.) Je croyais que tu mangeais chez une copine ?

Addie ignora la question. Elle se mit à frotter nos chaussures à un rythme qui aplatissait les poils hérissés du paillasson.

— Quelque chose ne va pas ? l'interrogea Maman, en s'essuyant les mains avec un torchon.

— Non, non, répondit Addie. Tout va bien. Pourquoi tu n'es pas à l'hôpital avec Lyle ?

Lyle sortit également de la cuisine et nous examinâmes machinalement ses bras et ses jambes maigres afin d'y déceler d'éventuelles meurtrissures. Nous étions terrifiées à l'idée que ses hématomes puissent dégénérer en maladies plus graves. C'était ce qui affectait Lyle. Un empoisonnement alimentaire était devenu une maladie des reins qui s'était développée en véritable paralysie. Notre frère était pâle, comme toujours, mais semblait plutôt en forme.

— Il n'est même pas cinq heures, Addie, dit-il en enfilant précipitamment ses chaussures. On regardait les nouvelles à la télé. Tu as vu ça ?

L'expression de son visage était partagée entre l'anxiété et l'excitation, l'exaltation et la peur.

— Il y a eu un incendie au musée ! Plus une inondation ! Ils disent que tout le monde aurait pu être élec-
trocuté, genre zzzz… !!!

Il se raidissait dans des spasmes mimant les convulsions de quelqu'un frappé d'une décharge électrique.

Addie faillit défaillir.

— Il paraît que ce sont des *hybrides* qui ont fait le
coup. Ils n'ont pas encore été attrapés ?

— Lyle, cesse d'être morbide, gronda Maman.

Nous avions tous froid.

— Ça veut dire quoi, *morbide* ? demanda Lyle.

Maman s'apprêtait à fournir une explication
lorsqu'elle surprit l'expression de notre visage.

— Addie ? Ça va, Addie ? Qu'est-il arrivé à ton
corsage ?

— Ça va, ça va… répondit Addie. J-j'ai juste vu que
j'avais beaucoup de devoirs à faire à la maison ce soir.

Elle éluda la seconde question. On s'était fait assez
de soucis pour ce corsage. Maintenant, c'était devenu
un détail.

Des hybrides ? Des hybrides auraient provoqué la
destruction du musée ?

Maman fronça un sourcil.

— Un vendredi ?

— Ouaip, dit Addie.

Elle ne savait plus ce qu'elle disait. Nous regardions
Maman, mais Addie était dans les vapes.

— J-je vais monter dans ma chambre, M'man.

— Il y a des restes dans le frigo. Papa va rentrer
vers…, lança Maman.

Mais Addie avait déjà claqué la porte, envoyant val-
ser nos chaussures et tombant sur le lit en enfouissant
notre tête dans nos bras.

« *Mon dieu !* » murmura-t-elle. C'était comme un
appel à l'aide.

Si les hybrides étaient accusés d'avoir provoqué
l'inondation et l'incendie du musée, et s'ils n'avaient

pas encore été pris, j'imaginais la folie qui allait s'emparer de la ville. Elle viendrait sans doute jusqu'à nous. Tout le monde allait être aux aguets, sur les nerfs, prêt à accuser le voisin. Oui, c'était ça, le souci avec les hybrides : il était impossible de les identifier rien que par le look.

Les Mullan seraient les premiers à se faire pointer du doigt en raison de leur sang étranger et de leurs coutumes bizarres.

Tout citoyen sensé prendrait soin de ne pas se mêler à eux.

Mais quand même. Quand même…

Je pouvais revoir le frère de Hally debout dans le couloir, me remémorer son regard sur nous, me souvenir de chaque mot sorti de sa bouche. Il avait dit que je pourrais bouger à nouveau. Qu'ils pourraient *m'apprendre.*

Et si lui et sa sœur se faisaient prendre ? Je devrais passer chaque seconde brûlante de ma vie à repenser à ce jour où je n'avais rien dit, rien fait pour saisir la chance qui s'offrait à moi.

« *On y retourne, Addie* », murmurai-je.

Addie ne répondit pas. On resta comme ça, le visage enfoui dans le creux de notre coude.

« *On y retourne* », insistai-je.

Les mots de Devon brûlaient en moi comme des charbons ardents, enflammant ces trois années d'acceptation forcée. Le feu envahissait ma gorge, ma peau, et ces yeux que je partageais avec Addie, mais il ne pouvait jaillir.

« *Tu entends ce que tu suggères ?* » rétorqua Addie.

Normalement, je me serais tue. J'avais appris à ne rien dire dans une telle situation. À rester silencieuse en prétendant ne rien ressentir. C'était la seule façon d'échapper à la folie, de ne pas succomber au désir, à la *nécessité* de bouger mes propres membres. Je ne pouvais pas pleurer. Je ne pouvais pas hurler. Je pouvais juste me taire et me laisser engourdir. Puis mes sensations s'envoleraient, je n'aurais plus à désirer ce qui m'était hors d'atteinte.

Mais à ce moment-là, non. Je ne pouvais pas rester silencieuse.

« *Je l'entends, tu l'entends, mais personne d'autre ne l'entend.* »

Addie tourna notre corps vers le mur. « *Eva, est-ce que tu... est-ce que tu imagines ce qu'on nous ferait si quelqu'un découvrait la vérité ?* »

« *Je... je sais* », bredouillai-je.

« *Pour la première fois depuis nos six ans, nous sommes en sécurité, et tu voudrais gâcher cela ?* » me répondit Addie.

Ma voix se fit geignarde, mais j'étais trop désespérée pour y prêter attention. « *Ce pourrait être ma seule chance, Addie. Je dois prendre le risque de...* »

« *Ce n'est pas seulement ta chance à toi* », me coupa-t-elle.

« *Tu ne comprends pas. Tu ne comprendras jamais* », grognai-je.

Nos yeux se fermaient avec insistance. Et Addie reprit : « *Je ne peux pas revenir en arrière. Je ne peux pas !* »

Moi : « *Moi, je dois le faire !* »

La réponse claqua. « *Toi, tu n'as pas le choix !* »

C'était comme si elle avait coupé les tendons qui nous reliaient, me laissant seule, en roue libre. Pendant un long, très long moment, je ne pus trouver mes mots.

Avant de cracher finalement : « *Mouais. C'est comme tu veux. Apparemment, je compte pour du beurre.* »

Un jour, quelques mois avant notre treizième anniversaire, j'avais disparu. Juste cinq ou six heures, ce qui me sembla une éternité. C'était l'année où Lyle était tombé malade. Ses reins le trahissaient et nous pensions que sa croissance était interrompue. À nouveau, nous nous étions retrouvés dans ces couloirs d'hôpital. Sauf que cette fois-là, ce n'était pas nous, les patients. C'était Lyle. Notre aventure à nous avait été horrible, mais là ce le fut dix fois plus encore. Les docteurs n'étaient pas les mêmes, les tests n'étaient pas les mêmes, les traitements étaient différents. Mais nos parents étaient aussi anxieux que la première fois et Lyle, assis sur la table d'examen, était aussi pâle et silencieux que nous l'avions été.

Une nuit, il nous avait posé une question à l'oreille tandis qu'Addie s'asseyait au bord du lit, s'efforçant d'éteindre la lampe de chevet. « Si je meurs, je vais retrouver Nathaniel ? »

Addie avait lutté contre cette boule qui nous nouait la gorge, bloquant notre respiration et notre réponse. Personne n'avait mentionné Nathaniel depuis qu'il avait disparu trois ans plus tôt.

« Tu ne vas pas mourir, avait-elle affirmé.

— Oui, mais...

— Tu ne vas pas mourir, Lyle, l'avait coupé Addie. Tout ira bien. Tu vas te rétablir, je te le promets. »

Elle était restée nerveuse toute la nuit, nous nous étions disputées à propos de choses stupides qui nous embarrassaient depuis qu'elle m'avait jeté à la face la maladie de notre petit frère. Pourquoi ne voulais-je pas me montrer *humaine* et la libérer ? Moi, je lui reprochais d'avoir été insensible à la mort de notre autre frère. Je voulais la blesser comme elle m'avait blessée.

Mais j'avais peur. Très peur.

J'étais si effrayée que, pendant un moment, je n'avais plus voulu être auprès d'elle. Je ne voulais plus rien savoir du lendemain, plus rien savoir des paroles de ma sœur, de ce qui allait arriver à Lyle, qui nous demandait s'il allait revoir Nathaniel.

J'avais toujours été une battante. Soudain, je me rétrécissais.

Je me cramponnais à notre corps et à Addie. C'était terrifiant.

J'avais été blessée, humiliée, terrorisée.

Et avant même de comprendre ce que je faisais, cela avait été accompli.

J'avais passé plusieurs heures dans un monde de rêves flous tandis qu'Addie paniquait et me hurlait de revenir. Elle m'avait avoué son attitude une année plus tard, mais j'avais senti sa peur lorsque j'étais revenue, ses yeux gonflés, son esprit confus. J'avais goûté à son soulagement.

Je n'avais depuis plus jamais disparu, quelle que soit la violence de nos conflits. Quelle que soit ma peur.

Mais cette nuit-là, je me sentais prête à recommencer. J'en caressais l'idée, trop effrayée pour franchir le pas mais assez furieuse pour en avoir envie.

Je ne peux pas dire qui souffre le plus lorsque Addie et moi cessons de nous parler. Ce silence, qui s'était prolongé toute la nuit de vendredi et la journée du samedi, avait dématérialisé le temps. Le monde flottait comme un film lointain et irréel.

Quant à Addie, elle n'avait plus personne pour lui rappeler les choses du quotidien. Elle avait oublié de prendre une serviette pour la douche. Le réveil s'était déclenché à sept heures du matin le samedi. Elle avait cherché notre brosse à cheveux partout, sauf sur la bonne étagère. Je me taisais. J'avais déjà compris qu'elle n'arrivait à rien sans moi.

J'étudiais pendant qu'elle rêvassait, s'acharnant à garder nos yeux sur le texte, tournant les pages quand je lui en donnais l'ordre. Je mettais des mots dans notre bouche lorsqu'elle était trop agitée pour répondre.

Lorsque nous nous abîmions toutes les deux dans un mutisme forcé, c'était toujours Addie qui rompait le silence après quelques heures, une journée tout au plus. Elle parlait la première.

Mais cette fois, nous étions passées du samedi au dimanche et Addie restait muette. Je sentais ce vide à mes côtés, cette absence brute, signe qu'elle combattait ses émotions.

— Tu vas bien ? demanda Maman lorsque nous la rejoignîmes pour le petit déjeuner du dimanche. Je sentais son regard sur nous tandis qu'Addie attrapait une boîte de céréales dans le placard.

— Je t'ai trouvée bizarre durant tout le week-end.

Addie se tourna vers elle avec un sourire forcé :

— Tout va bien, M'man. Juste un peu fatiguée, c'est tout.

— Tu ne nous couves pas quelque chose, j'espère ? ajouta Maman, palpant notre front.

— Non, M'man, j'te jure, ça va, répondit Addie en se dégageant.

Maman continuait de froncer les sourcils.

— Ne prends pas la tasse de Lyle, on ne sait jamais, il…

— Je sais, M'man. Je vis ici, je suis au courant, répondit Addie.

Les céréales se coincèrent dans notre gorge. Addie jeta le reste dans la poubelle.

Nous remontâmes l'escalier en vue d'un brossage de dents et, dans le miroir de la salle de bains, j'observai notre reflet. Addie fit de même. Des yeux noisette, un petit nez court, une bouche menue. Cette chevelure blonde qu'on s'était promis d'arranger sans jamais le faire. Et puis, Addie ferma les yeux et je ne vis plus rien. Elle se rinça la bouche, les yeux toujours clos, saisit la serviette qu'elle pressa contre notre visage. C'était frais. Moelleux.

« C'est pas possible. On ne peut pas revenir en arrière, Eva. »

C'était toujours elle qui lâchait prise. J'aurais pu me sentir comblée, savourer un moment de victoire, mais j'éprouvai juste un grand soulagement.

« *Songe à ce qui pourrait arriver*, ajouta-t-elle, la tête toujours enfouie dans le tissu-éponge. *On pourrait être normales, maintenant. Rester comme on est.*

— *J'ai pas envie de rester comme on est*, rétorquai-je.

— *Tout le monde est obligé de trancher et...*

— *Pour nous, la situation n'est pas tranchée*, répondis-je. *Je suis toujours là, Addie.* »

Et nous étions là, dans la fixité de ce dimanche matin. Une fille pieds nus, en tee-shirt et culotte de pyjama rouge, de l'eau dégoulinant du menton, en pleine prise de tête.

« *Et si quelqu'un découvre notre secret, Eva ? Ils vont nous emmener et...*

— *C'est bon, Addie*, répliquai-je. *Si tu étais celle qui est piégée à l'intérieur sans pouvoir bouger, je retournerais chez eux. À la seconde.* »

La serviette fut soudain baignée de larmes.

Chapitre 6

Durant la matinée du lundi, les conversations tournèrent toutes autour de l'inondation au musée de Bessimir. Les étudiants de la classe d'histoire de Mme Stimp étaient soudain devenus les vedettes de l'école, même pour les plus grands, qui ne s'intéressaient habituellement aux petits nouveaux que lorsqu'il s'agissait de les faire dégager.

Addie bottait en touche face aux questions qu'on lui posait, mais elle ne pouvait pas toutes les éviter. Elle devait décrire encore et encore la scène au musée, le volume d'eau qui s'était répandu, la réaction du guide, etc. Est-ce que quelqu'un avait crié ? Est-ce qu'elle avait cru à une attaque ? Avait-elle vu quelqu'un de suspect ? Daniela Lowes affirmait avoir repéré quelqu'un. Et le feu ? Elle avait vu le feu ? C'est elle qui était tombée, hein ?

Ils étaient tous déçus par les réponses d'Addie. Apparemment, tous les autres avaient failli se noyer, avaient vu des types bizarres dans tous les coins et, au moins, une tour en flammes.

Des hybrides… murmurait la rumeur dans les couloirs, les toilettes, les salles de classe tandis que chacun faisait mine d'écouter les profs.

Des hybrides. En liberté, planqués *quelque part*.

« Ça pourrait être nos voisins, sans qu'on le sache », clamait une fille d'une voix excitée en plein cours de maths.

Certains autres étaient moins audacieux. On avait retrouvé un « grand » sanglotant dans les toilettes après le deuxième cours.

Il pensait que son père était en danger car il travaillait à la mairie de Bessimir. Addie, elle, ravalait ses larmes.

Au troisième cours, nous étions pâles, presque tremblotantes. Gardant nos ongles enfoncés dans le bord de nos chaises pour rester immobiles. Jusqu'au déjeuner.

Nous n'avions pas emporté d'argent ce matin-là ; mais nous n'avions pas faim, donc aucune importance.

Finalement, la cloche retentit. Addie et les autres se précipitèrent dans le hall. Les hurlements montaient jusqu'au plafond, rebondissant de mur en mur et parmi les casiers métalliques. Addie se jeta rapidement en arrière pour esquiver le coude d'un garçon qui défaisait sa cravate.

« *Où est la classe de Hally ?* » demandai-je. J'osais à peine lui poser la question, à cause de ce qui s'était passé dans la matinée.

Nos poings étaient encore serrés, mais il fallait y aller.

Addie, regardant le hall, répondit doucement : « *C'est la 506.* »

Nous nous frayâmes un chemin parmi la foule, qui devenait peu à peu clairsemée. Addie marchait énergiquement, un pied devant l'autre avec la force de quelqu'un qui doit aller jusqu'au bout car il n'aura pas une seconde chance.

Bientôt, nous fûmes au pas de course dans les couloirs.

Nous fîmes irruption dans la salle 506 avec tant de violence que la prof poussa un cri en sautant sur ses pieds.

Addie se rattrapa à un bureau pour stopper notre élan et nous empêcher de tomber.

— Désolée, désolée, s'excusa-t-elle, se baissant pour remettre en place une chaise qu'on avait bousculée. Je-je cherche Hally Mullan. Elle est là ?

— Elle vient de partir, répondit la prof, la main toujours sur la poitrine. C'est si urgent que ça ?

— Non, non, rien de grave, la rassura Addie, déjà presque sortie de la salle.

« Où chercher, maintenant ? » murmura-t-elle. Je sentis monter en moi un sentiment de gratitude. L'école tout entière était remontée contre les hybrides. Je pouvais sentir, dans notre poitrine serrée, le va-et-vient de notre respiration. Addie aurait pu dire *Elle n'est pas là. On verra demain.* Au lieu de cela, elle demandait où la trouver.

« *Je ne sais pas. Peut-être à la cafétéria ? Ou dehors ? Ou alors au café de l'autre côté de la rue ?* »

Nous observions les visages dans le réfectoire, espérant apercevoir les lunettes cerclées de noir de Hally et sa longue chevelure brune parmi les buveurs de café et les lecteurs de journaux. Aucune trace de sa présence. Lorsque nous quittâmes l'endroit, le déjeuner était à moitié terminé.

« *On va l'attendre dans la salle de classe ?* proposai-je. *Elle va finir par revenir.*

— *On va être en retard.*

— *Ça m'est égal.* »

La prof de Hally nous suivit du regard lorsque nous entrâmes dans la salle. Addie se posa sur une chaise près de la porte, les bras croisés. Et nous patientâmes.

« *La cloche va sonner, Eva.*

— *Attendons-la encore. Elle va venir, elle va venir, Addie.* »

Elle n'arriva pas. Les minutes s'écoulèrent. Longues, silencieuses.

Nous ignorions la prof et ses raclements de gorge.

Et puis, Addie se leva.

Moi : « *Non, on attend encore un p…* », mais Addie secoua la tête, attrapa notre veste en la chiffonnant presque, puis quitta la pièce à pas mesurés.

« *Elle n'est pas là, Eva. Et sa prof me prend sans doute pour une dingue, alors…*

— *Arrête, Addie.*

— *On quitte cet endroit, Eva. Je me fous de…*

— *Non, non, regarde. La voilà. C'est Hally.* »

Ma sœur s'est figée. J'ai senti son esprit devenir transparent. Hally ne nous avait pas vues. Elle farfouillait dans son casier, parmi les bouquins. Où avait-elle disparu ? Pourquoi ne l'avions-nous pas retrouvée ? Ça n'avait plus d'importance.

« *Addie, dis-lui quelque chose.* »

Addie ne bougea pas.

« *C'est Hally. Tu as remarqué ? Parle. Dis quelque chose.* »

Nos pieds restèrent collés au plancher. Nos lèvres hermétiquement scellées. Quelques mètres seulement nous séparaient de Hally, mais on aurait dit que c'était un continent.

« *Addie, fais-le pour moi.* »

Notre cœur semblait saisi dans un étau. Addie décida de franchir le pas.

— Hally ? osa-t-elle.

Nos mains moites s'agitaient le long de nos hanches. Hally releva brusquement la tête, les lèvres pincées.

— Oh ! Cette chère Addie !

Les deux s'observèrent avec intensité. Je bouillais d'impatience. Si je stressais ma sœur à cet instant, elle risquait de disjoncter. Si je ne le faisais pas, elle allait perdre courage.

« *Allez, Addie… vas-y, vas-y, s'il te plaît* », la pressai-je.

Addie bredouilla. Elle regarda autour d'elle pour vérifier que personne n'écoutait :

— Eva veut… Eva veut apprendre.

Elle avait dit ça d'une voix éteinte, sans bouger, le regard perdu, loin des yeux de Hally.

— Oh, formidable... chuchota Hally. Génial, génial, c'est fantastique.

Addie répondit par un sourire figé.

La sonnerie de la fin de déjeuner résonna. Hally saisit un dernier bouquin, claqua la porte de son casier, un sourire radieux sur le visage :

— Je vous retrouve devant l'école après les cours, d'accord ? On ira chez moi. Je vous présenterai Devon et Ryan. Ça va être cool.

Ryan ? Le nom du deuxième esprit habitant le corps de Devon ?

Je mis ça dans un coin de notre tête. Encore un indice qui allait changer les événements à venir.

Addie hocha la tête pour signifier notre accord.

Des garçons déboulaient dans le couloir, riant et parlant fort.

Ils se rapprochaient de nous. Addie se tenait près du casier de Hally, regardant celle-ci retourner vers la salle de classe. À peine arrivée à la porte, la jeune métisse fit volte-face :

— Tu verras, Addie, ça va être formidable. Tu verras.

Cette fois-ci, Devon était assis à la table de la cuisine lorsque Hally ouvrit la porte. Il avait un tournevis dans une main et une sorte de pièce noire dans l'autre. Un fatras d'ustensiles était étalé sur la table, l'entourant comme une barricade. Il leva le nez en nous voyant apparaître, puis se replongea dans son bricolage après un simple signe de bienvenue.

— Salut, osa Addie.

Sa voix n'avait pas l'éclat qu'elle y mettait d'ordinaire pour des retrouvailles. Avec les garçons, en général, elle arborait un masque jovial. Celui-ci, elle osait à peine le regarder.

Pourquoi ? Parce que ce n'était pas un seul garçon, mais deux ?

Parce que deux âmes jumelles cohabitaient à l'intérieur de ce corps ?

Addie détourna son regard tandis que je fixais le garçon pour imprimer son visage dans ma mémoire. Mais ce n'était pas moi, le pilote.

— Un peu de thé ? proposa Hally en marchant vers le frigo après avoir jeté ses chaussures.

— Du thé ? répéta Addie d'un air surpris.

— Ouais, il est bon. Promis.

Addie défaisait déjà nos lacets.

— Bon, ben, s'il est bon…

Personne ne nous interrogea sur notre présence ici. Addie restait appuyée contre la porte d'entrée, nos bras croisés, mains sous les coudes : « *On fait quoi, maintenant ?* »

Je m'interrogeais. On observait Hally, mais elle était trop occupée à farfouiller dans les placards pour sentir le flottement.

Devon s'appliquait à resserrer quelque chose en faisant la grimace. Addie et moi, on aurait préféré être ailleurs.

Finalement, Hally se tourna vers nous en riant :

— Ne reste pas plantée là, Addie. Assieds-toi. (Elle désignait la chaise près de son frère.) Devon, occupe-toi de la demoiselle pendant que je vais chercher quelque chose en haut.

Le garçon leva un sourcil sans même la regarder.

— Je croyais que c'était *ton* invitée ?

Hally passa devant nous et murmura en roulant des yeux :

— Ne fais pas attention à ce rustre. Il est toujours aussi malpoli.

— C'est plutôt elle qu'il faut ignorer, répliqua Devon. Elle est pas contente parce que Ryan a dévissé sa poignée de porte.

Hally lui fit une grosse grimace, puis nous laissa seule avec le garçon. Addie restait toujours immobile.

— Tu peux t'asseoir si tu veux, grommela Devon.

Addie se laissa tomber sur la chaise, et le garçon se replongea dans son bricolage. Le temps était suspendu.

« *Dis quelque chose, Addie. Pour l'amour du ciel, dis quelque chose.*

— *Ah oui, et tu veux que je dise quoi ?* » Une tension envahissait notre corps, nous asséchant les yeux et la bouche.

Devon leva les yeux.

« *Ça y est, il nous regarde enfin. Je lui raconte quoi, à Devon ?* »

Il restait silencieux, ne nous demandait même pas ce qu'on voulait. Son regard était sur nous, mais son visage restait penché sur ses mains.

« *Trouve quelque chose*, exigea Addie. *Tu voulais parler, hein ? Alors, trouve quelque chose à dire.* » Puis elle se tut. Je me torturais l'esprit, mais l'irritation d'Addie freinait mes pensées. C'était comme un remue-méninges avec un singe en colère.

« *Dis-lui, par exemple, euh...* »

La question jaillit de nos lèvres :

— Euh... tu es Devon, là maintenant devant moi, ou suis-je censée m'adresser à Ryan ?

Addie eut beau bâillonner du poing notre bouche, impossible de la reprendre, cette question-là. Et moi, j'étais trop sous le choc pour articuler quoi que ce soit.

Devon plissa les yeux. Ou était-ce Ryan ? Probablement pas. Il avait cité Ryan, donc il était Devon. Il fronça les sourcils d'un air ennuyé.

— Je suis Devon, mais si vous voulez parler à Ryan, je peux le...

— Non, ça ira comme ça, coupa Addie.

Son ton sec effaça l'expression amusée qui traînait sur le visage du garçon pour faire place de nouveau à une sorte de vide inexpressif. Hochement de tête, et puis retour à son bricolage.

Le silence s'était installé, uniquement rompu par le cliquetis du tournevis au travail.

« *Formidable stratégie*, murmurai-je. *Déclenche la haine chez lui. C'est toujours un bon plan.* » Le rouge nous monta au front.

« *Tu veux que je parte, Eva ? Je peux, si tu veux. Tout de suite.* »

Je sombrai dans le silence. Un mur s'érigea entre Addie et moi, figeant ses émotions dans la moitié de notre esprit qui lui était dévolue. Mais elle ne fut pas assez rapide. J'avais senti l'aiguillon de sa culpabilité. La bouilloire commença à siffler.

— J'arrive, hurla Hally, en dégringolant l'escalier.

Elle s'arrêta pour éteindre la gazinière, et la bouilloire se mit à ronronner, avant de se taire. S'ensuivit un bref moment de silence uniquement troublé par l'entrechoquement des tasses et des cuillères.

Addie détacha notre regard des mains de Devon :

— C'est quel genre de thé, ça ?

— Oh, mmh… c'est mon père qui l'achète. Me souviens plus du nom, répondit Hally.

Elle égoutta une des cuillères contre le bord d'une tasse, et apporta la boisson fumante sur la table.

— J'ai mis un peu de lait froid pour que ce ne soit pas brûlant. Tu vas voir, c'est excellent.

Elle regarda Addie avaler une gorgée. Nous n'avions pratiquement jamais bu de thé auparavant. Le goût était plus doux que je ne l'imaginais. Laiteux et épicé, aussi.

Devon daigna ouvrir la bouche :

— Lissa est obsédée par le thé, en ce moment. Le mois dernier, c'était les canifs incrustés.

Lissa ? Elle était Lissa, maintenant ? Addie jeta un regard en biais vers la fille qui, bien sûr, n'avait pas changé d'apparence.

La même chevelure sombre, le même teint cuivré, les mêmes yeux bruns. De toute façon, je ne connaissais pas assez les deux filles pour faire la différence.

— Je ne suis obsédée par rien, contra Lissa en avalant une gorgée. Et je collectionnerais encore les canifs si Maman m'avait laissée faire.

— Le thé est délicieux, dit tranquillement Addie.

Lissa nous décocha un sourire forcé :

— Oui, n'est-ce pas ?

Un ange passa. Addie tripotait la poignée de sa tasse. À travers la cloison mentale qui nous séparait, je sentais monter son exaspération. Comme une vapeur à travers les fissures.

— Pourquoi moi ? demanda-t-elle enfin.

Lissa et Devon, abandonnant thé et bricolage, levèrent les yeux vers elle. La force des deux regards conjugués, et si semblables, fit chanceler Addie. Mais elle se reprit.

— Pourquoi m'avoir choisie, moi ? Comment... comment saviez-vous que j'étais différente ?

Lissa répondit lentement, pesant chaque mot :

— Te souviens-tu en septembre dernier, lorsque tu as fait tomber ton plateau-repas ?

Bien sûr qu'on s'en souvenait. On s'était querellées à propos d'une broutille, on se hurlait dessus dans notre tête, et le monde extérieur n'existait plus. Dans la salle du réfectoire, un grand silence avait suivi la chute du plateau, ainsi que le vol de purée et de lait.

— Parfois, j'avais l'impression que tu parlais à quelqu'un d'autre, Addie. Quelqu'un dans ta tête. (Lissa s'interrompit.) Un simple pressentiment. Une querelle de famille, peut-être ? ajouta-t-elle avec un sourire narquois.

Ce qui n'amusa pas Addie.

— C'est bon, reprit Lissa. Devon a vérifié ton dossier, tu n'as tranché qu'à l'âge de douze ans. Ça prouve qu'il y avait un souci quelque part.

Addie se pencha au-dessus de notre tasse de thé. La vapeur douce et chaude tempérait notre angoisse.

— Bravo pour ta petite enquête.

— Ce qui veut dire ? interrogea Lissa.

— Que tu as découvert que j'étais différente.

— Attends, n'importe qui ne peut pas fouiller dans les dossiers scolaires, tu sais…

— Et puis, qu'est-ce qu'il y a de mal à ça ? intervint Devon.

Il parlait à voix basse, ayant finalement posé son tournevis, son attention totalement rivée sur nous.

— Tu as le droit d'être différente des autres.

— Ha ha ! On dirait un personnage d'une mauvaise série télé, rigola Addie en tripotant notre tasse avant d'ajouter, d'une voix faussement guillerette : *C'est sympa d'être différente.*

— N'est-ce pas…

— Non, comme ça, c'est pas toujours sympa.

— En tout cas, tu es venue, conclut le garçon.

Addie rompit son silence :

— C'est Eva qui a insisté.

L'expression de Devon ne changeait pas, mais Lissa sourit.

Addie était soucieuse. Notre tête était brumeuse. Cotonneuse.

Un léger vertige. Elle repoussa la tasse de thé, mais ce n'était pas la vapeur qui nous embrumait.

— Je crois que je vais… euh…

Nous avions les jambes qui flageolaient.

« *Eva ?* » s'écria Addie.

Un mot, un seul, effrayé.

Puis elle disparut.

Tout devint noir. Nous basculâmes vers l'avant et notre tête heurta violemment la table.

Je hurlai. « *Addie ? ADDIE ?* » Aucune réponse.

Pire que le silence, il y avait le vide. Là où Addie aurait dû être.

Même quand nous étions fâchées, même quand Addie tentait désespérément de cacher ses émotions, j'avais toujours senti le mur qu'elle mettait entre nous. Là, il n'y avait même plus de mur.

C'était comme un abîme. La nausée m'envahit.

— Écarte la tasse. Par chance, elle ne l'a pas cassée.

— Elle l'a évitée. Comme si elle savait que…

— Mouais, tu n'as pas été très discret. Je suis même surprise qu'elle ait bu.

Les voix s'évanouissaient en murmures. Affolée, je fouillai les ténèbres à la recherche d'Addie. La chaleur de sa présence, ses pensées s'étaient envolées. Il ne subsistait aucune trace de son existence.

Notre corps n'était plus qu'une enveloppe vide. Un étui creux. Bien trop grand. Bien sûr, bien trop grand. D'ordinaire, il contenait deux âmes. Il n'en restait plus qu'une.

— Eva ? appela Lissa.

« *Oui ?* » criai-je en retour.

— Tu nous entends, Eva ?

« *Oui, oui, je vous entends. Où est Addie ? Que lui est-il arrivé ?* »

Bien sûr, ils ne m'entendaient pas.

— Nous allons d'abord l'allonger. Et je la ranimerai, décida Devon.

Des mains nous traînèrent par les bras jusqu'à notre siège.

Quelqu'un éloigna celui-ci de la table. Des mains nous saisissaient à présent le torse. Rapidement soulevées, nous nous trouvâmes lentement transportées vers une destination inconnue.

Prisonnière dans ce corps qui était le mien sans être le mien, je ne pouvais articuler un mot.

Où nous emmenaient-ils ? Était-ce un tour de passe-passe ? Un piège ? Une manœuvre du gouvernement pour capturer les hybrides échappés des hôpitaux psychiatriques ?

En leur faisant croire qu'ils avaient des amis qui comprenaient leur solitude afin de mieux profiter de leur vulnérabilité ?

On était en plein dedans. En tout cas, j'avais entraîné Addie dans cette histoire. J'avais été stupide, si naïve, si désespérée de croire que je pourrais m'animer à nouveau.

— Peux-tu prendre ce coussin, Lissa… ? oui, celui-là… et mets-le là…

Je sentis une masse douce et ferme sous notre dos. Les mains relâchèrent leur prise. Ils ne nous emmenaient pas ailleurs, donc.

Peut-être qu'ils ne nous kidnappaient pas. Aucun réflexe de soulagement à cette pensée. Juste un peu moins nauséeuse.

« *Addie*, soupirai-je. *Qu'est-ce qu'ils nous ont fait ?* »

— Eva ? Écoute-moi, Eva… me dit Devon.

J'étais à l'écoute. Mais ils ne pouvaient pas le savoir car Addie n'était plus là pour le leur dire.

— Arrête de flipper, Eva. Tu dois nous écouter. Addie va bien. Elle est juste… endormie à cause du médicament. On craignait qu'elle refuse de le prendre si elle savait que…

Ils nous avaient droguées. Vraiment droguées. Un éclair de colère me traversa, consumant une partie de la peur.

— Eva, tu peux bouger ?

Ben non, je ne pouvais pas bouger !

— Le médicament va t'aider, insista Lissa. Essaie de remuer les doigts.

J'essayai. J'essayai. J'avais essayé pendant des années. Si seulement je pouvais m'évader de là. Je n'y arrivais pas. J'étais prisonnière dans une sinistre cellule de peau et d'os, enchaînée à une cage thoracique que je ne contrôlais pas. Quel était leur plan ? Essayaient-ils vraiment de nous aider ? De cette façon-là ?

« *Addie, réveille-toi* », suppliai-je.

Une main enveloppa la mienne. Je ne pouvais plus fuir.

— Bonjour, Eva. Je suis Ryan.

Ryan ! C'était la voix de Devon ! Mais c'était Ryan. Tout comme la voix d'Addie était aussi la mienne. Enfin, *avait été* la mienne.

— On ne s'est pas encore rencontrés, mais c'est pour bientôt. Pour l'instant, nous voulons juste que tu essaies de bouger les doigts. Bouge les doigts de la main que je tiens.

La légère pression sur notre paume droite m'aidait à m'orienter.

Mentalement, je remontai jusqu'aux extrémités de mes doigts.

Puis je tentai de les remuer. Vraiment.

— Je sais, ça fait des années, dit Ryan. Longtemps, mais pas tant que ça. Tu peux encore y arriver, Eva.

« *Impossible… non, non, je ne peux pas. Pas comme ça.* »

Pas toute seule dans le noir.

— Eva ? Tu essaies toujours ?

« *Oui… oui, j'essaie.* »

Je pleurais presque.

— Je sais que c'est dur, commenta-t-il.

« *Vraiment ?* » Ma voix se réverbérait dans le gouffre qui avait aspiré Addie. « *As-tu déjà été comme ça ? Drogué et seul ?* »

Il n'entendait pas, donc ne pouvait répondre. En revanche, une nouvelle voix jaillit de l'obscurité. Lissa ? Hally ?

— Fais-nous confiance, Eva.

Leur faire confiance ?

— Les effets du médicament vont s'estomper très bientôt, insista-t-elle. S'il te plaît, essaie encore.

J'obéis. Allongée dans le noir, je les écoutais me parler, tout en essayant pendant ce qui me semblait être une éternité. Finalement, épuisée, au bord de la crise de nerfs, je capitulai.

— C'est bien, continue, m'encouragea Lissa.

— Tu y es presque, renchérit Ryan.

Il m'avait déjà dit ça au moins dix fois.

J'enrageai. « *Non, non, j'y suis pas. J'y arrive pas.* »

Je ne pouvais pas le faire. Je ne le pouvais pas. Je n'étais pas assez forte, assez capable, assez courageuse. Rouillée depuis trop longtemps. Et Addie n'était plus là. Je n'avais jamais rien pu faire sans Addie.

J'avais rêvé si souvent de pouvoir bouger à nouveau. Chacun de mes rêves était une plongée dans l'horreur et le désespoir.

Mais je n'aurais jamais pensé être aussi seule un jour. Terrible situation.

— Encore un effort, Eva.

Non. Non.

— Tu peux le faire.

« *Ferme-la, mais ferme-la. Tais-toi. Je n'y arrive pas, d'accord ?* »

— Eva…

— J'y arrive pas !

Grand silence.

— Eva, murmura Lissa. C'est toi, Eva ?

Moi ?

Oh.

Oh.

— *Ryan !* Tu as entendu ? Tu l'as entendue ?

Ma tête chancela.

— Tu peux recommencer ? me demanda Ryan.

J'avais parlé. J'avais formé des mots, j'avais bougé les lèvres et la langue et j'avais *parlé*.

Ils avaient entendu ma voix.

« *Addie, Addie, j'ai parlé, j'ai parlé.* »

Depuis le fond de l'abysse, une secousse.

« *Addie ?* »

À nouveau cette secousse, cette palpitation. Et puis la sensation d'une respiration légère. Quelque chose d'aussi ténu et transparent qu'une brume matinale sembla flotter hors du gouffre.

Un soupir tiède et tremblant : « *Eva ?* »

Addie était de retour, hagarde, toute faible et secouée.

Mais elle était là, présente, remplissant ce terrible vide en nous.

Nous ne faisions qu'une à nouveau. Elle nous rendait notre fusion.

« *Eva*, me demanda-t-elle. *Que s'est-il passé ?*

— *Chuuut*, murmurai-je. Je riais, je pleurais de soulagement. *C'est bon, c'est bon. Ça va aller. Ne t'inquiète pas.* »

Elle me crut, gardant nos paupières closes, et se détendit peu à peu.

« *Eva*, murmura-t-elle. *J'ai fait un rêve étrange. As-tu fait le même ?* »

Chapitre 7

Addie était réveillée depuis cinq minutes, mais elle était toujours sonnée, se balançant en essayant de se redresser. Elle bougeait comme si elle était plongée dans un sirop, avec des membres épais et encombrants.

« *Je... Je ne peux pas lever notre bras* », dit-elle. À présent, nous pouvions voir Lissa et Ryan, accroupis près du sofa.

Ils continuaient de parler, mais le sens des paroles qu'ils déversaient sur nous nous atteignait à peine. J'en saisis suffisamment pour comprendre que l'effet de la drogue mettrait un peu plus longtemps à disparaître complètement.

« *Ne t'inquiète pas*, lui dis-je. *Ça va bientôt aller mieux.*

— *C'était le thé, n'est-ce pas ?* demanda-t-elle.

— *Oui.* » Je me contentai de répondre à sa question, sans rien ajouter. Je ne lui révélai rien de ce qui s'était passé pendant qu'elle dormait.

Je ne lui dis pas non plus que j'avais parlé.

Je ne pensais pas qu'elle était prête à l'entendre.

Addie s'étira, sa présence se faisant de moins en moins ténue à côté de la mienne. Elle n'arrêtait pas de cligner les yeux, comme quelqu'un qui tente de sortir d'un rêve.

— Addie ? dit Lissa. (Elle tendit la main vers nous, puis la retira au dernier moment.) Tu te sens bien, maintenant ?

Addie sursauta, comme si elle remarquait sa présence pour la première fois.

— Vous… vous m'avez droguée.

Ses mots étaient presque inintelligibles.

Le frère et la sœur échangèrent un regard.

— Il le fallait, se justifia Lissa. C'est tellement plus facile avec la drogue.

— Qu'est-ce qui est plus facile ? demanda Addie.

Nouvel échange de regards entre Ryan et Lissa. Nous sentions la solidité du sofa contre notre dos. Nos doigts s'enfoncèrent dans le tissu rigide.

— Eva ne t'a rien dit ? s'étonna Ryan.

Le froncement de sourcils d'Addie se fit plus intense.

— Comment Eva pourrait-elle savoir ?

— Eh bien… (Lissa tira sur l'une de ses boucles de cheveux et l'enroula autour de son doigt.) Eva était réveillée, pas vrai ?

— Bien sûr que non, affirma Addie. Ce n'est pas poss…

« *Si. J'étais réveillée* », lui soufflai-je.

La suite de la phrase d'Addie resta coincée dans notre gorge. Respirer devenait douloureux. « *Quoi ?* »

J'hésitai. Lissa et Ryan nous regardaient, étudiant notre visage. Mais je savais qu'Addie ne leur prêtait aucune attention.

« *J'étais réveillée*, répétai-je.

— *Mais…* bafouilla Addie. *Comment ?*

— *Je n'en sais rien. C'est la drogue. Ils t'ont fait dormir, mais je… j'étais réveillée, Addie.* »

Silence abasourdi. Sa stupéfaction tourbillonnait autour de moi en éclairs vifs et violents.

« *Mais*, bafouilla-t-elle, *mais… non, c'est…*

— *J'ai aussi parlé* », ajoutai-je, incapable de garder cela pour moi plus longtemps. Cette simple révélation nous atteignit jusqu'aux os. « *J'ai parlé, Addie. Quand tu étais endormie.* »

« *Oh* », dit-elle. Puis, de nouveau, d'une voix plus douce. « *Oh.* »

— Addie ? interrogea Lissa, ses doigts planant au-dessus de notre bras.

Addie leva les yeux. Nos lèvres se séparèrent. Puis vint le son, rauque et éraillé.

— Eva a parlé ?

Lissa sourit.

— Oui.

Addie avait le regard fixe. Elle ne disait rien, pas même à moi. Je m'alignai sur son silence. Je ne savais pas quoi ajouter. Et puis, soudain, elle essaya de se lever. Nos jambes étaient trop faibles pour supporter notre poids.

— Je... Je vais rentrer à la maison.

Lissa attrapa notre bras tandis que nous avancions d'un pas chancelant.

— Non, Addie, reste. S'il te plaît, reste.

— Attends encore un peu, je te raccompagnerai, ren-chérit Ryan.

Addie le regarda. Je me rendis compte qu'elle ne savait même pas qu'il s'agissait de Ryan. Elle pensait qu'il était encore Devon.

— Je me sens bien, assura-t-elle en se dégageant de la main de Lissa pour se diriger, telle une somnam-bule, vers la cuisine.

Ils se précipitèrent après nous, faisant claquer leurs pieds sur le parquet.

— Je viens avec toi, lança Lissa. Juste une seconde, Addie, je me...

Addie semblait ne rien entendre.

« *Ce serait peut-être bien que quelqu'un nous raccom-pagne* », suggérai-je doucement, car nous étions obli-gées de nous raccrocher à la rôtissoire tellement nous titubions.

Addie ne répondant pas, je préférai ne rien ajouter.

Elle enfila nos chaussures sans attacher les lacets. Mais quand elle s'avança pour prendre notre cartable, Ryan avait déjà l'objet dans les mains. D'un signe de tête, il nous invita à sortir en premier.

— C'est bon, Ryan, dit Lissa. J'y vais…

J'ignore comment se termina la dispute. Je ne pouvais rien entendre car, en passant le seuil de la porte, Addie faisait claquer nos lacets pendant que nous marchions. J'entendis la porte se fermer derrière nous. Puis une voix près de notre oreille :

— Tu devrais lacer tes chaussures, sinon tu risques de tomber.

Addie se pencha pour faire les nœuds. Nos doigts se débattaient avec les lacets. Quand nous nous redressâmes, Ryan nous observait.

— Allez, viens, dit-il d'un ton bienveillant. Je ne sais pas où tu habites, alors il va falloir que tu me montres le chemin.

Ils passèrent les deux premiers pâtés de maisons en silence, agressés par les moustiques qui s'en donnaient à cœur joie. L'humidité nous donnait l'impression de devoir nous frayer un chemin à travers des nappes de pluie en suspens. Le ciel semblait sorti d'un livre d'images. Il était d'un bleu d'été si parfait que le regarder faisait mal aux yeux.

J'étais incapable de déterminer ce que pensait Addie. Son esprit était vide, ses émotions gelées. Quelques voitures passèrent près de nous à grande vitesse, comme si nous n'existions pas. Personne ne savait qui nous étions. Ni ce que nous avions fait.

Ce que j'avais fait. J'avais parlé.

J'avais *parlé*.

— Qu'est-ce qu'elle a dit ?

— Pardon ? dit Ryan en se tournant vers nous.

Addie mit un petit moment avant de se répéter.

— Qu'est-ce qu'elle a dit ?

— Qui ? Eva ?

Elle fit oui de la tête.

— Qu'est-ce que tu veux dire ? s'étonna-t-il en fronçant les sourcils.

Il lui semblait sans doute illogique qu'Addie lui pose la question à lui plutôt qu'à moi. Je ne comprenais pas non plus. Et, sans doute, Addie non plus.

— Je veux savoir ce qu'a dit Eva pendant que j'étais endormie, reprit Addie.

Notre voix était basse, presque rauque.

Il marqua un court silence avant de répondre.

— Elle a dit : « Je ne peux pas. »

Il imita l'inflexion de ma voix pour bien montrer qu'il me citait.

— Je ne peux pas quoi ?

— Pourquoi ne lui demandes-tu pas directement ? poursuivit-il.

Addie ne répondit pas. Ryan regarda de nouveau au loin, mais il ajouta :

— Est-ce que ça te rend heureuse qu'elle ait parlé ?

— *Heureuse ?* s'étonna Addie.

Ryan s'arrêta de marcher. Notre regard balaya le sol.

— Heureuse, répéta Addie dans un souffle.

L'air tiède et gorgé d'eau avalait notre voix.

— Ce n'est pas grave, dit Ryan. Ce n'est pas grave si tu n'es pas heureuse.

Lentement, Addie leva les yeux et rencontra son regard.

— Je pense qu'elle comprendra que tu ne le sois pas, ajouta-t-il.

Ils reprirent leur marche, flânant dans la chaleur, malgré les moustiques en furie qui ne cessaient de les attaquer. Ce jour n'était pas propice à une marche rapide. Peu à peu, notre maison apparut face à nous. Cet endroit abandonné, aux murs d'un blanc délavé, coiffé d'un toit d'ardoise et entouré d'une rangée de rosiers hirsutes, avait été la seule habitation accessible à la bourse familiale quand nos parents avaient décidé de déménager. Notre chambre était plus petite que celle que nous avions avant, et Maman n'aimait pas la façon dont la cuisine était agencée. Mais nous avions évité de nous plaindre en explorant les couloirs pour la première fois. Nous étions jeunes, mais pas au point d'ignorer que les médecins coûtaient cher et que les aides financières du gouvernement étaient insuffisantes.

Bientôt, nous nous retrouvâmes devant la cour de l'entrée. Les douces lumières de la cuisine filtraient à travers les rideaux à motifs de fraises.

— Tiens, dit Ryan en nous tendant notre cartable.

Addie le considéra comme si elle avait oublié que c'était le nôtre, puis hocha la tête et s'en saisit avant de faire volte-face pour se diriger vers la maison.

— À plus tard, Addie ? lança Ryan.

Il s'était arrêté à l'entrée de notre cour, laissant ma sœur franchir seule la courte distance jusqu'à la porte. Une interrogation planait sur sa dernière phrase. Ou peut-être s'était-il agi d'un simple réflexe, d'un de ces *au revoir* sans signification que s'adressent les gens. Je n'en étais pas sûre.

Addie répondit sans le regarder.

— À plus tard.

Elle essuyait nos pieds sur le paillasson de l'entrée, quand il ajouta :

— Au revoir, Eva.

Addie resta sans bouger. L'air sentait les roses fanées.

« *Au revoir* », murmurai-je.

Notre main se figea sur la poignée de la porte. Lentement, Addie se retourna :

— Elle a dit au revoir.

Ryan sourit avant de s'éloigner tranquillement.

Après ce jour, Addie rentra directement chez Hally chaque après-midi après l'école. Addie ne but plus le

thé. Il faisait bien trop chaud. À la place, Hally dissol-
vait la fine poudre blanche dans de l'eau sucrée, ce qui
en masquait le goût amer.

Addie et moi ne parlions pas de ces séances. Je
m'étais dit qu'il valait mieux de ne pas aborder le sujet,
car je ne voulais pas trop forcer ma chance. Addie prenait de gros risques en acceptant d'y participer. Que
pouvais-je demander de plus ? Mais pour être honnête,
j'étais effrayée. Effrayée d'entendre ce qu'elle pourrait
avoir à dire, ce qu'elle ressentait vraiment.

Hally et Addie ne parlaient pas beaucoup non plus,
malgré les tentatives de Hally qu'Addie esquivait, ne
lui offrant en réponse qu'un seul mot en détournant le
regard. Mais tant que nous n'avions pas un baby-
sitting prévu pour l'après-midi, Addie ne manquait pas
un seul jour non plus. Ses amies l'invitaient à aller
faire du shopping ou au théâtre, mais elle ne suggéra
qu'une seule fois d'annuler notre visite chez les
Mullan.

— Il faut que j'aille chez quelqu'un aujourd'hui,
avait justifié Hally, cet après-midi-là, en fourrant des
affaires dans son cartable. J'ai un exposé à terminer…

Addie avait hésité.

— On verra demain, alors…

— Non, attends, avait dit Hally, tout sourire. Ce ne
sera pas long. Une demi-heure tout au plus, d'accord ?

Je n'intervins pas. Addie ne regardait pas Hally dans
les yeux.

Elle fixait les traces de craie à moitié effacées sur le
tableau noir, les graffitis sur la surface des bureaux
usés, les chaises en plastique tordu.

— Devon va t'accompagner… avait poursuivi Hally,
avant d'être coupée par Addie.

— Je sais comment aller chez toi.

— Oh ! s'était exclamée Hally en éclatant d'un rire
qui, au lieu de calmer la tension, avait fait tomber un
silence pesant.

Elle avait jeté son cartable par-dessus son épaule sans se départir de son sourire, mais cligné les yeux un peu plus rapidement que d'habitude.

— Une demi-heure, tout au plus, avait-elle répété. Devon sait où se trouve le médicament. Et il veillera sur Eva pendant que tu seras endormie.

Addie se retrouva quand même à repartir avec Devon, car nous étions tombées sur lui à la sortie de l'école.

Ce furent sans doute les dix minutes les plus gênantes que je puisse imaginer. Il n'adressa pas la parole à Addie. Addie ne le gratifia pas d'un regard. La chaleur les faisait transpirer, ce qui ajoutait à l'inconfort de la situation. Le soulagement fut donc encore plus fort qu'à l'accoutumée lorsque nous arrivâmes dans la maison fraîche et spacieuse des Mullan pour boire l'eau contenant la drogue et nous allonger en attendant qu'Addie s'assoupisse.

J'étais fébrile à l'idée qu'elle allait se détacher de moi, mais ça se passait mieux si je restais calme. Addie reviendrait bientôt. Savoir que les effets de la drogue ne duraient pas plus d'une heure, et même parfois une vingtaine de minutes, rendait les choses plus faciles.

Devon était assis à la table lorsque Addie était partie, mais dix minutes après qu'elle eut disparu, mon nom jaillit de l'obscurité en flottant.

— Eva ?

Ce nom avait été murmuré comme s'il s'agissait d'un secret, un mot de passe, un code que l'on chuchote à travers des portes closes.

« *Oui ?* » dis-je, bien qu'on ne puisse m'entendre. Tout était obscurité, y compris le divan moelleux où nous nous trouvions, Addie et moi.

Je pouvais sentir les fibres du tissu sous nos doigts, la texture de la trame contre le tranchant de notre main.

Je sentis la chaleur d'une paume se poser doucement sur le dos de notre main, une pression de doigts, le frôlement d'un pouce contre notre pouls.

— C'est Ryan, dit la voix. J'ai pensé que tu aimerais sentir qu'il y a une présence ici.

J'essayai de parler. Je me concentrai sur nos lèvres, sur notre langue, notre gorge. Je tentai de former un *merci* avec une bouche qui m'appartenait mais qui ne voulait pas m'obéir.

Mais tout indiquait que je serais incapable de parler ce jour-là.

Je me concentrai alors sur la main de Ryan. C'était plus facile.

Il avait glissé sa paume sur nos articulations et refermé ses doigts autour des nôtres. Je les serrai le plus fort possible, une pression à peine perceptible.

Je compris que je ne parviendrais pas à articuler davantage.

Mais l'idée qu'un jour je pourrais être capable de lui répondre, de m'asseoir, de rire et discuter avec lui comme une personne normale me poussait à revenir chez les Mullan. Pour continuer à me battre, quel que soit le prix.

Chapitre 8

Les jours passèrent. Puis une semaine. Puis une autre, et encore une autre. J'avais l'habitude de compter ma vie en week-ends, en sorties au cinéma ou en séances de dialyses de Lyle. Je marquais les jours à côté des devoirs d'école ou des baby-sittings. Désormais, je mesurais ma vie aux améliorations que je ressentais, allongée sur un divan avec Ryan ou Devon, Hally ou Lissa, à côté de moi. Le nombre de mots que j'arrivais à prononcer. Les doigts que j'arrivais à bouger. Et pour la première fois, mon esprit emmagasinait des souvenirs qui n'appartenaient qu'à moi, et à moi seule.

Mon premier sourire quand Hally m'avait chuchoté toutes ces choses dingues et stupides dans lesquelles elle avait entraîné son frère quand ils étaient petits.

Mon premier rire surprit tellement Lissa qu'elle sursauta avant de s'esclaffer à son tour. Et même les jours où mes progrès semblaient s'évanouir, quand je restais muette et paralysée sur le divan, piégée dans l'obscurité derrière nos paupières, j'avais quelqu'un à côté de moi, qui me parlait, me racontait des histoires.

J'appris comment la famille Mullan avait emménagé à Lupside un an avant Addie et moi, lorsque leur mère avait changé de travail. J'appris aussi à quel point

Ryan regrettait leur ancienne maison parce qu'il y avait vécu douze ans, qu'il connaissait la position de chaque livre dans la bibliothèque, le craquement de chaque marche de l'escalier en courbe. Pourquoi ne manquait-elle pas à Hally ? Parce que les quelques rares voisins s'étaient montrés haineux ? Et les tendres souvenirs que tous deux gardaient des champs qui s'étendaient derrière la maison ? Leur enfance passée à y courir, prétendant être n'importe où sauf là où ils étaient vraiment ?

Je me rappelle avec une parfaite clarté la première fois où j'ai ouvert nos yeux.

Hally avait hurlé, puis s'était empressée d'aller chercher Devon.

— Regarde ! avait-elle crié. Regarde !

— Eva ? avait dit Devon. Mais il ne s'agissait pas de Devon.

C'était la première fois que je les surprenais en plein changement. Je vis que Ryan s'était frayé un passage pour me regarder. Je ne pouvais même pas déplacer mon regard, ni sourire ni rire. Je ne pouvais que fixer son visage. Il était si près que je pouvais distinguer chacun de ses cils, longs, noirs et recourbés comme ceux de Hally.

Je me rappelle cette brève image de lui, avec son sourire en coin, et ses cheveux humides encore plus bouclés après cet après-midi pluvieux. C'était la première fois que je l'entr'apercevais vraiment, car nous ne le voyions que très rarement à l'école. Et quand il nous arrivait de le voir, c'était toujours Devon qui semblait avoir le contrôle. Il avait levé légèrement les yeux au ciel lorsque Hally lui avait asséné un petit coup de coude pour qu'il lui cède la place.

— Bientôt, avait-elle dit en souriant, tu feras des roulades.

Dans ces moments-là, je la croyais. À d'autres, je n'étais plus si sûre.

— Ne t'en fais pas pour ça, me souffla Ryan un après-midi.

Ce jour-là, Hally et Lissa étaient à nouveau parties. Désormais, elles nous laissaient de plus en plus souvent avec Ryan, et Addie avait arrêté de demander où elles allaient. Moi, je m'en fichais. J'appréciais ce garçon qui approchait sa chaise près du divan, me parlait de câblage et de voltage et riait en disant que cela devait être terriblement barbant pour moi. Il m'incitait à prendre le contrôle de mes jambes afin que je puisse m'échapper.

« *Et si je ne retrouve jamais le contrôle ?* » demandai-je.

Je leur parlai assez souvent comme ça, à lui et à Lissa. Je savais qu'ils ne pouvaient pas m'entendre, mais je leur parlais quand même. Parfois, ils poursuivaient leurs conversations à sens unique pendant près d'une heure. Pour moi, la moindre des choses était de leur répondre, même s'ils ne s'en rendaient pas compte.

Ryan se pencha vers moi.

— Devon et moi, nous n'avons jamais vraiment tranché. Durant quelques mois, vers l'âge de cinq ou six ans, j'ai perdu sans cesse de la force. Tout le monde était sûr qu'à notre septième anniversaire j'aurais disparu. (Ses lèvres se crispèrent en un sourire.) Mais je suis revenu. Je ne sais pas comment. Je me rappelle avoir lutté, Devon luttait aussi... Je n'en sais pas plus. Nos parents n'ont jamais rien dit à personne. Tu te souviens que notre mère travaille à l'hôpital ?

Je m'en souvenais. C'est de là que provenait la drogue, dérobée un jour où Hally avait accompagné sa mère au travail. Addie avait failli défaillir lorsqu'elle avait su ça.

— Maman s'y connaît un peu dans ce genre de choses. Elle s'est dit que nous manquions peut-être de maturité. Elle espérait que c'était la raison de notre état. Donc, elle n'a rien signalé, et elle a veillé à ce qu'on se cache. Elle *nous* a cachés. Donvale, où on habitait avant, est un trou perdu où il était facile de garder le secret. Pour le préparatoire et la première année du cours élémentaire, notre père nous a fait l'école à la maison. À l'époque, on ne fréquentait pas les curieux qui s'intéressaient aux nouveaux voisins. Nos parents tremblaient, tu comprends ?

Je dus rassembler toutes mes forces et ma concentration pour obliger nos lèvres, notre langue, à former un mot :

— Oui.

Et dans ce mot unique, j'essayai de tout faire passer.

Ryan sourit, comme il le faisait toujours quand je parlais, même par menues syllabes. Mais très vite, son sourire s'effaça.

— Les autorités ne nous auraient pas laissés dépasser la date limite. Pas à nous.

J'étais tiraillée entre l'horreur et l'envie. Quand on sait que son enfant est malade, qu'il ne se développe pas normalement, pourquoi ne pas le conduire chez le médecin ? Comment ne pas s'inquiéter ?

— Mais, en fin de compte, c'est de *manquer* l'école qui a davantage attiré l'attention sur nous. Notre mère pensait que Devon présentait certains signes du dominant donc, quand elle s'est résolue à nous inscrire, elle n'a mentionné que son prénom à lui. Elle nous a simplement dit de faire semblant. Mais nous savions déjà à quel point c'était important.

Je dévisageai Ryan, souhaitant trouver les mots et la force de lui signifier que je comprenais exactement ce qu'il disait.

Cette curiosité appuyée, cette crainte grandissante qu'Addie et moi ressentions aussi dans la cour de récréation.

Mais cela, Ryan le savait. Tout comme il savait à quel point ses traits rappelaient à ceux qui l'avaient vu ces images qu'on voyait dans nos livres d'histoire, ces photographies d'étrangers qu'il fallait à tout prix éviter pour préserver la sécurité du pays.

— Donc, on a fait semblant, enchaîna Ryan en haussant les épaules. Et on a continué à faire semblant. Hally et Lissa avaient alors sept ans et ne manifestaient, elles non plus, aucune volonté de tranchage. (Il se mit à rire.) Je crois que nos parents étaient un peu plus inquiets la deuxième fois. Hally n'est pas de celles qu'on cache facilement à l'intérieur.

« Alors, qu'est-ce qu'ils ont fait ? »

— Hally était toujours la plus expansive, alors c'est son nom qu'ils ont déclaré à l'école, ajouta-t-il, comme s'il avait deviné, d'un seul regard, la question que je me posais. Elle jouait tellement bien le jeu qu'on s'est mis à affirmer qu'elle était dominante, même à nos parents. Ils étaient très soulagés. Et maintenant, ils... bon, on n'aborde plus la question.

Il se fendit d'un sourire ironique.

— Nous jouons tellement bien la comédie que, à mon avis, nos parents doivent penser qu'on est normaux. En tout cas, c'est ce qu'ils doivent se dire.

Il avait bricolé sa dernière invention, une lampe torche que l'on pouvait remonter comme un réveil, et qui fonctionnait sans piles.

Il avait entassé tellement de choses dans le sous-sol : des lecteurs de cassettes reliés à des haut-parleurs, des ordinateurs qu'il avait fabriqués, d'autres qu'il avait démontés, même des appareils photo désossés. Il m'avait promis de me montrer tout cela un jour, quand je pourrais bouger.

— Je n'étais pas certain qu'on puisse rencontrer quelqu'un d'autre comme nous, poursuivit Ryan. Et même si cela se présentait, je ne savais pas... je me demandais si ce serait sans danger. D'essayer de... (Il marqua une hésitation.) Hally le désirait tellement... bien plus que nous. Il fallait absolument qu'elle en rencontre d'autres, tu comprends ? Elle voulait être avec des gens comme nous. Mais je me disais… Devon et moi, on se disait qu'essayer, juste essayer, serait déjà trop dangereux. Elle a mis plusieurs mois à nous convaincre.

Il me regarda, puis revint à sa lampe torche.

— Mais je suis content qu'elle ait insisté.

Moi aussi, voulais-je dire. J'aurais pu, probablement. J'aurais pu, mais cela n'aurait pas suffi.

Parce que si Hally n'avait pas arrêté Addie dans le couloir ce jour-là, ou si elle n'avait pas insisté pour qu'on vienne chez elle après l'inondation du musée, ou si Devon n'avait pas accepté de fouiller dans les fichiers de l'école, si Lissa n'avait pas fait écouter certaines choses à Addie, et si, et si, et si… je serais probablement encore en train de compter mon existence en week-ends ou en baby-sittings. Je ne serais toujours qu'un fantôme hantant la vie d'Addie.

— Eva ? demanda Ryan.

Je levai la tête, accrochant mes yeux aux siens. C'était si étrange de voir à quel point le visage de ce garçon pouvait être différent lorsque c'était Ryan et non Devon qui était aux commandes. Il avait un sourire que j'avais du mal à lui rendre.

— Oui ? soufflai-je à nouveau.

C'était un peu plus facile la deuxième fois. Comme de jouer une chanson sur un instrument après s'être exercé.

Il mit une minute à répondre. Un froncement de sourcils plissa son front, assombrit son regard. Pendant un moment, je craignis qu'il ait changé. Devon me parlait à peine. Si Ryan se retirait maintenant, ce serait la fin de notre conversation. Je resterais seule, allongée sur le sofa, à attendre qu'Addie se réveille. Mais c'était toujours Ryan, même si ses prochaines paroles furent hésitantes et forcées.

— Tu t'es déjà demandé ce qui arrive réellement aux gamins qu'on éloigne ?

Je restai là à le fixer. Le plissement de son front s'accentua.

Il ouvrit la bouche puis la referma sans un mot.

Puis :

— Tu t'es déjà demandé combien d'hybrides il y a vraiment dehors ?

Son visage s'éloigna brusquement et se raidit. Il était parti. C'est Devon qui fit tourner leur corps vers le mur.

— Peu importe, décréta-t-il doucement. Tu ne peux pas encore répondre.

Hally rentra juste à ce moment-là et Devon se retira à l'étage.

Comment rappeler Ryan pour converser à nouveau ?

Les jours et les semaines passaient. Je prenais des forces à la vitesse d'un escargot, toujours collée au divan, toujours muette, hormis quelques fragments de phrases qui s'étiraient de plus en plus. Mais bientôt, je pus ouvrir nos yeux régulièrement et remuer nos doigts et nos orteils. La première fois que je levai notre main à vingt centimètres du divan, Hally poussa un cri perçant et applaudit.

Quand je ne m'inquiétais pas de reprendre le contrôle de notre corps trop lentement, je m'inquiétais de le faire trop vite.

Était-ce trop rapide pour Addie ? Parfois, Lissa ou Hally lui racontait les progrès que j'avais faits dans l'après-midi.

Addie ne disait jamais grand-chose. Elle acquiesçait de la tête et ramassait son cartable afin de pouvoir partir.

Je ne pouvais pas m'empêcher de me sentir vide.

Chapitre 9

Addie s'extirpa prestement de notre uniforme scolaire pour enfiler un short. Pendant ce temps, Lyle tambourinait sur la porte de la chambre.

— Maman te demande de te dépêcher, Addie. On va être en retard.

C'était moi qui avais suggéré de laisser tomber la visite à Hally aujourd'hui pour filer en ville. De ne pas prendre la drogue répressive et échapper au sommeil forcé. Addie avait besoin de prendre ses distances par rapport à tout ce cirque. Nous détenions l'un des secrets les plus brûlants qui soit.

Nous étions en train d'annihiler des années de thérapie et de soins médicaux, envers et contre tous les principes régissant le « tranchage ».

Et je me disais qu'un jour on le regretterait peut-être.

J'avais beaucoup insisté pour convaincre Addie d'aller chez les Mullan parce que j'avais peur de regretter plus tard de n'y être pas allée. Mais ce n'était pas une voie facile. Même si nous n'étions pas découvertes, comment Addie et moi allions-nous vivre tandis que je deviendrais de plus en plus forte ?

Est-ce que nous serions finalement séparées comme le prédisaient les toubibs ? Les enfants de la famille

Mullan semblaient être heureux, mais... on ne sait jamais.

C'était normal pour elle d'être énervée. Pour *moi* aussi, d'ailleurs, même si je retrouvais le sourire. Je ne fus pas surprise d'entendre Addie dire à Lissa que nous allions en ville avec notre petit frère, après l'école.

Par contre, je *fus* surprise lorsque Lissa demanda, avec ce sourire en coin qui rappelait Ryan, si elle pouvait nous rejoindre quelque part. Et encore plus surprise d'entendre Addie répondre oui.

— On ne sera pas en retard, lança Addie à Lyle. Saute dans la voiture et préviens Maman. J'arrive dans deux secondes.

Il marmonna quelque chose, puis dégringola lourdement l'escalier. Lyle avait un pas d'éléphant. Alors qu'il était plutôt bâti comme un oiseau maigrichon, un bébé héron doté d'une touffe de cheveux blonds. Et d'une grande maladresse.

Comme nous, il avait vraiment hérité de l'allure de notre mère : cheveux blonds – même si les nôtres étaient légèrement bouclés, comme ceux de notre père – et yeux bruns. Papa, brun aux yeux bleus, se plaignait souvent d'avoir été floué par le résultat génétique. Nous nous amusions de ses ronchonnements, mais derrière le rire se cachait la terrible question : d'où nous venaient ces gènes hybrides si coupables ?

Tout le monde sait que la nature hybride contient en elle un ferment génétique.

Tous les autres pays avaient été terriblement hybrides, en fait. Cette qualité avait été gommée ici car les vainqueurs de la Révolution n'étaient pas des hybrides et avaient pris soin de rebâtir un pays non hybride. Ils avaient éliminé les hybrides après la longue guerre, relié les deux continents et fermé les frontières.

Addie finit de s'habiller, passa une brosse dans nos cheveux avant de se précipiter en bas pour attraper nos chaussures.

En sautillant, elle courut vers la voiture. Lyle était déjà assis à l'arrière, ceinture bouclée, avec une petite pile de bouquins à côté de lui. Il insistait toujours pour en avoir au moins trois lorsqu'il partait en dialyse. C'était, en général, des romans d'aventures.

Il les dévorait pendant les longues heures qu'il passait relié à la machine, avant de nous les raconter pendant le trajet du retour.

Lyle était toujours le premier fatigué lors des matchs de football à l'école. Et le dernier en course. Je suppose qu'il se projetait dans les aventures de héros qui fracassaient les portes et escaladaient les façades d'immeubles.

Maman soupira dès que nous nous jetâmes sur le siège près du conducteur en claquant la portière.

— Je ne comprends pas pourquoi tu ne portes pas ton uniforme, Addie.

Ma sœur ne répondit pas, trop occupée à lacer nos chaussures.

Elle avait déjà dit des millions de fois à Maman que personne ne voulait être vue en ville avec l'uniforme de l'école.

— Tu peux me jeter sur le boulevard avec les boutiques ? Celui qui est près de…

— Oui, oui, je sais lequel, la coupa Maman.

Lyle se pencha vers nous malgré la ceinture de sécurité :

— Je peux y aller aussi, M'man ? Après la dialyse ? S'il te plaît !

Nous grillâmes presque un feu, franchissant l'intersection pendant qu'il passait au rouge.

— Si on a le temps, répondit Maman.

Lyle avait sa dialyse trois fois par semaine à la clinique en ville.

Addie et moi, on l'accompagnait une fois par semaine, mais dernièrement on allait plutôt chez Hally et Devon. Bessimir était un paradis comparé aux banlieues ternes de Lupside. Ce n'était pas aussi vaste que Wynmick, où nous avions vécu avant, mais c'était mieux que rien. Même si la vision du fameux musée défigurait le paysage.

La rumeur autour de l'inondation du musée s'était tue depuis un mois déjà. Mais le bâtiment était toujours fermé, entouré d'une bande jaune de la police, seul vestige de ce qui s'était passé. Chaque soir, les chaînes de télé locales mentionnaient l'enquête en cours ou diffusaient des reportages sur d'anciennes attaques d'hybrides. Ça se terminait toujours par des scènes où des hommes et des femmes aux cheveux hirsutes étaient traqués et traduits en justice. Les femmes, le maquillage en vrac, étaient barbouillées comme des clowns. Eh oui, des hybrides. Qui s'étaient cachés, comme nous nous cachions.

Comparés au bombardement de San Luis ou au feu ayant ravagé l'Amazonie en Amérique du Sud – violences également attribuées aux hybrides –, quelques litres d'eau et quelques flammes dans le musée de Bessimir semblent être des incidents mineurs. Mais les commentaires allaient bon train à ce sujet.

Et je ne pouvais oublier, malgré mes efforts, ce guide qui avait dit à Addie lorsque celle-ci nous sortait de l'eau : « *Ce sont ces canalisations. Depuis le temps qu'on leur demande de les faire réparer !* »

Maman nous déposa sur le boulevard, en nous ordonnant d'être revenus dans trois heures. Nous savions que la séance de Lyle serait plus longue que ça. C'était toujours plus long. Mais Addie promit quand même.

Hally nous retrouva au bout de la rue, vêtue d'une ample robe d'été jaune aux manches blanches et bouffantes, semblant venue d'un autre siècle. Elle la portait bien. Nous étions si scotchées par sa tenue que nous ne remarquâmes même pas le garçon qui l'escortait à quelques mètres.

— Il m'accompagne pour le shopping, nous annonça-t-elle.

Son rire était une simple torsion des lèvres accompagnée d'un haussement de sourcils.

Commentaire de Ryan :

— J'avais besoin de venir, parce que je dois…

— Il ment, murmura Hally, avec un coup d'épaule complice.

Ryan fit celui qui n'avait pas entendu.

Si j'avais eu des lèvres, j'aurais souri.

— C'est toi, le boss, Addie. Tu veux acheter quoi ? ricana Hally.

— Des articles de peinture, répondit Addie, semblant déjà regretter d'avoir accepté la proposition de Lissa.

Hally nous saisit la main comme si c'était une amie, comme si tout était normal, comme si les gens autour ne dévisageaient pas Hally et Ryan, en raison de leur origine étrangère. Ils étaient très forts, tous les deux, pour faire semblant de ne rien remarquer.

— Je ne savais pas que tu faisais de la peinture, déclara Hally.

Addie hâta le pas et prit de l'avance sous l'œil ravi de Ryan.

Addie :

— Oh… je… je n'en fais plus beaucoup. Avant, oui. Quand j'étais plus jeune.

— Pourquoi as-tu laissé tomber ? s'enquit Ryan.

Ainsi donc, il écoutait la conversation. Mais comme Addie tournait sans arrêt la tête, je ne savais pas s'il s'intéressait ou pas à ce que nous disions.

Notre chemise était un peu chiffonnée à l'ourlet. Addie la lissa.

— Sans raison véritable. Trop occupée, c'est tout.

En fait, elle avait du talent. Elle avait gagné deux prix avant l'âge de douze ans, mais nous avions rapidement compris que gagner des prix, c'est s'exposer à l'attention des autres, chose que nous ne pouvions pas nous permettre. Une attention soutenue décèle finalement la moindre imperfection chez un individu. Or des « imperfections », nous en avions. Et pas des moindres.

Addie dessinait toujours, mais dans son coin. Quand quelqu'un voyait ses œuvres, que ce soit nos parents ou n'importe qui d'autre, ça devenait le cirque, il devenait urgent de les montrer à tout le monde. Et tôt ou tard, un petit malin posait la question : « Pourquoi n'exposerait-elle pas ? » En revanche, elle ne peignait plus du tout. C'était plus difficile, de peindre en cachette. Et puis, les toiles coûtaient cher.

Arpenter le boulevard avec Hally prit deux fois plus de temps que de le faire seule. Elle se collait à toutes les vitrines, fascinée par la moindre babiole, le moindre ruban, un bijou ou un jouet artisanal. Au quatrième ou cinquième arrêt, Addie cessa d'entrer dans les magasins avec elle et choisit de l'attendre dehors en compagnie de Ryan, qui supportait tout cela sans broncher.

Addie trépignait, elle voulait juste aller dans sa boutique de matériel pour peinture et en finir avec ce shopping.

« *Nous avons le temps* », murmurai-je, essayant de calmer ma sœur. Et soudain, Ryan :

— Sais-tu qu'Eva arrive à bouger ses mains, maintenant ? Elle te l'a dit ?

Ses mains. Pas *tes* mains, mais *ses* mains. *Mes* mains. Bien sûr, il aurait dû dire *les mains*, pour ne pas éveiller la curiosité, mais je me sentis réconfortée par cette réflexion.

— Elle ne m'a rien dit, rétorqua Addie.

Il sourit.

— Elle n'y arrive pas tout le temps, mais elle y arrive. Elle parle plus, aussi. C'est touchant de voir… (Il marqua une pause et rit avant de reprendre :) Elle doit en avoir marre de m'écouter sans arrêt. Elle a tant de choses à dire.

Il nous scruta, le regard dirigé sur moi, me semblait-il, et je répondis « *oui* » spontanément, oubliant que je n'étais pas sur le divan du salon et qu'Addie ne dormait pas. Elle se raidit.

— Et puis…

— Écoute, on ne devrait pas parler de cela ici. (Elle prit une courte inspiration.) Et arrête de parler d'elle comme d'un bébé. Comme si c'était un vrai miracle qu'elle remue un doigt et dise trois mots.

Ryan tiqua.

— Ce n'est pas ce que j'ai voulu di…

— C'est *vrai* qu'elle a des tas de trucs à raconter, le coupa Addie. Je suis bien placée pour le savoir.

Elle pénétra dans le magasin où Hally hélait la vendeuse pour se faire montrer une horloge ridiculement kitsch qui trônait sur la plus haute étagère.

« *Tu sais bien qu'il s'est mal exprimé*, dis-je à Addie.

— *Dans ce cas, la prochaine fois, il choisira mieux ses mots* », me répondit-elle.

Hally nous souriait à l'approche d'Addie puis, regardant par-dessus notre épaule, recouvra illico son sérieux.

— Il s'est passé quelque chose ?

Sa question fut coupée par le bruit des sirènes toutes proches.

La première voiture de police passa en trombe avant même qu'Addie ait quitté le magasin. L'air soufflé nous mit les cheveux en pétard. Une seconde voiture suivit, dans le sillage de la première. Dans la rue, les conversations s'aplatissaient sous le son des sirènes avant d'atteindre les oreilles auxquelles elles étaient destinées. Les badauds étaient figés. Pétrifiés. Hagards. Et nous aussi.

Nous ne pouvions entendre, mais seulement lire sur les lèvres d'une vieille femme proche de Ryan. « Les hybrides » disait la bouche, au milieu du visage grimaçant. Addie s'écarta d'elle brusquement. La vieille dame, en fait, s'adressait à un autre passant, sans même regarder dans notre direction.

Deux garçons passèrent en courant, suivant la trajectoire des voitures de police qui avaient déjà disparu. Le cri des sirènes s'estompait, mais nous gardions leur plainte aiguë dans les oreilles.

Et puis soudain, quelqu'un nous dépassa en courant après les jeunes gens.

— Hally ! hurla Ryan en se lançant à sa poursuite. Hally, arrête !

La peur nous transforma en statue de bronze. Quelqu'un avait-il fait une erreur ? Ou menti, pour provoquer un tel tapage ?

« *Addie !* » hurlai-je. Je ne savais pas ce que je voulais qu'elle fasse. Courir, oui, mais où ? Courir après Ryan et Hally ? Dans la direction opposée ? Tout ce que je parvins à dire fut : « *Bouge-toi !* »

Elle bougea. Elle prit nos jambes à son cou et s'éloigna de ce fatras de voitures de police, de Ryan, de Hally. Les rues étaient grouillantes de badauds paniqués, entrant et sortant des boutiques, des appartements. Quelqu'un nous bouscula. Et un autre, encore un autre. La moitié des passants essayait de se masser autour de la scène, avec le désir morbide de porter témoignage, l'autre moitié essayant de s'enfuir. En quelques secondes, il n'y eut plus de place pour bouger. La nouvelle avait filtré.

Danger ! Danger ! On avait découvert un hybride et la police venait le chercher.

Addie hésitait, se tournant dans toutes les directions, se bagarrant contre la foule. Des corps s'écrasaient contre le nôtre.

« *Eva !* » cria-t-elle en perdant l'équilibre vers l'arrière. Quelqu'un heurta notre joue, un autre nous fonça dans les côtes, tête la première, coupant le peu d'air qui nous restait dans les poumons.

La foule s'emballa et nous emporta avec elle, fleuve de corps humains soulevant Addie qui flottait dans le courant, luttant pour ne pas sombrer. J'étais tellement désorientée que je ne savais plus dans quelle direction nous allions, jusqu'à ce que nous nous retrouvions soudain nez à nez avec une bande de policiers, paradant dans leurs uniformes sombres, et hurlant à tue-tête : « Reculez ! Reculez ! »

Leurs voix ne couvraient même pas la cacophonie de la foule, les hurlements furieux, les cris de ceux qui tombaient. Addie et moi rebondissions de gauche à droite, comme des boules de flipper.

On aurait bien aimé fermer les yeux, mais on n'osait pas.

Et Addie continuait de se lamenter dans le vide immense de notre esprit : « *Eva ! Oh, Eva...* »

Un croche-pied nous déséquilibra et nous fit trébucher. Soudain, une main se referma sur notre bras. C'était la main d'un flic.

Il nous remit sur pied, nous empoigna et nous traîna à travers la foule, comme on tire un poisson de l'eau, pour finalement nous déposer sur le trottoir d'en face. Nous haletions. Le policier nous dévisagea, nous ne respirions plus.

Est-ce qu'il savait ? Non, impossible. Est-ce qu'il savait ?

— Ça va ? demanda-t-il en lâchant prise.

C'était un homme imposant, au visage patibulaire. Il pouvait nous écraser en une seconde. Addie remua le menton, incapable de répondre. Nos yeux se détournèrent automatiquement vers la foule en délire.

— Idiote ! Tu ne vois pas le danger ? aboya l'agent.

Quel danger ? La foule aveugle ou l'hybride capturé et invisible au sein de cette masse turbulente ?

— Tire-toi d'ici, petite.

Addie hocha la tête à nouveau. Nos poumons se débloquèrent.

Le policier replongea dans la foule, se joignant aux forces de l'ordre qui tentaient de contenir le troupeau.

Nous quittâmes en quatrième vitesse le grouillement des corps en sueur. Nous n'achetâmes pas de matériel de peinture. Nous ne cherchâmes pas Ryan et Hally, avalés par la multitude, mais nous errâmes dans tous les sens avant de revenir sur les lieux de notre rendez-vous.

Quand Maman nous rejoignit, une demi-heure plus tard, nous n'étions plus secouées par la peur. Les voitures de police avaient disparu, emportant leur prisonnier. La foule s'était dispersée.

— Tu as acheté quelque chose, Addie ? demanda Lyle, tandis que nous grimpions, livides, sur le siège du passager.

Notre tête a fait non.

Nous ne trouvâmes pas le sommeil, cette nuit-là. Pas de discussions interminables comme nous faisions d'habitude.

Au cœur du silence, on entendait encore les cris et les bruits des sirènes. Les visages de la foule en colère défilaient au plafond quand Addie descendit enfin ses paupières sur nos yeux las.

L'événement fut relaté dans la presse du matin, mais l'article le présentait sous un jour différent de la réalité. Comme si la foule avait été spectatrice d'un match violent, huant et entourant le prisonnier aux menottes, plutôt que de combattre elle-même sur le ring. Aucun cliché de policiers tentant de contenir la plèbe.

Si l'homme en uniforme ne nous avait pas sauvées, nous aurions été piétinées à mort et réduites en poussière.

Nous aurait-il secourues s'il avait connu notre secret ? S'il avait su ce que nous faisions après l'école ? Peut-être nous aurait-il ignorées avant de jeter notre corps disloqué à l'arrière de la voiture de police ?

Au dîner du soir, toute la famille resta silencieuse en entendant les nouvelles. Même Lyle, la main crispée sur sa fourchette, ne décollait pas les yeux du petit écran télé.

Il avait sept ans lorsque les toubibs avaient déclaré qu'Addie avait tranché. À l'âge de cinq ans, il avait vu mes forces décliner et se souvenait de la peur qui régnait dans la maison, de la visite des médecins, et de tous ces matins où Maman pleurait en préparant le petit déjeuner. Se souvenait-il seulement de *moi* ?

Les voisins, ces stupides et ignobles voisins, avaient prévenu nos parents qu'il fallait nous séparer de notre frère le plus vite possible. D'autant qu'il approchait de l'âge du tranchage.

La légende prétend que la présence d'un hybride perturbe les enfants qui n'ont pas tranché. Info ou intox ? Tout ce qui touche aux hybrides reste un troublant mystère.

C'était évident à l'écran. Le cercle des policiers. La populace.

Tout ça pour un homme à peine aperçu dans la ville, mais qui apparaissait maintenant en gros plan sur le reportage.

Nous fixâmes son visage. Il ne le cachait pas, comme font les autres criminels face à la caméra. Les autres criminels…

Car oui, c'était un criminel.

Parce qu'il était hybride et libre.

Parce que, par sa seule présence, il avait mis les autres en danger.

Parce qu'il avait provoqué l'inondation et l'incendie au musée d'Histoire de Bessimir. Tel était apparemment son forfait. Un attentat contre l'histoire ? Une nullification des héros du passé ? Ou simplement la cogitation démoniaque d'un hybride en délire ?

Avait-il des complices ? Parfois, les « gentils » membres de l'école répandaient des rumeurs au sujet d'un réseau secret d'hybrides au cœur de l'Amérique. Une sorte de mafia, de conspiration, qui serait la principale raison des malheurs du pays. Depuis les attaques de requins jusqu'à la crise économique.

Quelle idée stupide ! Si les hybrides étaient si puissants, des gens comme Addie et moi ne seraient pas terrorisés.

Les caméras montraient l'homme, entouré de policiers qui le faisaient monter dans un fourgon.

Avait-il l'allure de quelqu'un qui peut vandaliser un musée ?

Peut-être. Il était dans la quarantaine, avec des cheveux bruns, une courte barbe et des mains épaisses. Il me rappelait un peu un oncle, du côté de ma mère. Celui qui désapprouvait nos parents lorsqu'ils suppliaient les autorités de nous laisser plus de temps, à Addie et à moi, au lieu de nous chasser de la maison comme l'exigeaient la loi et le bon droit.

L'oncle que Maman ne mentionnait plus et dont personne ne parlait.

Cette nuit-là, la famille se coucha tôt, sans échanger de regards. Plus tard, à en juger par les rais de lumière sous la porte, personne ne dormait.

Addie ne parla qu'une fois, en se pelotonnant sous les couvertures.

« *Eva, il faut faire quelque chose. On ne peut pas continuer comme ça. Si on se fait attraper…* »

Je restai muette. Devais-je arrêter les leçons ? Devais-je abandonner maintenant, alors qu'un jour je pourrais peut-être marcher à nouveau ? Devais-je ne plus jamais écouter Ryan me parler de ses inventions ? Me raconter les histoires de son passé ? Devais-je abandonner la chance de pouvoir un jour, moi aussi, raconter mes propres histoires ?

« *J'en parlerai à Hally demain*, proposa Addie. *Eva, il faut faire quelque chose.* »

Mais le lendemain, Hally et Lissa ne se présentèrent pas.

Chapitre 10

Sans elle, le cours d'histoire semblait étrangement vide, même si chacun, imbibé par la frénésie du raid de la veille, semblait occuper deux fois plus de place que d'habitude. Addie ne dit à personne que nous y étions, et nous nous retranchâmes dans notre espace.

« *Il a dû lui arriver quelque chose*, dis-je.

— *Arrête de dramatiser*, répondit Addie. *Est-ce que tu as entendu dire qu'ils avaient attrapé une fille ? Est-ce que tu l'as vue à la télé ? Elle est sans doute malade, c'est tout. Ou bien elle est restée chez elle, comme...* »

Comme nous l'aurions souhaité, nous aussi.

« *Et si elle a été blessée ?* ajoutai-je. *Et si jamais... elle a été piétinée ?* »

Addie tressaillit. « *Bon sang, Eva, ce que tu peux être morbide ! Pourquoi elle plus qu'une autre ?* »

Mais son malaise se mêlant au mien, je la surpris en train de scruter la foule qui avait envahi le couloir entre les cours, à la recherche, peut-être, de Devon. Lui saurait. Mais jusqu'à présent, nous ne l'avions jamais croisé dans les couloirs, et cette fois encore, il brillait par son absence.

Nous rentrâmes seules à la maison. Les anciennes copines d'Addie ne l'accompagnaient plus depuis longtemps, et personne ne nous avait donné rendez-vous.

Nous dormîmes un peu mieux cette nuit-là, surtout parce que nous étions épuisées. Mais nous rêvâmes de lumières clignotantes rouge et bleu, et de sirènes hurlantes.

Le lendemain, Hally n'était toujours pas à l'école.

« *On devrait peut-être faire un saut chez elle* », proposai-je sur le chemin du retour.

« *Elle est malade* », répondit Addie, incapable de dissimuler le tremblement de sa voix. J'en doutais fortement. « *On n'a vraiment pas envie d'avoir de la visite quand on est malade* », renchérit-elle.

Malgré tous les arguments que j'avançai, elle resta inflexible.

Le jeudi suivant, jour de notre cours d'histoire, le siège de Hally était toujours vide.

« *On y va. Aujourd'hui* », décrétai-je.

Mais cet après-midi-là, Papa, qui avait besoin d'être secondé au magasin le temps d'aller faire des courses, vint nous chercher à l'école. En rentrant, il nous demanda de bien vouloir réapprovisionner les rayons en conserves. Ce qui nous obligea à classer les bons de livraison et à compter les ventes réalisées durant la semaine.

Le soleil se couchait presque lorsque nous terminâmes enfin. Papa nous déposa à la maison avec un baiser sur le front, nous promettant d'être de retour avant que nous allions nous coucher.

Peut-être, ajouta-t-il en souriant, qu'une fois l'école terminée Maman et lui prendraient quelques jours de vacances et que nous partirions tous à la montagne. Faire du camping.

Addie lui rendit son sourire.

Je me demandai alors s'il lui arrivait de penser à la première fois où nous étions partis camper, bien avant la naissance de Lyle. Addie et moi avions quatre ans, et Papa avait passé une éternité et demie devant le feu, assis avec moi sur un tronc à m'apprendre comment joindre mes pouces et siffler à travers un brin d'herbe.

— Lyle a du mal avec ses maths, lança Maman à Addie au moment où elle entrait dans la cuisine. Tu veux bien l'aider pendant que je finis de préparer le dîner ?

Ainsi s'écoula la soirée. J'envisageai de demander à Addie d'appeler, mais me rendis compte que nous ne connaissions même pas le numéro de téléphone des Mullan. Nous n'en avions jusqu'alors jamais eu besoin.

« *Ça fait trois jours*, dit Addie. *Demain, elle sera de retour.* » Le lendemain, elle était toujours absente. Mais alors que nous attrapions notre cartable pour nous glisser hors de la salle de classe en fin de journée, quelqu'un nous barra le passage. Pas Hally, pas Lissa. Devon.

Addie s'arrêta et le dévisagea. Il soutint son regard. Nos doigts se tenaient à l'embrasure de la porte.

— Salut, dit Addie. Qu'est-ce que tu fais ici ?

Mlle Stimp nous observait de derrière son bureau. Devon la toisa en fronçant les sourcils et elle détourna les yeux en remuant des papiers. Ses mains étaient blanches. Son visage, écarlate.

Devon pinça les lèvres, mais se retourna vers nous.

— Viens, on va discuter dehors.

Nous le suivîmes hors du bâtiment et au-delà du parking.

Nous marchâmes jusqu'à un bouquet d'arbres tranquille situé à l'extrême limite du terrain de l'école. Addie avait du mal à s'adapter aux longues enjambées de Devon. Il avait plu le matin et nos chaussures en vrai cuir faisaient un bruit de succion sur la terre ramollie. Le parfum de l'herbe humide alourdissait l'air.

— Qu'est-ce qui se passe ? finit-elle par demander. Devon, dis-moi…

Il se retourna et s'arrêta si brusquement qu'Addie faillit lui rentrer dedans.

— Hally et Lissa sont parties.

Parties. Ce mot nous heurta en pleine poitrine. Addie déglutit.

— Comment ça, *parties* ?

Devon jeta un coup d'œil alentour avant de se remettre à parler. Il était tellement tendu qu'il en tremblait, tel un fil de canne à pêche prêt à se rompre.

— Elle aurait dû se méfier. Elle voulait juste voir. Mais elle aurait dû se douter…

Il s'interrompit et son regard se perdit dans le vague. Les arbres, scintillant sous les perles de pluie, se dressaient, calmes et silencieux.

— Nous ne sommes pas comme vous autres. Nous ne pouvons pas nous impliquer dans ces… dans ces raids. Il ne faut pas qu'on s'approche trop. Ils ont dû la capturer. Pour l'interroger.

Un orage d'émotions chiffonna son visage, émotions trop fugaces pour qu'on puisse les déchiffrer.

— Ils l'ont emmenée, affirma-t-il.

— La police ?

Des mains brutales. Des lumières clignotantes rouge et bleu. Des sirènes hurlant, encore et encore.

Devon ne nous regardait pas. Il continuait de fixer, en tremblant, les troncs blancs élancés. Le vent se levait. Les feuilles bruissaient.

— Oui. D'abord, la police. Puis l'homme de la clinique.

— Quelle cli…

Devon se retourna brusquement pour nous faire face.

— Tout ça parce qu'elle voulait voir ! (Sa voix s'étrangla, tel un grondement de détresse emprisonné dans l'acier.) Je lui ai dit d'arrêter. Ryan lui a dit d'arrêter. Elle n'écoute jamais. Jamais.

Il pressa ses doigts sur ses tempes. Quand il reprit la parole, sa voix était tendue, mais sans timbre.

— Ils sont venus à la maison et ils nous ont dit qu'elle était mentalement instable.

Ses yeux étaient noirs. Froids.

— Ils prétendent qu'elle a besoin de soins intensifs et spécialisés pour la sauver avant qu'il ne soit trop tard. Ils veulent la *conformer*. Ils veulent *conformer* ma sœur, Addie.

Instable. Soins spécialisés.

Trop tard.

Je sentis Addie se tordre à côté de moi, son angoisse déteignant sur la mienne, la mienne filtrant dans la sienne.

— Il faut faire quelque chose tant qu'il est encore temps.

C'est ce que les docteurs, les spécialistes, et ce conseiller aux cheveux gris coiffés à la Jeanne d'Arc disaient à nos parents lorsque nous écoutions, l'oreille collée à la porte.

— Mais comment ça ? risqua Addie. Ils ne peuvent pas…

— Ils ont fait des tests. Des scanners. Ils avaient des papiers officiels signés. Ils ont fait peur à nos parents, les ont convaincus qu'elle était en danger. Qu'elle *serait* en danger. Nous n'avons rien pu faire.

Nous le fixâmes, nos cheveux s'emmêlant tandis que le vent fouettait notre visage.

— Ils vont venir me prendre, moi aussi, continua Devon.

Nos doigts s'accrochèrent au tronc d'arbre le plus proche.

— Juste comme ça ? murmura Addie.

« *Ils ne peuvent pas*, soufflai-je. *Non, ils ne peuvent pas.* »

Devon et Ryan nous scrutaient fixement. Une paire d'yeux pour deux personnes.

— Il se pourrait que nous n'ayons pas tranché. C'est une raison suffisante pour eux.

Notre gorge était serrée, nos poumons comme imprégnés de glu.

C'est alors que Devon disparut. Un changement brusque, dur, comme un mouvement de côté. Rien de subtil.

— Fuis, dit Ryan.

Addie enfonça nos ongles dans l'arbre.

— Quoi ?

— Ils vont regarder dans les dossiers, Addie.

Sa voix était maintenant plus douce, presque comme celle que j'avais entendue quelques fois quand il s'asseyait près de moi sur le divan, me parlait de toutes ses inventions, me montrait comment chacune fonctionnait. Le petit robot qui était assez équilibré pour pouvoir traverser la largeur de la table. La boîte en métal qui ne s'ouvrait qu'à condition de presser les boutons dans le bon ordre.

— Ils vont demander en compagnie de qui on nous a vus. Qui est venu chez nous. Avec qui on a fait des projets. Et ton dossier... ils vont le trouver très, très intéressant, ton dossier.

Le vent gémissait, faisant vaciller les arbres. On vacillait avec eux.

— Fuis, Addie. (Dans la voix de Ryan, il y avait de la peur, une peur qui nous retourna intérieurement.) Ne rentre pas chez toi, aujourd'hui. Il faut que tu disparaisses.

— Que je *disparaisse*, souffla Addie. Que je *quitte* mes parents ? Et Lyle ?

— Tu les quitteras de toute façon ! ajouta-t-il, la voix tendue et rauque... comme s'il refrénait un cri. Addie, ils vont *t'emmener*.

— Ils me ramèneront, déclara Addie. Ils m'ont toujours ramenée. Je suis tranchée. Je suis toujours revenue à la maison.

Silence. Un silence qui cogne dans la tête, accélère les battements du cœur.

— Et toi ? (Les mots étaient hachés en sortant de nos lèvres.) Est-ce que tu vas filer ?

Il secoua la tête.

— Je ne peux pas. Ils ont déjà pris Hally et Lissa. Mais toi, il le faut. Addie, *je t'en prie*. Fuis. Tu ne peux pas… Eva…

— Devon ? le héla quelqu'un. Devon Mullan !

Ryan se raidit. Addie se tourna pour voir un homme en chemise blanche boutonnée claquer la portière de sa voiture. Il s'avançait à grands pas vers nous, serrant les lèvres tandis que ses chaussures s'enfonçaient dans la boue.

— Te voilà, Devon.

L'homme était grand et mince. Il avait une forte mâchoire et des cheveux d'un brun clair coupés court.

Il avait à peu près l'âge de nos parents, pas plus de quarante-cinq ans. Un bel homme. Précis. Officiel.

— J'étais sur le point d'aller chez toi. On ne s'était pas mis d'accord pour se retrouver près de ton casier ?

— J'avais oublié, répondit Ryan d'une voix monotone.

L'homme nous observa. Nous jeta un coup d'œil, pour être plus précise. Mais un coup d'œil qui me donna l'impression d'être nue, comme s'il traversait nos yeux et nous voyait, Addie et moi, enfouies dans le brouillard de notre esprit.

— Bon, ce n'est pas grave, dit-il d'un ton qui laissait entendre qu'au contraire quelque chose de vraiment grave avait été commis.

Il désigna sa voiture. Elle rutilait au bord de la route, tel un monstre noir prêt à bondir.

— Tu es prêt à y aller, maintenant ?

— Juste une seconde, demanda Ryan.

Il déplaça ses pieds pour s'avancer vers nous. Avant que nous puissions comprendre ce qui se passait, il nous serrait dans ses bras. Addie essaya de se dégager pour reculer. Mais il nous maintint en place. J'étais prisonnière de notre corps et prisonnière de ses bras, et quelque part, c'était notre corps la vraie prison.

— Sauve-toi, murmura-t-il à notre oreille.

Puis il nous lâcha et se dirigea vers la voiture, les mains dans les poches, sans se presser. Nous le suivîmes des yeux.

— Bien, lança l'homme bien mis.

Il nous adressa un sourire, une menace enveloppée dans une promesse. Avec un joli nœud autour.

— Alors c'est toi, Addie ?

Ma sœur déglutit.

« *Il le sait déjà*, lançai-je. *Ce n'est pas une vraie question.* »

— Oui, répondit Addie. C'est moi.

— Ravi de faire ta connaissance, Addie, dit-il.

Puis il nous salua de la tête et se tourna pour partir. Ses chaussures laissèrent des empreintes de pas boueuses jusqu'à sa voiture. Ryan nous regarda une dernière fois avant d'ouvrir la portière du côté passager et de se glisser à l'intérieur.

Nous les regardâmes s'éloigner.

Sauve-toi. Le murmure résonnait en nous.

Je me demanderais toujours ce qui se serait passé si nous l'avions écouté.

Chapitre 11

Il vint nous chercher le soir même.

Maman venait juste d'enfiler son uniforme de serveuse après avoir conduit Lyle à sa dernière séance de dialyse de la semaine. Une collègue l'avait suppliée d'assurer son service au restaurant, et après que Lyle lui avait répété un million de fois qu'il pouvait bien rester seul à la clinique pendant une heure (on peut appeler une infirmière en cas de besoin), elle s'était mordu les lèvres puis avait fini par accepter. Papa avait pris la direction opposée. Il était rentré du travail un peu plus tôt afin de pouvoir aller en ville et tenir compagnie à Lyle pour le reste de sa séance.

Addie et moi étions assises à table pour le dîner. Seules à ne pas être en mouvement.

La sonnette retentit juste au moment où nous enfournions notre première bouchée. La fourchette se figea dans notre bouche. Sur notre langue la pression dure des dents métalliques…

Maman, qui était en train de se coiffer, fronça les sourcils.

— Qui cela peut-il bien être ?

— Probablement quelqu'un qui a quelque chose à vendre, suggéra doucement Addie. Si on n'ouvre pas, ils s'en iront.

Mais la sonnette retentit de nouveau, suivie par une série de coups sur la porte. Chaque coup semblait secouer les tableaux accrochés au mur, les figurines sur le manteau de la cheminée.

— J'y vais, décida Papa.

— Non, lança Addie.

Il sursauta et se tourna vers nous.

— Il y a un problème ?

— Non, assura Addie. (Nos doigts étreignirent la fourchette.) C'est juste que…

Elle fut interrompue par la sonnette. Papa se dirigea vers la porte.

— En tout cas, ils ne sont pas très patients.

Maman fredonnait en enroulant ses cheveux pour faire un chignon, se servant du dos d'une casserole comme miroir de fortune. Mais le sang bourdonnait tellement fort dans nos oreilles que nous l'entendions à peine.

— Bonsoir, lança une voix familière, lorsque la porte s'ouvrit. Daniel Conivent, de la clinique Nornand.

Papa marqua un temps d'arrêt avant de dire :

— Allons dehors. (Sa voix trahissait très légèrement un tremblement que nous perçûmes uniquement parce que nous avions les nerfs à cran.) S'il vous plaît, allons discuter à l'extérieur.

— Une clinique, commenta Maman. Je me demande bien ce qu'ils peuvent vendre.

Fuis. La voix de Ryan résonnait comme un écho dans notre tête. *Fuis*, avait-il supplié, mais nous ne l'avions pas écouté.

Où serions-nous allées ?

À présent, il était trop tard.

Nous n'avions nulle part où filer, nulle part où nous cacher. Nous restâmes figées, le nez dans nos petits pois et carottes, les doigts crispés sur le rebord de la chaise.

— Addie ?

Nous nous redressâmes brusquement, lâchant notre fourchette sur la table. Maman nous considérait en fronçant les sourcils.

— Tu es toute pâle, Addie. Qu'est-ce qui se passe ?

— Rien, affirma Addie. Je, euh, je…

La porte se rouvrit. Nos yeux se tournèrent vers l'entrée.

« *Respire*, soufflai-je. *Il faut que tu respires, Addie.* »

L'air avait du mal à entrer dans nos poumons. Addie serra si fort la chaise que nos bras tremblèrent.

Papa apparut en premier. Ses yeux partaient dans tous les sens, à l'affût d'un endroit où se poser, mais évitaient notre visage.

Ses mains pendaient mollement le long de son corps. Derrière lui se tenait un homme vêtu d'une chemise à col raide.

« *Ils ne le laisseront pas nous emmener*, murmurai-je avec acharnement. *Maman et Papa ne les laisseront pas nous emmener.* »

Mais nous savions toutes les deux que cela n'était pas vrai. Papa était grand de taille. Nous ne l'avions jamais vu aussi petit et désemparé.

— Addie, dit Papa. M. Conivent dit qu'il t'a rencontrée aujourd'hui à l'école.

— Tu te souviens de moi, n'est-ce pas, Addie ? demanda l'homme.

Addie réussit à hocher la tête. Nos yeux passaient de M. Conivent à Papa, de Papa à M. Conivent, tous deux penchés sur notre chaise. *Mets-toi debout*, pensai-je, sans réussir à le dire.

Papa se déplaça.

— Il prétend… il prétend que tu as passé beaucoup de temps avec Hally Mullan.

— Non… pas beaucoup, mentit Addie.

— Je suis sûr que cette Hally Mullan a discuté avec un tas de filles, lança Papa d'une voix tendue. Vous avez l'intention de toutes aller les voir ?

Sa colère nous rassurait autant qu'elle nous effrayait. Cela voulait-il dire qu'il allait se battre pour nous ? Empêcher cet homme de nous emmener ? Ou qu'il était fâché parce qu'il savait déjà qu'il n'avait pas le choix ?

M. Conivent ignora la question de Papa. Ses yeux restaient, à dessein, rivés aux nôtres, ses lèvres dessinaient un sourire calme mais rusé.

— Addie, qu'allais-tu faire exactement chez Hallie ?

Ma sœur essaya de déglutir sans y parvenir. Notre bouche s'ouvrit, mais notre voix avait disparu, comme si quelqu'un était descendu dans notre gorge pour nouer nos cordes vocales.

— Addie ? insista M. Conivent.

« *Des devoirs* », dis-je. Ce fut la seule chose qui me vint à l'esprit. C'était ce que nous avions raconté à nos parents.

— Des devoirs, affirma Addie.

M. Conivent se mit à rire. Tout gonflé de sa propre assurance.

Une brise d'automne comparée à l'ouragan qu'était notre père.

— Inutile de tergiverser, reprit-il en brandissant une chemise en papier kraft. Voici les dossiers médical et scolaire d'Addie. Si je ne me trompe, votre fille a eu du mal à… trancher lorsqu'elle était petite, n'est-ce pas ?

Maman s'avança. Sur le noir de son pantalon, ses poings semblaient d'un blanc lumineux.

— Comment… ? Mais vous ne pouvez pas avoir accès à ces dossiers !

— Dans des cas comme celui-ci, on nous accorde un pouvoir exceptionnel, répondit M. Conivent.

Il ouvrit le dossier. La feuille du dessus était une photocopie en noir et blanc de ce qui semblait être notre bulletin scolaire de l'école primaire. Il l'écarta pour feuilleter les documents du dossier jusqu'à ce qu'il trouve une feuille couverte de tableaux et de chiffres.

— Elle n'a complètement tranché qu'à l'âge de douze ans. C'est assez inhabituel, n'est-ce pas ? (Ses yeux passèrent de Maman à Papa.) Très inhabituel, dirais-je. Il y a seulement trois ans.

De nouveau, le silence.

La voix de Maman rompit l'immobilité.

— Qu'est-ce que vous voulez ?

Sa voix me fit mal, me donnant envie de sortir pour saisir sa main et la presser jusqu'à ce que nous soyons toutes deux engourdies.

— Juste faire quelques tests.

— Des tests dans quel but ? demanda Papa.

Tétanisées par le regard fixe de M. Conivent, nous étions figées sur notre chaise, muettes et incrédules face à son étrange sourire.

— Pour voir si Eva est toujours là.

Mon prénom claqua dans la pièce tel un ouragan, secouant les chaises et nos couverts. Ou peut-être étais-je la seule à avoir cette impression. Je m'étais habituée à entendre ce nom prononcé par Hally et Lissa. Par Ryan et Devon. Mais là... il sortait de la bouche de cet homme étrange. Et nos parents...

— Eva ? balbutia Maman.

Le mot sortit lentement de sa bouche, effrayé et aveuglé par la lumière crue.

Oui, Eva, pensai-je. *Le prénom que tu m'as donné, Maman. Le prénom que tu n'as plus jamais prononcé.*

La main de Papa écrasa le dossier de notre chaise.

— Addie a tranché. Elle a tranché un peu tard, mais elle a tranché.

Ni l'un ni l'autre de nos parents ne nous regardaient. Mais M. Conivent, oui.

— C'est ce que nous aimerions vérifier, affirma-t-il. Nous craignons que le processus ne se soit jamais totalement terminé – que quelque chose ait pu être omis lorsqu'elle était plus jeune. Il y a eu de grandes avancées technologiques ces trois dernières années.

Vraiment stupéfiantes. Et je suis convaincu que chacun aurait avantage à effectuer quelques tests supplémentaires. (Il regarda Papa, puis Maman et ajouta en souriant aimablement :) Je crains, voyez-vous, que votre fille ne vous ait menti pendant tout ce temps.

« *Addie, dis quelque chose !* »

— Ce n'est pas vrai, protesta-t-elle, comme si les mots dégringolaient de nos lèvres. Ce n'est... ce n'est pas vrai.

M. Conivent couvrit nos paroles sans même élever la voix.

— Il se pourrait que votre fille soit très malade, monsieur Tamsyn, madame Tamsyn. Vous devez mesurer les conséquences que l'inaction pourrait avoir, aujourd'hui, sur sa vie. Sur votre vie à tous.

Aucun de nos parents ne prononça un mot. La voix de M. Conivent se fit plus dure.

— Un enfant soupçonné d'hybridité est, de par la loi, tenu de subir les tests qui s'imposent.

— Uniquement s'il y a une véritable raison de nourrir un doute... rétorqua Papa. Vous ne pouvez pas...

M. Conivent balança une photocopie sur la table.

— Vous avez signé un accord, monsieur Tamsyn, lorsque Addie avait dix ans. Époque à laquelle elle *aurait dû* être emmenée. Elle n'a été autorisée à rester que parce que *vous* vous êtes engagé à permettre tous les examens qui seraient jugés nécessaires.

« *Non*, dis-je. *Non. Non, Addie. Dis quelque chose. Dis quelque chose, je t'en prie.* »

— Mais elle a *tranché*, affirma Papa. (Ses yeux croisèrent enfin les nôtres, écarquillés et désespérés.) Elle a tranché. Les médecins l'ont dit...

« *Addie, Addie, Addie...*

— *Quoi ?* » répondit-elle. Sa voix sonnait tellement faux. « *Qu'est-ce que je peux dire ?* »

116

Mais elle parla quand même, d'une voix plus ferme que je ne l'aurais imaginé. Une voix douce et fluette, à peine audible, mais néanmoins déterminée.

— Je ne suis pas malade.

L'attention suscitée par nos paroles était telle qu'on aurait pu croire qu'Addie avait hurlé.

— Elle dit qu'elle n'est pas malade, renchérit Papa. Et les *docteurs* eux-mêmes…

— Je crains que ce ne soit pas aussi simple, répliqua sèchement M. Conivent. (Il feuilleta de nouveau sa liasse et en extirpa une feuille qui ressemblait à une sortie papier d'ordinateur.) Avez-vous entendu parler du Refcon ?

Papa hésita, puis secoua la tête.

— C'est ce qu'on appelle une drogue inhibitrice, une substance extrêmement contrôlée. Elle affecte le système nerveux. Elle inhibe l'esprit dominant. Prise selon les doses recommandées, dans les circonstances qui conviennent, elle pourrait permettre à un esprit récessif persistant de lentement reprendre le contrôle du corps.

Il tendit la feuille à Maman. Elle s'en saisit comme dans un film au ralenti.

— Où voulez-vous en venir ? intervint Papa sans même regarder le papier.

M. Conivent se tourna vers nous.

— As-tu quelque chose à dire, Addie ?

Il attendit juste une seconde, faisant mine de vraiment s'intéresser à notre réponse. Puis il enchaîna, sur le ton d'un professeur déçu.

— Nous en avons trouvé un flacon, caché dans la table de nuit de Hally Mullan. Apparemment, elle l'aurait dérobé dans l'hôpital de sa mère.

Un éclair de sévérité passa sur son visage, lui donnant, pour la première fois de la soirée, un air vraiment soucieux. Puis son expression se transforma très vite en un mielleux reproche.

— Tu le savais, n'est-ce pas, Addie ?

— Non, murmura Addie.

— J'avoue ne pas très bien comprendre, fit Papa. Êtes-vous un représentant de l'hôpital ou un enquêteur ? Êtes-vous là pour aider ma fille ou pour l'accuser de quelque… ?

— J'essaie de faire au mieux pour tout le monde, coupa brutalement M. Conivent. Hally Mullan a reconnu avoir fait prendre une drogue à Addie afin de tenter de faire ressurgir Eva.

— *Non !* s'exclama Addie en sautant presque de notre chaise. Non, elle n'a pas fait ça – je n'ai pas fait ça.

Hally nous aurait-elle vraiment laissées tomber comme ça ? Ou bien cet homme nous racontait-il des bobards ? Je n'en savais trop rien. Cette ignorance nous rendait d'ailleurs incapables de nous défendre. Silencieux, nos parents nous fixaient d'un regard terrifié par l'horreur de la situation.

— Cela n'est *jamais* arrivé, affirma Addie en s'efforçant de retrouver la maîtrise de notre voix.

Celle de M. Conivent changeait, telle un caméléon. D'abord dure, puis condescendante. Puis mesurée. À présent, elle était aimable.

— J'ai réuni les formulaires nécessaires. Cela ne prendra qu'un jour ou deux. Elle va devoir prendre l'avion jusqu'à notre clinique, mais…

— L'avion ? s'exclama Papa. (Il aboya d'un rire qui ressemblait plutôt à une plainte brute et douloureuse.) À quelle distance se trouve cet endroit ?

— À trois heures de vol. Mais on s'occupera très bien d'Addie.

— Il n'y a pas de centre plus proche ? Lorsque nous… (Papa se frotta le front, puis après une brève inspiration :) Quand elle était petite, c'est à l'hôpital le plus proche que nous lui avons fait subir des tests.

— Monsieur Tamsyn, répondit l'autre d'une voix tranquille, croyez-moi… Si, comme je le pense, vous souhaitez le meilleur pour votre fille, vous me laisserez l'emmener à Nornand, plutôt que de l'envoyer dans un établissement de troisième catégorie. (Il marqua une pause, avant d'ajouter :) Laissez donc le gouvernement aider Addie, monsieur Tamsyn. Tout comme il vous aide pour votre petit garçon.

Papa releva vivement la tête, mais Maman s'empressa de prendre la parole avant lui.

— Cette fille, Hally, elle est déjà à l'hôpital ?

M. Conivent lui sourit.

— Oui, madame Tamsyn.

— Et… et ils savent déjà que c'est une… hybride ?

Sa voix se brisa sur ce dernier mot.

M. Conivent fit oui de la tête.

Maman prit une inspiration où perçait l'incertitude.

— Que va-t-il lui arriver ?

Comme si elle ne le savait pas. Comme si nous ne le savions pas.

M. Conivent poursuivit d'un sourire toujours imperturbable.

— Hally va rester pendant quelque temps à Nornand. Nous avons les meilleurs spécialistes du pays pour ces choses-là. Ils prendront soin d'elle. Ses parents se montrent très ouverts au traitement, et nous sommes optimistes.

— Elle ne sera pas internée ? demanda Papa d'une voix posée.

— Le programme de Nornand est différent, assura M. Conivent. C'est le premier du genre. Ne vous ai-je pas déjà dit que c'est l'endroit idéal pour Addie plutôt que tout autre hôpital ? (Il rouvrit son dossier pour en extraire de nouvelles feuilles de papier.) Voici un complément d'information. Et là… ce que vous avez signé.

La dernière feuille atterrit sur les deux autres, juste à côté de notre assiette. M. Conivent sortit un stylo de la poche de son pantalon. L'un de ces gros stylos à la plume étincelante qui semblent davantage saigner que cracher de l'encre.

— Si Addie pouvait faire ses bagages pendant que vous lisez tout cela, je me ferai un plaisir de vous expliquer tout ce que vous ne…

— Faire ses bagages ? (Le visage de Maman était aussi exsangue que ses jointures.) Vous ne voulez tout de même pas dire… ce soir ?

— Le vol part demain matin à cinq heures, et l'aéroport est à deux bonnes heures d'ici. C'est seulement aujourd'hui que nous avons pris conscience qu'Addie aurait besoin de nous accompagner, voyez-vous ?

— Donc, vous n'avez pas de billet pour elle, repartit Maman. Elle ne pourra pas…

— On lui trouvera une place, rétorqua M. Conivent d'un ton qui laissait deviner que les employés de l'aéroport se pliaient en quatre pour exécuter ses ordres.

Je ne voulais pas qu'on me trouve une place. Je ne voulais pas partir.

« *Addie, je t'en prie…* »

— Pas *toute seule*… insista Maman. Elle ne… Non, non. Je l'accompagne.

— Cela ne sera pas nécessaire, précisa M. Conivent.

— Si, j'y vais, décréta Maman d'une voix brisée.

Ses paroles ressemblaient davantage à une supplique qu'à une affirmation.

Il sourit.

— Si vous insistez, madame Tamsyn, libre à vous, bien sûr. Malheureusement, nous ne serons pas en mesure de vous trouver un billet.

— Dans ce cas, nous conduirons Addie nous-mêmes un peu plus tard, intervint Papa en décontractant ses épaules.

M. Conivent aspira de l'air entre ses dents.

— Je ne vous le conseille pas. Vous savez à quel point il est difficile de trouver des billets. Et ceux que vous pourrez trouver seront très chers. Vous devrez attendre plus d'un mois avant de trouver un tarif abordable. (Ses lèvres s'étirèrent.) Et un mois, c'est long.

Si seulement ils savaient. Il y a un mois, nous connaissions à peine Hally. Nous n'avions pas rencontré Devon et Ryan. Je vivais sans espoir.

— Nous devrions pouvoir trouver quelque chose avant, dit Papa.

Il se collait au dossier de notre chaise, refusant de regarder les papiers que M. Conivent avait lancés sur la table.

— Laissez-nous deux semaines... une semaine. Je suis sûr que...

— Il peut se passer beaucoup de choses en une ou deux semaines, le coupa M. Conivent en haussant un sourcil.

Puis, comme lorsqu'on zappe d'une chaîne de télé à l'autre, ses traits adoptèrent une expression dure et froide.

— Son état pourrait empirer... ça arrive souvent aux gens malades, vous savez. Votre petit garçon, par exemple ? Que deviendrait-il, privé de traitement pendant des semaines ?

Ses mots aspirèrent tout l'air de la pièce.

— Je pense qu'il serait mieux pour tous qu'Addie vienne avec moi dès ce soir, reprit M. Conivent dans le vide qu'il avait créé.

« *Non* », murmurai-je.

Addie resta muette.

Maman toucha notre épaule d'une main tremblante.

— Addie. Addie, tu veux bien aller préparer ton sac ?

Ma sœur leva les yeux vers elle. Nos parents se tenaient chacun d'un côté de notre chaise. On aurait dit le jour et la nuit. Maman, très pâle, avec ses cheveux blonds comme les blés, tirés en arrière lui faisant un visage en demi-lune. Papa, tout rouge, la regardant, bouche bée, incapable de prononcer un mot.

— Il s'agit juste de quelques tests. Des scanners, dit Maman. (Sa voix était si sourde qu'elle semblait penser tout haut.) Tu en as eu quand tu étais petite, tu te rappelles ? Ce n'est pas grand-chose. Tout se passera bien.

Papa nous dévisagea. Addie lui rendit son regard. *Non*, articula-t-elle. *Non, je t'en prie*.

— Prends le sac en toile rouge, dit-il d'une voix lasse. Inutile d'emporter trop de choses. C'est juste pour quelques jours.

« *Non...* » sanglota Addie. Mais je fus la seule à l'entendre. Nous restâmes immobiles, le visage figé comme un masque de verre.

— Allez, Addie, insista Papa.

Notre seul choix était l'obéissance.

Les marches semblaient être des montagnes. Et notre cœur freinait nos pieds.

« *Il va se passer quelque chose*, assurai-je. *Ne t'en fais pas, Addie, il va se passer quelque chose. Ils ne signeront pas.* »

Addie sortit le sac en toile et commença à plier des vêtements. Elle sortit des dessous et des chaussettes de notre commode et tira, d'un coup sec, un tee-shirt de notre placard.

« *Ils ne nous laisseront pas partir. Quand on va redescendre, ils auront changé d'avis. Là-dessus, tu peux me faire confiance, Addie. Tu vas voir. Tu vas voir.* »

Mais quand nous redescendîmes péniblement l'escalier avec le sac de toile qui pendait comme un sac d'os sur notre épaule, personne n'exprima un quelconque changement d'avis. Le visage de Maman semblait plus mince que dans mes souvenirs. Ridé, las.

Papa s'était effondré sur notre chaise désertée, mais il se leva quand Addie entra dans la pièce. Sur la table, le dîner que nous n'avions pu avaler avait refroidi.

— Ah, te voilà, Addie, lança M. Conivent en souriant. Tes parents se sont déjà occupés de tout. (Il pointa son dossier vers la porte.) Ma voiture est garée juste devant. Le mieux est de dire au revoir et nous pourrons partir.

Notre regard glissa vers nos parents.

— Laissez-nous juste un petit instant, demanda Papa.

Il nous prit alors par la main et nous entraîna dans le coin le plus éloigné du séjour.

Entouré des photos heureuses de nous et de Lyle à tous les âges, de la naissance jusqu'à maintenant, il nous fit asseoir sur le divan et, s'agenouillant devant nous, garda nos mains dans les siennes.

Notre nez commençait à picoter. Addie cligna les yeux.

— C'est seulement pour deux jours, grand maximum, affirma Papa. (Le son rauque de sa voix accentuait encore le picotement.) C'est ce qu'il a dit.

— Et s'il mentait ? souffla Addie.

— Si jamais cela dure plus longtemps, c'est moi qui viendrai te chercher, répliqua-t-il. Je prendrai l'avion jusque là-bas et je te kidnapperai sous leur nez. Tu as compris ?

Il nous sourit, mais sans conviction. Nous essayâmes vainement de lui rendre son sourire. À la place, nous ne pûmes que hocher la tête et essuyer nos yeux du revers de la main.

— Je te demande juste de tenir deux jours, Addie. D'accord ? Tu peux faire ça ?

Nous hochâmes la tête, retenant notre souffle pour bloquer nos larmes. Nos yeux restaient rivés au sol. Regarder Papa en face nous faisait trop mal.

Il nous prit dans ses bras, et nous serra si fort contre sa poitrine que nos larmes finirent par sortir. Addie l'entoura de nos bras. Maman nous rejoignit aussitôt pour enlacer tout le monde. Papa relâcha son étreinte et nous pûmes embrasser Maman.

Ses yeux étaient rouges. Ils ne croisèrent pas les nôtres. Mais elle pressa nos mains jusqu'à nous faire mal.

— Tu comprends, Addie, nous chuchota-t-elle à l'oreille. Tu comprends, chérie. Lyle a besoin d'être soigné. Ils menacent d'interrompre son traitement, alors...

Elle s'arracha à notre étreinte en plissant fort les yeux. Seules nos mains restaient en contact.

— Maman, dit Addie. (Nos doigts et les siens étaient si emmêlés que je n'aurai su dire où finissaient les nôtres et où commençaient les siens.) Maman, ce n'est...

Ce n'est rien.

Mais elle était incapable de le dire. Elle ne pouvait pas forcer les mots à sortir, donc nous restions muettes. Mais nous gardâmes nos mains entrelacées avec celles de Maman.

Que diraient-ils à Lyle quand il rentrerait à la maison ? Une partie de moi était contente qu'il n'ait pas été là, qu'il n'ait pas assisté à tout cela. L'autre partie pleurait car j'aurais voulu lui dire au revoir.

— Le monsieur attend, finit par dire Maman. Il ne faudrait pas qu'il s'impatiente.

— Il peut attendre encore un peu, rétorqua Papa.

Mais après quelques minutes, il nous fallut y aller. M. Conivent nous conduisit jusqu'à la voiture. Papa portait notre sac en toile et le déposa sur la banquette arrière. Nous étions sur le point de nous installer lorsqu'il nous retint pour nous serrer une dernière fois dans ses bras.

— Je t'aime, Addie, dit-il.

— Je t'aime, Papa.

Notre voix était douce.

Alors que nous nous retournions pour entrer dans la voiture, il nous arrêta de nouveau en posant sa main sur notre épaule.

Pendant un long, long moment, il scruta notre visage. Puis, juste au moment où Addie ouvrait la bouche pour dire quelque chose, il se remit à parler. Cette fois, c'est lui qui chuchotait.

— Si tu es là, Eva… si tu es vraiment là… (Ses doigts se crispèrent autour de notre épaule, s'enfonçant dans notre peau.) Je t'aime aussi. Toujours.

Puis il nous laissa monter dans la voiture.

Chapitre 12

Le trajet jusqu'à l'hôtel dura une heure et vingt minutes.

Pendant une heure et vingt minutes, Addie garda notre sac serré contre sa poitrine, le regard perdu à travers la vitre.

Moi, pendant une heure et vingt minutes, j'aurais voulu qu'on disparaisse.

On nous installa dans une chambre avec un lit bien plus grand que celui des parents à la maison. Le bord de la couverture était impeccablement parallèle au sol. Les oreillers semblaient se prélasser dessus comme deux grosses peluches.

— Tu peux commander à dîner, précisa M. Conivent. C'est compris dans le séjour, le service de chambre va te le monter.

Addie approuva de la tête. M. Conivent, avec une petite courbette, nous montra le dernier élément : la clé de l'hôtel.

— Je la garderai sur moi, car nous partons tôt demain matin, et je ne veux pas que tu aies à la chercher aux premières lueurs de l'aube. (Il glissa la clé dans sa poche.) De toute façon, tu n'as pas à quitter cette chambre jusqu'à demain. Appelle le service de chambre ou la réception si tu as besoin de quelque chose. Compris ?

— Compris, répondit Addie.

— J'ai demandé qu'on nous réveille à trois heures. Je sais, c'est tôt, mais sois prête à trois heures trente. Je viendrai te chercher.

— Ça marche, répondit Addie.

Il sourit.

— Parfait. Alors, bonne nuit.

Addie ne commanda rien au service de chambre. L'écran de télévision resta noir et muet comme un ennemi. Le drap, sévèrement tiré, nous collait contre le matelas, et Addie se lova sous lui, frissonnant dans la fraîcheur de l'air conditionné qu'un appareil diffusait en rafales avec un bruit d'avion.

Une heure plus tard, nous étions toujours éveillées et chaque minute s'évaporait comme une goutte d'eau. Nous serrâmes plus fort l'oreiller. Addie se tournait et se retournait sans cesse, les yeux écarquillés.

« *Ça va aller*, dis-je, pour me rassurer moi-même autant qu'elle. *On va être…*

— *C'est ta faute* », me coupa Addie. Un goût acide remontait dans notre gorge. « *C'est ta faute.* »

Nos yeux étaient baignés de larmes, dont nos lèvres goûtaient le sel. « *Je ne suis pas responsable* », insista-t-elle. Chaque mot me griffait à l'intérieur et faisait remonter un goût de sang. Tout s'arrêta. J'essayai de freiner ma douleur, mais je n'avais jamais eu le talent d'Addie pour élever un mur entre nous. Elle dut sentir ma douleur. Et ma colère, dans laquelle je me drapais pour combler de chaleur cet espace vide au fond de moi.

Addie poussa un long soupir. Qui s'acheva dans un sanglot.

À une époque, j'avais été assez forte pour résister à mon extinction. J'étais pourtant réduite à un souffle dépouillé de tout. De tout, sauf de cette petite voix qu'Addie était la seule à entendre. Mais j'avais tenu bon. Refusé de disparaître.

Je priai à présent pour avoir la force d'affronter les prochaines épreuves.

Le téléphone nous tira de ce cauchemar où flottaient des cercueils. La pénombre nous étranglait, plantant ses griffes dans notre gorge.

Nos doigts coururent à tâtons sur le lit, parmi les oreillers et les couvertures. Le téléphone redoublait de hurlements. Notre main s'aplatit sur une forme dans l'ombre, qui aurait pu être une lampe.

— Allô ?

— Bonjour, répondit une voix inconnue. Euh... je suppose que le jour n'est pas encore levé, mmh ?

Nous étions trop sonnées pour formuler des phrases.

— Allô ? C'est l'heure du réveil, reprit la voix.

— Je... je suis réveillée, dit Addie, assise sur le lit, le coude appuyé sur le matelas. C'est bon, c'est bon, je suis réveillée, répéta-t-elle avec une voix plus forte. Merci.

— Parfait. Bonne journée à vous, lança le réceptionniste avant de raccrocher.

Notre corps restait assis dans l'obscurité, le téléphone toujours collé à l'oreille.

« *Faut se lever* », murmurai-je. Les mots d'Addie de la nuit dernière s'entrechoquaient encore dans ma tête : *C'est ta faute.*

Bien sûr, ma faute ! « *Il arrive dans une demi-heure.* »

Addie ne réagissait pas. Son silence était plus blessant que des mots. Lentement, elle quitta le lit et nous trottinâmes vers la salle de bains. Le carrelage glacé plantait des aiguilles dans la plante de nos pieds. Le robinet tourna en silence, sans couiner comme le faisaient ceux de la maison. L'eau chaude jaillit si rapidement qu'elle faillit brûler nos mains. Addie ouvrit l'eau froide pour asperger notre visage et nos joues.

Elle nous habilla sans allumer la lumière. Nous avions des habits dans le sac, mais notre tenue scolaire formait déjà un tas sur le sol. Addie l'enfila. Elle nous brossa les dents, rangea nos affaires dans le sac puis s'assit sur le lit, encore somnolente.

Vers trois heures trente, un petit coup fut frappé à la porte.

Addie ne bougea pas. Elle gardait les yeux fixés sur la porte.

— Addie ? dit une voix, brisant le silence et faisant voler en éclats les derniers fragments de nos rêves. Je vais entrer.

La porte s'ouvrit, laissant la lumière du couloir avaler l'obscurité de la chambre. M. Conivent se tenait dans l'embrasure, clignant les yeux.

— Encore au lit ?

Sa voix était plus basse et plus dure que dans mon souvenir. Il pénétra dans la chambre, pressant rapidement tous les interrupteurs, et la lumière nous aveugla.

On le regardait. Il nous regardait. Nos mains serraient notre sac. Il sourit et ricana doucement.

— Que fais-tu, assise dans l'ombre ? Allons, debout !

Sur un signe de sa tête, notre corps se redressa.

— Tu n'oublies rien ?

Addie fit non de la tête.

— Tant mieux. Car nous ne reviendrons pas.

Le trajet jusqu'à l'aéroport fut court et paisible. Le murmure de la radio rythmait le défilement de la ville endormie et des rues sans fin. Chaque feu rouge était un flash de lumière frappant nos pupilles. Nous restâmes silencieuses jusqu'à ce qu'Addie pose la question qu'elle réprimait depuis le départ.

— Où est Devon ?

M. Conivent hésita avant de répondre.

— Je l'ai envoyé devant, en taxi. (Décollant ses prunelles de la route, il nous gratifia d'un sourire qui nous mit mal à l'aise.) Il est un peu bizarre, ces temps-ci. J'ai pensé qu'il valait mieux vous tenir séparés pour le moment. Ne t'inquiète pas. Quelqu'un viendra le chercher à l'aéroport.

— On va prendre le même avion ? s'inquiéta Addie.

— Oui, répliqua M. Conivent, d'une voix agacée. Mais nous n'avons pas trouvé de sièges voisins, donc tu ne le verras pas.

Il faisait encore sombre lorsque nous atteignîmes notre destination.

Addie et moi n'étions jamais montées dans un avion auparavant.

Le plaisir qu'on aurait pu ressentir était occulté par un curieux malaise qui nous tordait l'estomac.

— Allons-y, lança M. Conivent tandis que nous observions, à travers une immense vitre, un avion quitter la piste d'envol.

On ne discernait pas les détails, juste quelques lumières trouant l'aube poisseuse.

Addie suivit l'homme dans le sas d'embarquement jusqu'à la vérification de sécurité. On avait vu ce genre de trucs à la télé, mais jamais en vrai. On en avait entendu parler. Chaque fois qu'un étudiant de l'école faisait un vol en avion, il revenait avec des histoires plein la bouche.

Il était tôt, il n'y avait personne d'autre que nous dans la zone de sécurité. M. Conivent vida ses poches et nous enjoignit de faire de même.

— Pose ton sac sur le tapis roulant et assure-toi de ne pas garder de métal dans tes poches.

Devant l'hésitation d'Addie, il hocha la tête à nouveau :

— Allons, Addie.

Addie passa la lanière du sac par-dessus notre tête. Et le tapis roulant emporta l'objet loin de nous.

— Pas de métal ? s'enquit M. Conivent. Pas de clés ? Pas de monnaie ?

Addie secoua la tête.

— Très bien, passe sous ce détecteur. Je te suis.

Addie s'avança vers le portique, mais avant de le franchir, elle jeta un coup d'œil par-dessus notre épaule et aperçut M. Conivent en grande conversation avec un officier qui crachait des bribes de phrases dans un talkie-walkie. Avant que nous n'ayons pu saisir le sens de ses paroles, un homme en uniforme, de l'autre côté du portique, nous fit signe d'avancer.

Addie obéit, mais faillit jaillir de notre corps en entendant un énorme bip. Un pas en arrière nous ramena sous la voûte. Le bip reprit de plus belle.

— Restez immobile, jeta l'officier en nous saisissant par le poignet pour nous mettre à l'écart.

Il était habillé comme M. Conivent : pantalon et chaussures sombres, chemise blanche. Un officiel.

— Vous avez vidé vos poches ?

Addie posa ses mains sur notre poitrine dès qu'il la lâcha.

— Je n'ai rien sur moi.

— Levez les bras… voilà, c'est ça. Restez droite. Je vais passer le détecteur le long de votre corps, d'accord ?

Le bâton noir clignota lorsque l'homme se courba pour le faire descendre le long de notre jambe droite. Mais lorsqu'il suivit la jambe gauche, on eut droit à un festival de bips.

— Vous êtes sûre que vous n'avez rien dans votre poche ? demanda l'officier. Revérifiez, s'il vous plaît.

— En général, je ne range rien là, répondit Addie, mais elle fouilla la poche de notre jupe et… quelque chose de petit et de lisse glissa sur notre peau. Addie saisit l'objet entre ses doigts. C'était un petit disque noir, à peine plus gros qu'une pièce de monnaie, avec une minuscule diode au milieu. Presque, euh, presque familier même si on n'en connaissait pas l'origine.

Et l'officier nous dit, sans s'énerver :

— Voyez... c'est ce genre de chose qui déclenche le bip de sécurité.

Addie se détendit.

« *Qu'est-ce que c'est ?* » Ce furent les premiers mots qu'elle m'adressait depuis notre réveil. Quelque chose s'éveilla en moi au son de sa voix. « *Je n'en sais rien* », admis-je.

L'officier reprit :

— Donnez-le-moi, le temps de repasser au détecteur.

Addie posa le petit disque au creux de sa paume ; il le considéra brièvement avant de passer à nouveau son instrument le long de notre corps. Cette fois, l'objet resta muet.

— Mission accomplie, sourit-il, en nous rendant la rondelle.

— Il y a un problème ? s'enquit une voix.

Addie se retourna brusquement. Comment M. Conivent s'était-il rapproché de nous si discrètement ?

— Aucun, monsieur, répondit l'officier. Vous pouvez y aller.

— Parfait, rétorqua M. Conivent.

Il souriait comme il avait souri en voyant Addie descendre l'escalier à la maison.

— Prends tes affaires, Addie. Nous sommes déjà en retard. Qu'est-ce qui s'est passé ? ajouta-t-il, tandis qu'Addie trottinait derrière lui, son sac à la main.

— Oh ! Rien... répondit-elle.

Mais notre main tenait bien fermement le petit disque.

L'aéroport comprenait de nombreuses portes d'embarquement, chacune indiquée par un numéro noir brillant sur une plaque.

Lorsque nous atteignîmes la nôtre, une file de gens attendait déjà d'embarquer. M. Conivent marcha jusqu'au bureau d'accueil, nous laissant derrière une jeune femme accompagnée de ses deux enfants. Le garçon, de sept ou huit ans, mal à l'aise dans ses vêtements, nous dévisageait de ses grands yeux bleus écarquillés.

Addie observait du coin de l'œil M. Conivent, en grande discussion avec l'hôtesse d'accueil. Celle-ci se battait avec l'ordinateur. On ne distinguait pas la figure de M. Conivent, mais ses épaules restaient rigides.

— Ta main, elle brille !

Addie baissa les yeux vers l'enfant, avec une légère grimace.

— Ta main ! répéta le môme, désignant notre main droite.

Addie resta bouche bée. Une lumière rouge vif clignotait entre ses doigts. Le disque. Cette diode, que nous avions distinguée auparavant, avait pris vie et battait comme un cœur.

— C'est quoi ? demanda le gamin, lâchant sa mère.

— Je n'en sais rien, répondit Addie avec un froncement de sourcils.

L'enfant était sur la pointe des pieds essayant de mieux voir.

— Tyler, viens ici !

La queue s'ébranla et la jeune maman tira son fils par le bras, en ignorant ses protestations.

— Je peux voir, moi aussi ? demanda une voix familière par-dessus notre épaule.

Addie sursauta, cognant presque notre tête contre le menton de M. Conivent. Il se crispa. Comment faisait-il pour nous coller comme ça ?

— Ce n'est rien, affirma Addie, le poing fermé.

La main de l'homme nous saisit au poignet.

— Montre-moi.

« *Laisse-le voir*, dis-je. *Sinon, il va se méfier.* »

M. Conivent prit de force le disque noir dans notre paume et l'examina à la lumière. Nos yeux suivaient le mouvement, s'attachant à l'objet clignotant, jusqu'à ce qu'il nous le rende.

— Amusant, cette petite chose, commenta-t-il.

Addie se força à sourire.

— Je l'ai eue dans un magasin de jouets.

— Vraiment ? Et à quoi ça sert ?

— Ça, euh… ça…

Je suggérai la première chose qui me vint à l'esprit. « *Ça fait partie d'un plus grand jeu.* »

— Ça fait partie d'un plus grand jeu, répéta Addie. Mais ça n'a jamais vraiment marché. Je l'ai là, dans mon sac. J'ai des tonnes de trucs qui ne servent à rien.

— C'est bon, on y va, grogna Conivent en tournant les talons.

Le tunnel menant à l'avion résonnait du bruit des valises à roulettes. Un membre d'équipage se tenait devant la bouche de l'appareil, avec un sourire accueillant pour nous faire pénétrer dans l'espace dévolu aux passagers. M. Conivent avança rapidement dans la petite allée entre les sièges, mais les voyageurs qui s'installaient ou qui rangeaient leurs bagages dans les compartiments supérieurs freinaient sa progression. Ryan et Devon étaient-ils déjà là ? C'était obligé. Nous étions parmi les dernières personnes arrivées.

« *Le disque clignote de plus en plus vite,* m'informa Addie.

— *Ne regarde pas. Il risquerait de le remarquer* », répondis-je.

Elle fit tourner nos yeux et planqua notre poing contre notre jambe.

La dame et le petit garçon avaient enfin trouvé leurs sièges et la maman soupira.

— Par chance, nous sommes près des toilettes.

Devant nous, un vieux monsieur installait péniblement son bagage, et M. Conivent dut patienter en se mordant les lèvres.

Le disque au creux de notre main était chaud.

« *Jette un coup d'œil rapide* », dis-je.

Addie se tourna légèrement, en prenant soin de cacher la pièce au cas où M. Conivent se tournerait vers nous.

L'objet avait cessé d'émettre ses flashs. Il était à présent d'un rouge incandescent. Addie grimaça en mordant notre lèvre inférieure. Nous n'avions pas remarqué que la porte des toilettes s'était ouverte. Mais au second coup d'œil, il nous fut impossible de ne pas reconnaître le garçon aux cheveux sombres qui avançait dans l'allée.

Chapitre 13

Ce qui se passa ensuite fut très rapide et presque silencieux. Le doigt de Devon se posa prestement sur ses lèvres. Il recula dans les toilettes. La porte se ferma.

— Addie ? dit M. Conivent dans un soupir teinté de remontrance. Qu'est-ce qu'il y a, encore ?

— Rien, répondit-elle. (Notre cœur cognait à tout rompre, mais elle réussit à garder un air placide en se tournant vers lui.) C'est juste la première fois que je monte dans un avion.

— Il n'y a pas grand-chose à voir. (Il lui fit signe de se rapprocher de lui.) Allez. Il faut qu'on gagne nos places.

Addie suivit M. Conivent dans l'allée, jusqu'au ventre de l'appareil.

Bien qu'il soit encore très tôt, la plupart des autres passagers étaient élégamment vêtus. Les femmes portaient jupes et collants, les hommes des chemises repassées. Nos mocassins à lacets éraflés tranchaient dans l'alignement des hauts talons et des chaussures en cuir.

— Trente-quatre F, dit enfin M. Conivent. Nous y sommes… donne-moi ta valise.

Addie la lui tendit. De chaque côté du 34-F, les sièges étaient tous occupés par des hommes d'affaires d'âge moyen en costumes sombres. M. Conivent essayait de faire entrer notre sac dans le compartiment à bagages. Addie lui donna une petite tape sur le bras.

— Il n'y a qu'un seul siège.

M. Conivent hocha la tête en refermant la porte du compartiment à bagages d'un coup sec.

— Je suis là-bas, dit-il en indiquant la direction d'où nous venions. En face de là où nous sommes entrés. Si tu as besoin d'aide, appelle l'hôtesse. Le vol n'est pas très long.

Addie fit oui de la tête. Le disque chaud était toujours dans notre paume. Le visage de Devon était imprimé dans notre esprit, nous intimant de rester calmes. Nous nous assîmes, espérant secrètement que M. Conivent s'éloignerait. Ce qu'il ne fit pas.

Il resta debout dans l'allée, telle une sentinelle. L'homme assis à notre gauche engagea une conversation plutôt à sens unique entre lui et lui, tandis que nous gigotions sur notre siège.

Finalement, une hôtesse de l'air vêtue d'un uniforme bleu et blanc dit à M. Conivent qu'il devait s'asseoir. Puis, à la tête de l'avion, une autre femme commença à expliquer la procédure à suivre si jamais l'appareil tombait. Addie et moi écoutions. Au moins l'une de nous deux se souviendrait des consignes. Je m'étais dit que nous aurions l'occasion de foncer aux toilettes lorsque l'hôtesse en aurait terminé, mais quand l'avion commença à bouger, nous ne pûmes plus aller nulle part.

« *De toute façon, il ne sera plus là*, dis-je. *On lui aura demandé de rejoindre son siège.* »

Le monstre d'acier hurla, accélérant brusquement sur la piste. Puis, après une embardée, nos oreilles se bouchèrent et il s'arracha du sol. Nos jambes se muèrent en guimauve. Addie serra les accoudoirs, tandis que notre dos se pressait contre le dossier. Elle ne jeta qu'un coup d'œil par le hublot, mais ce fut suffisant. Tout en bas, nous vîmes la forme sombre de l'aéroport, et les lumières de la piste rapetisser tandis que nous nous élevions au-dessus du sol.

Le signal lumineux de la ceinture de sécurité s'éteignit dix ou quinze minutes plus tard. Addie marmonna une excuse en se faufilant devant l'homme d'affaires assis à côté d'elle afin d'accéder à l'allée.

Les portes des toilettes étaient fermées, mais de petits panneaux d'un vert lumineux indiquaient qu'elles étaient libres. Addie regarda autour d'elle avant d'ouvrir la porte derrière laquelle Devon s'était caché précédemment. La minuscule cabine était vide. Celle d'à côté également. De même que la suivante.

Un homme assis tout près nous décocha un étrange regard.

Notre main se referma autour de la poignée de la quatrième porte. Addie l'ouvrit d'un coup sec.

Celle-ci n'était pas vide.

— Chuut, souffla Devon avant qu'Addie ne se mette à parler.

Il nous attrapa par le bras et nous tira à l'intérieur avant de refermer prestement la porte. Nous nous retrouvâmes écrasées entre le lavabo, la cuvette des toilettes et le mur. Et Devon. Son visage était à un centimètre du nôtre, ses mains de chaque côté de nos coudes, l'un de ses genoux appuyait sur notre jambe. Nous étions comme pliées en deux, sans aucune issue, dos contre les parois, peinant à respirer. Tout vibrait.

— Tu n'as pas fui ? déclara-t-il.

Sa voix était calme, mais quelque chose dans son ton rappelait le vrombissement des moteurs de l'avion. Le rebord dur du lavabo s'enfonçait dans notre dos, empêchant Addie de s'extraire.

— Ryan t'avait pourtant dit de filer. Pourquoi ne l'as-tu pas écouté ?

Une turbulence secoua le cabinet de toilette. Addie ferma très fort nos paupières jusqu'au retour du calme. La cabine était trop petite. Beaucoup trop petite.

— Bien sûr que je n'ai pas filé, dit-elle entre nos dents. Où est-ce que je serais allée ?

Devon semblait sur le point de vouloir discuter, mais le sol se mit de nouveau à trembler et, lorsque Addie rouvrit nos yeux, il ravala ce qu'il était sur le point de dire.

— Tu n'as rien avoué ? (Ses paroles n'avaient rien d'une question, elles cherchaient plus une confirmation.) Tu as feint l'ignorance ?

— Je ne suis pas stupide, rétorqua Addie.

Difficile de fixer notre regard quelque part dans cet endroit minuscule et bruyant, avec la porte derrière nous et Devon si proche. La sueur perlait sur notre nuque, car la chaleur nous traversait par vagues. Notre poitrine se comprimait, comme sous l'effet d'un bandage qui nous aurait sanglées de plus en plus fort, transformant chaque respiration en une lutte acharnée.

Devon fronça les sourcils.

— Tu te sens bien ?

« *Concentre-toi sur son visage, dis-je. Ne pense à rien d'autre.* »

— Ça va, répondit Addie. (Notre voix était dure, mais elle m'écouta, gardant nos yeux sur la figure de Devon.) Je n'ai pas filé. Je suis là.

Nous serrions les poings.

Ni elle ni Devon ne dirent rien pendant un moment. Nos muscles tremblaient à force de lutter pour rester immobiles. Notre regard restait fermement dirigé droit devant. Addie était-elle en train de diviser le visage de Devon en divers coups de pinceau ? En ombre et lumière ? Je n'avais jamais vu le monde avec les touches colorées d'une palette, ce qui, parfois, semblait être le cas d'Addie, mais je l'avais vue dessiner suffisamment de gens pour imaginer comment elle pourrait croquer la ligne sévère et régulière de la mâchoire de ce garçon, les ailes droites de son nez. Comment elle pourrait représenter ses cheveux tombant en boucles sur son front au point de presque toucher ses sourcils.

Je pouvais m'imaginer les teintes qu'elle choisirait et mélangerait, ocre jaune, terre de Sienne brûlée, violet, pour peindre le visage de Devon, qui était aussi celui de Ryan, comme celui d'Addie était le mien.

— Au moins, tu as apporté le disque, dit enfin Devon.

— Quoi ? s'exclama Addie.

Devon nous considéra fixement.

— Le disque. Le disque noir. Ryan l'a glissé dans ta poche quand il... Dis-moi que tu l'as.

Addie déroula notre poing, un doigt après l'autre. Elle leva la main où se trouvait la pièce, sans détacher son regard de celui de Devon.

— Tu parles de ça ?

Lui aussi nous contemplait sans ciller.

Était-il intrigué par notre respiration courte et la crispation de nos membres ? Finalement, Addie leva la main presque au niveau de notre bouche. La lumière rougeoyait entre nous et Devon. Un œil de cyclope sur une face ronde et noire.

Cela sembla ramener Devon dans le moment présent.

— Oui, ça.

Il tira un jeton identique de sa poche et le présenta à côté du nôtre. Une lumière rouge brillait aussi. Chaque fois qu'il faisait un mouvement, Addie avait compris qu'il lui fallait le répéter, comme une communication où s'échangeait de l'espace, de l'air. J'essayai de penser à autre chose, à quelque chose de bon, quelque chose de beau, et tout ce qui me vint à l'esprit fut ce jour où

Ryan avait tenté de m'expliquer le mot « intensité » et où j'avais décidé qu'il était probablement le pire professeur que j'aie jamais eu.

— Qu'est-ce que c'est, ce truc ? s'enquit Addie.

— Pas grand-chose, répondit-il. Loin d'être suffisant. Mais c'est tout ce que nous avions sur le moment. On n'avait pas le temps de fabriquer mieux. (Il nous montra le disque.) Tu vois la lumière ?

— Oui, dit Addie.

— Ryan a fait en sorte que les diodes s'illuminent quand les puces sont à proximité l'une de l'autre, expliqua-t-il. Si nous étions un peu éloignés...

— Elles clignoteraient ? devina Addie.

Il fit oui de la tête. Addie rapprocha les puces pour les considérer de plus près, étudiant la lumière et les minuscules vis à l'arrière.

— C'était dur ? À concevoir ?

— Plus facile que de pirater tes dossiers scolaires, répondit-il.

Addie releva brusquement la tête. Puis, à ma grande surprise, elle esquissa un sourire.

— J'imagine.

Quelques instants s'écoulèrent, moins tendus, mais plus embarrassants. Le rebord pointu du lavabo s'enfonçait toujours dans notre dos.

— Il vaudrait mieux que j'y aille, déclara Devon. Il va finir par se demander ce qui me prend si longtemps.

— M. Conivent ? demanda Addie. Il est assis à côté de toi ?

Devon hocha la tête.

— Et toi ? Tu es où ?

Addie fit un petit signe du menton.

— Par là-bas. Trente-quatre quelque chose. Je suppose... je suppose que j'ai eu un billet au dernier moment.

Devon regarda Addie droit dans les yeux, sans ciller.

— Est-ce qu'il t'a dit qu'ils allaient juste faire quelques tests ?

Addie opina du chef, puis détacha son regard du sien.

— Il a dit que je devrais être de retour dans deux jours.

Devon glissa sa puce dans sa poche, mais ne fit aucun geste pour partir. L'avion grondait. Addie inspecta notre poing et notre coude pressés contre notre flanc.

— Il est possible qu'ils ne voient rien. Dans l'état actuel des choses, comme Eva est encore faible, il y a des chances qu'elle n'apparaisse pas sur les scanners. Tu devrais pouvoir rentrer chez toi.

— Oui, répondit doucement Addie.

— Comme Conivent doit m'attendre, je vais sortir en premier, dit Devon. Laisse passer quelques minutes avant de rejoindre ta place.

Addie et lui se tortillèrent maladroitement jusqu'à ce qu'il puisse atteindre la porte pour la déverrouiller. Avec un dernier regard, il ajouta :

— Continue de tout nier. Et garde le disque sur toi pour qu'on puisse se retrouver.

— Compte sur moi, promit Addie.

Après un acquiescement suffisant à sceller cet accord, il ouvrit la porte et la referma très vite afin que personne ne puisse apercevoir ma sœur à l'intérieur. Addie referma le verrou, s'assit sur le couvercle des toilettes et prit notre tête entre nos mains. Le sentiment d'isolement la faisait trembler.

Addie passa le reste du vol à regarder par le hublot. Au sol, les lumières se multipliaient, surgissant comme les guirlandes d'une fête. Sous chaque siège, le grondement était tel qu'on aurait pu croire qu'un énorme chat s'y était caché pour ronfler.

À un moment, un bébé se mit à hurler. Sa maman réussit à le faire taire en l'amusant avec un hochet.

Les hommes assis dans notre rangée étaient tous endormis lorsque le commandant de bord annonça notre descente imminente. Quand celle-ci s'amorça, le soleil était juste en train de se lever et l'avion plongea vers l'immense mer dorée qui filtrait à l'horizon.

En plissant les yeux, nous vîmes les gratte-ciel se rapprocher de plus en plus. Nous n'avions plus revu d'aussi grands immeubles depuis notre déménagement. Déjà, mon esprit flottait au milieu de souvenirs de salles d'attente stériles, de pyjamas d'hôpital trop grands, de tic-tac d'horloges et de docteurs peu loquaces.

Addie prit une profonde respiration au moment où l'avion toucha la piste. Le ronronnement du moteur s'intensifia pour se transformer en grognement, puis en beuglement, puis en un rugissement acharné. Il y eut un sifflement aigu. La vitesse de l'avion était telle que j'eus peur d'avoir de nouveau décollé.

Mais peu à peu, l'avion ralentit jusqu'à rouler doucement sur la piste. Les lumières se rallumèrent. À côté de nous, les hommes d'affaires se redressèrent.

Lorsque l'avion aborda un virage, le commandant nous souhaita la bienvenue dans la ville et l'État, puis nous informa de l'heure et de la température extérieure.

« *Comment va-t-il faire pour nous conduire, Devon et nous, en même temps ?* souffla Addie.

— *Je n'en sais rien.* »

Nous restâmes assises à attendre que l'avion s'immobilise. Les autres passagers se levaient, bâillaient, s'étiraient.

— Il faut vous lever, dit notre voisin.

Il roula des épaules et se frotta la nuque.

— J'attends quelqu'un, répondit Addie.

L'allée se remplit de gens extirpant leurs sacs des compartiments à bagages. L'homme sur notre gauche imita les autres, tandis que celui de droite continuait de nous adresser des regards entendus. Addie allait dire quelque chose lorsqu'un vacarme se produisit un peu plus loin dans l'allée.

— Désolée, répétait une voix en se faufilant dans la cohue. Pardon, je suis désolée.

Cette voix était celle d'une hôtesse de l'air qui arriva en culbutant dans l'espace vide à côté de notre siège. Elle sourit, un peu déséquilibrée sur ses hauts talons noirs, en essayant de masquer l'irritation de ses yeux.

— M. Conivent m'envoie vous chercher, dit-elle. Il a quelque chose à régler et il ne veut pas vous faire attendre trop longtemps… ni que vous gêniez la sortie.

L'homme coincé entre nous et le hublot la gratifia d'un sourire reconnaissant.

Addie se mit debout, s'agrippant au siège de devant pour garder l'équilibre.

— Lequel est votre sac ? demanda l'hôtesse en levant la tête vers le compartiment à bagages.

— Celui en toile rouge, indiqua Addie. (Elle se glissa dans l'allée, se collant contre l'hôtesse.) Où allons-nous ?

La demoiselle attrapa notre sac et le fourra dans nos bras.

— Je vous conduis juste au terminal. Il viendra vous chercher dès qu'il aura terminé.

Addie vérifia plusieurs fois l'état du disque dans notre main tandis que nous nous dirigions vers l'avant de l'avion. La lumière restait stable. Devon et Ryan étaient dans les environs, pas loin de nous.

Un éclat d'aurore filtrait à travers la jointure qui reliait la sortie de l'avion et le tunnel. Alors qu'Addie l'enjambait en serrant notre sac contre notre poitrine, la lumière du disque passa d'un rayonnement constant à un clignotement rapide.

Devon avait dû s'éloigner.

— Vous me suivez, jeune fille ? dit l'hôtesse.

Addie referma notre main sur le jeton et accéléra le pas.

Le terminal était très éclairé et animé. Les gens se hâtaient en traînant leurs valises bringuebalantes derrière eux. Une voix désincarnée annonça le nom d'un enfant perdu. Des panneaux électroniques affichaient les horaires de vols, les retards, les annulations.

Je pensais attendre près de la porte, mais l'hôtesse nous fit traverser des couloirs au sol carrelé sur lequel claquaient ses talons. Il y avait des baies vitrées partout. Dehors, le soleil avait percé l'horizon. Il surgissait, encore à moitié endormi, étirant ses longs doigts d'or à travers le ciel. Au creux de notre paume, le clignotement lumineux du disque ralentit peu à peu, pour bientôt s'arrêter complètement.

L'hôtesse continua d'avancer jusqu'à ce que nous arrivions dans une aire de restauration très bruyante. Addie regarda autour d'elle, s'imprégnant de l'odeur du café fraîchement moulu, du pain brioché, du poulet frit et du menu clinquant de la sandwicherie. La dame nous conduisit jusqu'à une table, mais sans nous inviter à nous y installer.

Nous restâmes donc plantées là, debout, telles deux statues au milieu d'une mer de tables, de buveurs de café et de muffins géants. Une hôtesse grande et mince chaussée d'escarpins, flanquée d'une jeune fille plus petite, avec ses chaussures d'école en cuir verni. Le silence pesant nous taquinait comme un gamin qui se serait amusé à nous tirer les cheveux et à tripoter nos lèvres avec ses doigts.

« *Eva* », souffla Addie.

Que faisaient nos parents en ce moment ? Nous avions volé vers l'ouest, donc il était plus tard là-bas, à Lupside. Ils étaient sans doute déjà levés. Avaient-ils réussi à dormir durant la nuit ? Ou étaient-ils restés éveillés comme cela leur arrivait parfois avant les consultations de notre enfance, quand nous les voyions émerger de leur chambre le matin avec des mines de fantômes ?

Qu'avaient-ils dit à Lyle ?

« *Je, euh... je ne le pensais pas vraiment, la nuit dernière, quand j'ai dit que c'était ta faute.* »

Je commençai à répondre, mais elle m'interrompit par des mots qui éclataient comme des bulles... fragiles, transparentes. « *Tu étais heureuse, Eva ?* »

Il me fallut un moment avant de pouvoir répondre.

Le mur qui nous séparait était en train de s'effriter, encore et encore. Ses émotions me submergeaient. Une mer d'angoisse, de peur et... de culpabilité.

« *Oui*, dis-je. *Oui, j'étais heureuse.* »

Addie soupira. Les derniers fragments de son mur étaient balayés par les tourbillons d'une émotion que je ne pouvais nommer.

« *Qu'est-ce qu'on va faire, Eva ?* demanda-t-elle.

— *On va tout faire pour s'en sortir* », la rassurai-je. Qu'aurais-je pu dire d'autre ?

— Ah, le voilà, lança l'hôtesse, interrompant notre conversation.

Le soulagement de sa voix gagna les contours de son sourire.

M. Conivent fendit la foule d'un pas rapide, les épaules raides.

Ni Devon ni Ryan n'étaient en vue.

— Merci, dit-il à l'hôtesse avant de se tourner vers nous. Tout va bien ? (Addie acquiesça.) Parfait. Alors, allons-y.

Addie jeta le sac de toile sur notre épaule et suivit l'homme hors de l'aire de restauration, marchant dans le sillage de ses élégantes chaussures en cuir.

« *On va tout faire pour s'en sortir*, répéta Addie.

— *Ouais, on va tout faire.* »

Chapitre 14

Un chauffeur nous attendait à l'extérieur de l'aéroport, la main sur la portière d'une luxueuse voiture noire semblable à celle que M. Conivent utilisait à Lupside. Addie sauta sur la banquette arrière, serrant son sac sur notre poitrine.

À l'exception d'une courte phrase rapidement murmurée entre eux, M. Conivent et le chauffeur n'ouvrirent pas la bouche de tout le trajet et ne nous adressèrent pas la parole.

Le nez à la fenêtre, nous regardions défiler ce paysage inconnu.

A priori, il n'y avait que des autoroutes, plus encombrées et plus larges que celles de chez nous. Une ville se profila à l'horizon, une vraie ville avec des gratte-ciel aux reflets or et argent dans le soleil du matin. Rapidement, nous laissâmes la cité et l'autoroute derrière nous. Lorsque nous arrivâmes à la clinique, cela faisait un bon moment que nous n'avions plus vu de construction humaine. La région était à l'état sauvage. Le soleil avait asséché le monde végétal, ne laissant que des arbres rachitiques et une herbe à peine verte.

Curieusement, la Clinique Psychiatrique de Nornand se prélassait au centre d'une plantureuse pelouse ornée de massifs d'arbustes et de fleurs. C'était une oasis couleur blanc et métal dans le désert. Avec ses trois étages, le bâtiment offrait une multitude d'angles étranges et d'immenses panneaux de verre qui reflétaient le soleil. Addie et moi étions bouche bée tandis que la voiture se rangeait à sa place de parking.

En dehors de deux hommes effectuant un travail de maintenance sur le toit, le bâtiment semblait désert.

L'air était sec. Aucune trace de cette humidité qui harcelait les humains dans notre région. Mais la chaleur de plomb agressa Addie au sortir de l'automobile.

Heureusement, l'aspect caniculaire de cette journée d'été battit en retraite dès que nous pénétrâmes dans le lobby du Nornand.

L'endroit nous baignait d'un air frais qui nous fit presque frissonner. M. Conivent s'approcha de la réception et Addie, observant du coin de l'œil le garde chargé de la sécurité, lui emboîta le pas. La réceptionniste vérifia l'identité de M. Conivent avant de nous indiquer l'ascenseur. Je voulus demander à Addie de consulter le disque dans notre poche, mais je n'osai pas. Les murs avaient des yeux. Trop de surfaces miroir pour refléter le moindre de nos mouvements.

L'ascenseur était moquetté de fleurs jaunes et vertes. La glace occupant toute une cloison agrandissait l'espace d'un ascenseur déjà de belle taille.

Notre pouls s'accéléra. M. Conivent pressa le bouton du troisième étage et notre estomac se décrocha lorsque la cabine nous propulsa vers les hauteurs. Quand nous étions enfants, nous sautions au démarrage ou à l'arrêt de l'ascenseur dans les grands magasins pour profiter de cette fraction de seconde en suspension permettant d'expérimenter le phénomène de double gravité.

Ça nous distrayait de cette sensation d'enfermement dans une boîte en métal.

Le tintement d'une cloche. L'ascenseur ralentit, puis s'arrêta. Je m'abstins de conseiller à Addie de *sauter*.

Nous attendions, immobiles, l'ouverture des grandes portes argentées et la sortie de M. Conivent.

Le long couloir blanc semblait s'étirer vers l'infini, éclairé par des rangées de lumières fluorescentes. Un léger parfum de désinfectant collait au décor comme la mort aux pierres tombales.

Une infirmière sanglée dans une blouse grise trottina vers nous.

— Ah ! Quand on parle du loup ! s'exclama-t-elle avec un sourire, tout en faisant signe d'avancer au livreur qui se tenait derrière elle. Je ne voulais pas le faire attendre !

Le jeune homme avait peut-être deux ou trois ans de plus que nous. Massif, mais dégingandé. Il portait un petit colis brun dans une main et de l'autre, tendit une écritoire à pince à M. Conivent. Il nous dévisageait. De petits regards furtifs tout d'abord, puis plus appuyés lorsque M. Conivent se baissa pour signer les papiers.

— La prochaine fois, je demanderai au Dr Wendle de signer. Ou au Dr Lyanne, dit l'infirmière.

— Je ne préférerais pas, tempéra M. Conivent.

L'infirmière hocha la tête. Mais la scène restait dans la périphérie de notre vision, tandis qu'Addie observait à son tour le livreur. Les yeux du garçon étaient d'un bleu transparent, froids comme ceux d'une poupée.

« *Arrête !* dis-je. *Il va te prendre pour une folle.*

— *C'est déjà le cas*, répondit Addie. *Autant lui donner du grain à moudre.* »

Son regard fuyait pendant qu'elle parlait. Elle avait passé tant d'années à éviter l'attention des autres ! Certaines habitudes sont dures à briser.

— Eh bien, bonjour ! lança l'infirmière, comme si elle nous découvrait soudainement.

Elle était maigre et pâlichonne. Les coins de sa bouche se crispèrent en un vague sourire.

— Comment vas-tu ?

— Bien, répondit Addie.

M. Conivent, qui avait récupéré son colis, lança en s'éloignant :

— Trouvez-lui une chambre pour la nuit, je vous prie, mais amenez-la d'abord au Dr Wendle.

— Bien sûr, monsieur. (Puis se tournant vers moi :) Comment t'appelles-tu, ma chérie ?

— Addie.

— Viens avec moi… Addie.

Elle se dirigea dans la direction opposée à celle de M. Conivent.

Addie suivit le mouvement. Notre sac battait à chaque pas contre notre hanche, contraste de couleur rouge dans l'univers blanc et argenté de Nornand. Que dirait le jeune livreur à ses amis à propos de cette fille pâle, attifée d'un uniforme scolaire froissé ?

Que dirait-il de nous, enfermées ici, quand il rentrerait tranquillement chez lui ?

Nous arpentâmes longuement les couloirs interminables.

Nornand n'était pas aussi bouillonnant d'activité que les hôpitaux visités durant notre enfance. Nous vîmes quelques infirmières papoter d'une porte à l'autre et nous aperçûmes, une fois, un homme en blouse blanche passer en coup de vent. Pas de foules agglutinées à l'entrée des bureaux, attendant anxieusement des résultats d'examens, pas de papas, de mamans ni d'autres adultes questionnant les infirmières et les docteurs. Pas de patients. Sauf nous. Addie osa un unique coup d'œil sur le petit disque dans notre poche. Il était froid et muet.

Finalement, l'infirmière s'arrêta devant la porte 347.

— Docteur Wendle ? appela-t-elle en frappant.

Bruit de papiers froissés à l'intérieur avant que la voix ne réponde.

— Oui ? Entrez.

Elle ouvrit la porte et nous introduisit à l'intérieur.

— Voici Addie, docteur Wemble. M. Conivent vient de nous l'amener.

Le Dr Wendle était un petit homme robuste avec une longue mèche brune qui cachait sa calvitie, sur laquelle Addie aurait bien aimé souffler en d'autres circonstances. Il nous détailla à travers ses lunettes aux verres épais avant de bondir de derrière son bureau. Sa blouse flottait derrière lui.

— Ah ! Oui, oui ! s'écria-t-il en nous serrant la main.

Ses yeux voltigeaient sur notre visage, nos mains, nos jambes, comme si nous étions une nouvelle découverte archéologique.

— M. Conivent m'a prévenu de ton arrivée.

J'aurais aimé que quelqu'un *nous* explique pourquoi on était là.

L'infirmière tenta de prendre notre sac et sourit avec indulgence quand Addie résista.

— Je vais le mettre dans ta chambre, ma chérie. Tu n'as rien à craindre.

Elle tira d'un coup sec et le sac nous glissa des mains. Nous chancelâmes en perdant l'équilibre. Sans notre bagage, je me sentais petite et vulnérable.

— Assieds-toi, nous dit le Dr Wemble après le départ de l'infirmière.

Il n'y avait qu'un petit tabouret métallique et grinçant sur lequel nous prîmes place. Le Dr Wemble s'enfonça dans son gros et large fauteuil qui lui donnait l'aspect d'un nain.

— Je souhaiterais te poser quelques questions avant de commencer le test.

Il ajusta ses lunettes et se pencha vers nous. Pas de préambule. Pas de : « Tu as fait bon voyage ? Tu dois être fatiguée ? D'où viens-tu ? » Juste une volonté froide dans ses yeux qui me donnait l'impression d'être un insecte de collection sur le point d'être épinglé.

— Avant tout, comment te sens-tu vis-à-vis d'Eva ?

Addie fit un bond en arrière.

151

— Pardon ?

— Je parle d'Eva, répéta-t-il avec un sourire buté.

Il rangeait négligemment les feuilles de papier répandues sur son bureau.

— Le rapport dit que tu as eu beaucoup de mal à trancher après ton douzième anniversaire. C'est exact ?

Addie ne bougea pas, ne répondit pas, ne frémit pas, mais le docteur sembla prendre son silence pour un oui.

— Ça a duré trois ans, environ. Franchement, c'est beaucoup trop long, mais que dire ? Les fonctionnaires sont devenus lents et paresseux, et puis… oh, c'est la vie.

Il croisa les mains. Son sourire était revenu.

— C'est l'occasion de t'exprimer. Dis-moi comment tu te sens vis-à-vis d'Eva.

J'aurais dû m'attendre à cette situation. La scène de la veille au soir avec M. Conivent aurait dû me mettre la puce à l'oreille. Entendre mon nom prononcé par le Dr Wendle me donnait la nausée.

— Ne sois pas timide, reprit-il. Notre entretien est strictement confidentiel.

Ses lèvres se pincèrent, essayant de suivre la courbe de sa moustache.

Notre estomac se serra.

— Je… je ne comprends pas ce que vous voulez dire, répliqua Addie.

La chaleur empourprait nos joues et nous avions les mains moites.

— Vraiment ? ironisa le médecin.

— Ben… oui, fit Addie.

La moustache du petit homme accentuait son expression agacée.

— Il faut que tu comprennes, Addie, que grâce au test nous allons connaître la vérité. Il ne sert à rien de mentir.

— Je ne mens pas. (Notre voix restait calme.) Je pense qu'il y a eu une erreur.

Nous restâmes assises en silence durant un long moment, les yeux baissés sur les genoux. Le docteur aussi était silencieux. Puis il soupira et se leva, furieux comme un môme à qui on refuse un jouet.

— Très bien. Puisque tu insistes… (Il sortit du bureau, nous enjoignant de le suivre.) Je vais te faire passer un ou deux examens. Scanner du cerveau et analyse cognitive, par exemple, précisa-t-il, sans même daigner se retourner.

Addie lui courait après dans les couloirs, essayant de suivre son pas précipité. Nous pénétrâmes dans un vaste laboratoire ou le Dr Wendle enclencha aussitôt une énorme machine rectangulaire reliée à un écran. Le seul objet dans toute la pièce. Addie se tenait le plus loin possible du sinistre engin jaune et gris, ainsi que du docteur qui allait avec.

Celui-ci se retourna :

— Viens. N'aie pas peur.

Nos semelles glissèrent silencieusement sur le carrelage luisant.

Nous gardions une main dans la poche, le disque de Ryan bien pressé contre notre paume.

— Reste là et ne touche à rien, ordonna le Dr Wendle. J'en ai pour une seconde à installer ça.

La machine était plus longue qu'il était haut, et devait mesurer environ un mètre cinquante. Il y avait une ouverture étroite qui révélait une sorte de cavité intérieure. Addie se dandinait à côté, sans rien toucher.

Le Dr Wendle semblait prendre son temps. Plus d'une seconde. Une heure, au moins. Et comment expliquer cette remontée acide dans notre estomac ? Le bourdonnement dans nos oreilles ?

Un long vrombissement se fit entendre. Le Dr Wendle pressa quelques boutons, étudia rapidement les données inscrites à l'écran, et tourna son regard vers nous.

— Voilà… j'ai presque fini. Mais… ? tu ne t'es pas changée ?

Comme si nous étions censées le deviner ! Le bon docteur s'était déjà éclipsé dans le coin le plus éloigné du labo.

— Tu ne peux pas porter ça pendant le scanner. (Il sortit d'un grand tiroir une longue blouse blanche d'hôpital.) Tiens, enfile ça.

— Pour quoi faire ? demanda Addie, en se reculant.

— C'est pour le scanner, répondit le docteur en nous poussant vers une pièce voisine, dont un coin était dissimulé derrière un mince rideau bleu. Change-toi vite, s'il te plaît.

Des anneaux de bronze le long d'une barre de métal fermèrent le rideau et nous nous retrouvâmes dans une petite pièce sombre de la taille d'une cabine téléphonique. Nous n'osions bouger.

« *Ferme les yeux* », dis-je.

Addie obéit. Ça facilitait légèrement les choses, mais nous nous déshabillâmes malgré tout aussi vite que possible. La blouse d'hôpital était lacée dans le dos. Il fallait plier les bras dans tous les sens pour attraper les lanières.

— Tu as bientôt fini ? demanda le Dr Wendle.

Addie tira le rideau, plia nos vêtements qu'elle posa sur un tabouret métallique.

— Parfait, reprit le médecin en appuyant sur un bouton. Laisse tes vêtements ici. Tu les récupéreras tout à l'heure.

Le haut de la machine jaune et gris s'ouvrit en coulissant.

Addie s'immobilisa au milieu de la pièce.

— Que se passe-t-il ? demanda le Dr Wendle.

— Dites-moi, euh… dites-moi ce qui m'attend, bredouilla Addie.

Il nous jeta un étrange regard. Puis, désignant la machine :

— Tout va bien, Addie. Tu vas juste t'allonger là.

— Mais… le haut restera ouvert ? interroga-t-elle.

— Pas longtemps, une petite minute, rétorqua le docteur.

Addie secouait déjà la tête en reculant.

— Non, non, impossible, je veux pas.

La main de l'homme jaillit soudain, refermant prestement ses doigts puissants sur notre poignet. Nos muscles étaient tétanisés.

Addie cherchait à gagner du temps. La poitrine serrée, elle pouvait à peine parler.

— Que voulez-vous faire avec ce scan ? Qu'est-ce que vous cherchez ?

Le Dr Wendle fronça les sourcils. Il n'avait pas l'air trop en colère. Juste un peu gêné.

— C'est un simple contrôle de l'activité cérébrale, Addie, tu as connu ça dans ton enfance. C'était moins avancé comme technologie, à l'époque, mais ça y ressemble. (Il désigna la machine.) Nous voulons connaître l'étendue du problème.

Son explication s'éternisa dans les méandres d'une terminologie et de références incompréhensibles pour nos petites cervelles.

« *Addie, il faut y aller*, murmurai-je.

— *Non, non, je rentre pas là-dedans, Eva. Impossible.* »

Le Dr Wendle avait lâché notre bras et Addie le reposa sur notre poitrine. On ne comprenait plus ce que le docteur disait.

La peur accélérait notre cœur et nous asséchait la gorge. Une angoisse qui polluait nos poumons et nous menait au bord de l'asphyxie.

— En fait, commenta le docteur avec un sourire, plus nous en saurons, plus nous serons à même de te soigner.

Il se voulait rassurant, mais Addie ne lui rendit pas son sourire.

Je sentais un cri bouillonner dans notre poitrine, prêt à jaillir de nos pauvres poumons comprimés. Le Dr Wendle nous saisit à l'épaule pour nous forcer à approcher la machine.

Il grognait sous l'effort.

— Ça ne prendra qu'un instant, Addie. Ne fais pas l'enfant.

— Non ! Impossible !

— Mais si, tu peux le faire, répondit l'homme.

— Non, je peux pas !

J'hésitais. La machine semblait cligner ses yeux noirs à notre attention.

« *Il faut y aller*, murmurai-je.

— *Non, on n'y va pas. On n'y...* »

— Addie, nous interrompit le Dr Wendle.

« *Regarde ça*, s'écria Addie, toute petite et toute blanche dans un coin de notre esprit. *C'est minuscule, Eva. C'est minuscule, et il veut nous enfermer à l'intérieur.* »

Elle n'avait pas besoin de me le dire. Mais je suppliai Addie d'obéir, en espérant que mon insistance me convaincrait moi-même.

« *Si on n'obéit pas, ils vont faire durer l'histoire. Ils ne nous laisseront pas rentrer à la maison avant d'avoir eu satisfaction. Devon nous a dit... Il nous a dit qu'ils ne verraient rien, non ?* »

Les lèvres du Dr Wendle remuaient, mais nous ne l'écoutions pas.

Je continuai : « *Il faut y aller. On serre les dents pendant deux jours et après, on rentre...* »

Addie hésita, puis capta mes mots.

La bouche de la machine bâillait en gris argent. Une langue blanche se déroula et ondula légèrement quand Addie posa ses fesses dessus.

Je soutenais Addie tandis qu'on s'allongeait sur le dos : « *Doucement. Respire, respire.* »

Ce dernier conseil était crucial. Elle avait déjà oublié de respirer plusieurs fois.

Le Dr Wendle se pencha au-dessus de nous en ajustant une sorte d'arceau blanc qu'il fixa à quelques centimètres de notre front.

— Tu es bien installée ? demanda-t-il. C'est confortable ? Reste immobile, tu ne sentiras rien. C'est promis.

Dépêchez-vous, pensai-je. *Dépêchez-vous, qu'on en finisse.*

« *Eva* », murmura Addie. Toute petite, tremblotante. « *Eva ?* »

Le couvercle se posa, oblitérant la lumière, qui ne filtrait plus à présent que par un mince interstice à nos pieds.

Un cliquètement soudain. Puis un autre, plus sonore. Le couvercle s'était refermé. Nous étions prises au piège.

Les ténèbres. Nos respirations saccadées. Le cœur qui bat la chamade. J'essayai de me recroqueviller au maximum, pour échapper au processus de cette machine qui sondait notre corps, notre esprit. Je n'étais pas là. Je n'étais pas là. Je n'existais pas.

« *Eva ! Je ne peux plus respirer* », hurla Addie.

Notre bras frappa la paroi de la boîte. La panique s'emparait de notre gorge, de notre bouche.

— Laissez-moi sortir !

« *Chuuut… chuuut, Addie* », chuchotai-je.

— Arrête de bouger, ordonna le Dr Wendle. Ça va fausser mes mesures.

Nous cognions du poing contre l'horrible revêtement intérieur.

Nos lèvres lançaient des jappements apeurés. Je laissai soudain tomber l'idée de disparaître, de me dissimuler. Je n'avais pas le droit d'abandonner Addie en ce moment de terreur, alors qu'elle avait tant besoin de moi.

Sa peur se mêlait à la mienne, mais j'en subissais moins l'effet. J'avais l'habitude d'être paralysée.

« *Nous ne sommes pas prisonnières*, lui dis-je, en la serrant contre moi, pour que la terreur ne la gagne pas. *Regarde, il y a de la lumière. On peut partir, si on veut. On ne le fera pas, on va se tenir tranquille un petit moment. D'accord ?* »

Nos mains tremblaient. Je continuai de parler, enveloppant ma sœur dans la chaleur de mes mots.

« *Distrais-moi, Eva, distrais-moi. Raconte-moi un…*

— *Un souvenir ?*

— *Oui, s'il te plaît* », me répondit-elle.

Je m'exécutai. Je lui rappelai la fois où nous avions escaladé l'échelle de secours de notre immeuble en prétendant être des ramoneurs.

Je lui rappelai le fameux été où nous étions tombées dans le lac en allant pêcher. Je choisissais les souvenirs heureux, ceux qui émergeaient du cloaque de toutes ces années à fréquenter les hôpitaux. Les week-ends en liberté. Les journées où nos parents étaient heureux. Les moments passés avec nos frères avant que Papa et Maman ne s'inquiètent de la nuisance que pouvait introduire dans leur vie un enfant n'ayant pas tranché.

Bien avant la maladie de Lyle.

Lentement, fébrilement, nos poings se figèrent. Les histoires de notre vie commune flottaient autour de nous, débarrassées de leurs incidents pénibles, bonifiées par le passage des années. Je plaisantai là-dessus jusqu'à ce qu'un cliquetis, une éternité après, retentisse, accompagnant la voix du Dr Wendle.

— Terminé. Ce n'était pas si terrible que ça, hein ?

Une main toucha notre bras. Sursautant brusquement, les yeux grands ouverts, nous louchions sous le brusque assaut de la lumière.

Le Dr Wendle eut un sourire. Nous voyant encore sous le choc, il ne fit aucun commentaire mais nous aida à nous relever en disant :

— Sors de là. Les résultats vont prendre un peu de temps. En attendant, va te changer.

Nous nous traînâmes jusqu'à notre pile de vêtements, tirant le rideau à moitié ouvert avant de nous abîmer dans les étoffes, les épaules contractées, la tête rentrée, le menton sur les genoux.

Nous reprîmes lentement notre souffle, jusqu'à arrêter de trembler. Nos doigts coururent à l'aveuglette sur les nœuds de notre blouse. Sans aucune aide, nous parvînmes à desserrer les lanières qui comprimaient nos épaules.

Addie massa d'une main notre nuque tandis que, de l'autre, elle saisissait nos vêtements. Au début, sa prise était faible et la jupe nous glissa presque des doigts.

Quelque chose tomba sur le sol. Elle regarda à nos pieds, mais il n'y avait rien. Encore un effet de notre imagination ?

Soudain, un éclair rouge nous assaillit le coin des yeux. Ryan.

Une vague de nostalgie nous submergea. Nous voulions voir un visage familier. Nous voulions le voir, *lui*.

Addie enfila hâtivement nos fringues, fourra nos pieds dans nos chaussures, et jaillit de derrière le rideau. Le Dr Wendle tapait quelque chose sur son ordinateur en tripotant ses lunettes.

— Il faut que j'aille aux toilettes, dit Addie.

— Première à gauche en sortant, puis encore à gauche, répondit le docteur sans lever les yeux. Il vaut mieux que je te montre…

— Ça va aller, répliqua Addie en se précipitant vers la porte. Le disque dans notre main clignotait convulsivement. Mais Ryan restait invisible.

Deux infirmières, bavardant dans le couloir, nous jetèrent un coup d'œil avant de reprendre leur conversation. Elles portaient le même uniforme à rayures grises et arboraient le même chignon.

« *On va où ?* m'interrogea Addie en se tournant dans tous les sens.

— *J'en sais rien. À gauche, prends à gauche.* »

Elle traversa le hall. Notre regard allait de notre paume aux gens qui passaient, cherchant un visage familier.

Le jeton clignotait toujours. Rouge-blanc-rouge-blanc. « *Où est-il ?* »

Nos chaussures couinaient sur le carrelage. Nous tournâmes l'angle du couloir et percutâmes presque une personne arrivant dans l'autre sens, qui se mit à crier en lâchant une pile de dossiers. Les feuilles se répandirent sur le sol. Blanc sur blanc.

Addie s'excusa, et s'agenouilla pour saisir une feuille qui menaçait de glisser plus loin.

L'homme éclata de rire en se baissant à son tour.

— Vous êtes bien pressée !

— Je... je cherche les toilettes.

Il rit à nouveau.

— Alors, allez-y, je vais me débrouiller.

— Non, ça va, répondit Addie.

Notre regard fuyait celui de l'homme.

— Vous êtes la fille de qui ? s'enquit-il, pendant que nous rangions les dossiers et les feuilles de papier.

Nos yeux saisirent la vision d'un scan de cerveau en noir et blanc sur l'une de ces feuilles, accompagné d'un nom. Un second scan sur une autre feuille, avec un autre nom.

— Pardon ? demanda Addie.

— Vous n'êtes pas la fille de quelqu'un ? reprit l'homme.

Elle nous secoua la tête.

— Non ? s'étonna-t-il en fronçant les sourcils.

CORTAE JAIME, disait le papier sous nos doigts. *HYBRIDE.*

Deux scans étaient agrafés ensemble. Ils étaient presque identiques, à part une pastille noire qui marquait le second. Une date était griffonnée sur chacun d'eux.

L'un datait d'une semaine environ. L'autre était du jour même.

Sous les dates, un petit texte : *Âge : 13. Groupe ethnique : hispanique. Taille : 1,52 m. Poids : ...*

L'homme escamota la feuille de papier avant qu'on ait eu le temps d'en lire plus.

— Vous n'êtes pas une patiente, quand même ?

Sa voix avait perdu toute trace de gaieté.

Addie hésita. Il nous arracha les papiers des mains pour les remettre dans un dossier.

— Je suis juste venue pour un examen, dit Addie. M. Conivent m'a...

— Pourquoi portez-vous des vêtements de ville ? questionna-t-il. N'êtes-vous pas censée être dans une chambre ?

« *Dis-lui qu'on est avec le Dr Wendle* », murmurai-je.

— On est avec le Dr Wendle, s'empressa d'ajouter Addie. Il nous a fait passer un scan.

— *Nous ?* répéta l'homme.

Addie pâlit.

— Moi, et un autre enfant. Je... je... Il faut que j'y retourne, il va s'inquiéter.

Nous fîmes demi-tour et filâmes à toute vitesse dans la direction d'où nous étions venues, ignorant les appels de l'homme et priant pour que personne ne nous arrête. Personne ne nous arrêta.

Addie prit le virage et colla son dos au mur, fermant nos yeux un bref instant avant de les rouvrir.

Je tremblais.

Nous.

Addie avait dit *Nous.*

La dernière fois qu'Addie avait utilisé publiquement le *Nous* pour nous désigner, nous n'avions pas encore dix ans. Nous nous étions alors juré que rien ni personne ne pourraient jamais nous nuire. C'était elle et moi contre le monde entier.

« *Il faut retrouver le Dr Wendle avant qu'il ne nous cherche*, murmurai-je.

— *Ouais, ouais, je sais, Eva.* »

Mais j'entendis le chevrotement dans sa voix.

Chapitre 15

Retrouver le labo du Dr Wendle ne fut pas difficile. Toutes les portes étaient clairement étiquetées. Nous n'avions qu'à suivre les numéros. « *Et si on n'y retournait pas ?* » avais-je envie de dire. Que se passerait-il si nous retrouvions l'ascenseur et redescendions au rez-de-chaussée pour tranquillement passer devant la réceptionniste, puis le garde... ? Mais je ne dis rien, car ensuite, il se passerait quoi ?

Mieux valait rester. Rester et faire comme ils avaient demandé. Attendre, car Papa allait venir nous chercher pour nous ramener à la maison. Il l'avait promis.

En plus, il fallait que nous trouvions Hally et Ryan. Nous ne pouvions pas partir sans les savoir en sécurité.

Addie allait ouvrir la porte du labo du Dr Wendle quand nous entendîmes des voix.

— ... Elle a eu ses vaccins... cela ne devrait pas poser de problème...

— Il y en a eu... avant... quand les docteurs donnaient un mauvais traitement ou que le gamin était simplement...

Addie s'immobilisa. Puis, lentement, elle pressa notre oreille contre la porte. L'une des voix appartenait au Dr Wendle. L'autre, à une femme. Ils parlaient trop doucement pour que nous puissions saisir toute la conversation.

— ... Pourtant, le test cognitif... parfois plus efficace...

— ... Oui, mais seulement dans les dernières étapes. Quand... on ne peut pas dire... qu'il y ait touj... un ris... dans...

La voix de la femme perdait tellement en volume que nous l'entendions à peine.

« *Tourne le bouton. Ouvre un peu la porte* », dis-je, même si une partie de moi-même me soufflait que c'était trop risqué.

Nous ne devions pas écouter aux portes, nous devions essayer de jouer la patiente exemplaire.

Très précautionneusement, Addie fit jouer la poignée et entrouvrit la porte de deux centimètres.

— Nous ne pouvons pas faire grand-chose tant que nous n'avons pas les résultats des examens, dit le Dr Wendle.

— En effet, répondit la femme. Il va falloir attendre.

Pause.

— Vous n'avez pas réussi avec celui-là, n'est-ce pas ? lança le Dr Wendle. Avez-vous eu un retour ? Sur la façon dont cela s'est passé ?

La réponse tarda un long moment. Puis :

— Mieux que les autres.

Le Dr Wendle se mit à rire. Un rire qu'il écourta lorsqu'il se rendit compte que la femme ne le suivait pas. Il s'éclaircit la gorge.

— Oui, bien sûr. Mais cela ne veut pas dire grand-chose. Et il est certain que cela ne suffira pas à la commission d'étude.

— C'est vrai.

— On a encore le temps. Et nous explorons encore beaucoup d'autres pistes. Eli va mieux maintenant, Non ? J'envisage de le mettre sous Zalitène à partir de cette semaine. Cela devrait l'aider dans ses crises, et...

— C'était un gentil garçon, murmura la femme.

— Quoi ? s'exclama le Dr Wendle. Eli ?

— Non, se reprit-elle. Non, ce que je voulais dire…

Des talons résonnèrent sur le sol.

— Il vaut mieux que j'y aille. Envoyez-moi le dossier de la fille quand vous aurez les résultats.

« *Bouge*, soufflai-je. *Vite, elle arrive.* »

Mais Addie ne fit aucun mouvement. Notre main restait cramponnée à la poignée de la porte, nos oreilles s'efforçaient de saisir chaque mot.

« *Bouge*, criai-je. *Entre ! Entre ! Maintenant !* »

Addie pénétra dans la pièce en trébuchant, s'accrochant à la porte pour ne pas tomber. La femme poussa un cri et recula d'un bond. Nous la fixâmes, essayant d'associer son visage avec sa voix. Elle était plus jeune que nous l'aurions pensé, aux alentours de la trentaine. Une jeune femme au teint pâle, avec des cheveux châtains et de grands yeux noisette.

— Tout va bien ? demanda-t-elle en tirant sur sa blouse de labo pour la défroisser.

La surprise disparut de son visage aussi vite que les plis sur la blouse. Sans cet air surpris, elle nous parut soudain plus âgée.

Addie opina du chef.

— Oui. Désolée. Je… j'ai été surprise et…

La femme nous adressa un sourire poli.

— Je me suis perdue, reprit Addie. Je cherchais les toilettes et j'ai dû me tromper de direction parce que quand j'ai voulu revenir…

— Eh bien, bravo, tu as réussi à retrouver ton chemin, souligna la femme.

Il y avait dans sa voix une sorte de détachement qui interrompit le babillage d'Addie. Notre visage se détendit pour prendre une expression presque aussi distante que la sienne.

— … Je me souvenais du numéro, c'est tout.

— Addie, n'est-ce pas ? s'enquit la femme.

Elle tendit la main et, après une seconde d'hésitation, Addie la saisit. Sa poignée de main était sèche et fraîche. Elle nous adressa un sourire bref, lèvres pincées.

— Je suis le docteur Lyanne.

— Ravie de vous rencontrer, répondit Addie machinalement.

— Tu sais où tu dois t'installer ? demanda le Dr Lyanne.

— Non, aucune idée, admit Addie en se tournant vers le Dr Wendle, qui n'avait pas prononcé un mot durant tout ce temps.

Le Dr Lyanne suivit notre regard.

— Ah, eh bien, euh... dit Wendle en s'éclaircissant la gorge. J'ai besoin d'un peu plus de temps pour ces résultats, nous ne serons prêts pour le test cognitif qu'après le déjeuner. En attendant, elle... ma foi...

Il marqua une pause pendant laquelle notre estomac émit quelques gargouillis.

Tous les yeux se braquèrent sur nous. Notre visage vira à l'écarlate.

Le Dr Lyanne fronça les sourcils.

— Tu as pris ton petit déjeuner ?

Le petit déjeuner ? Nous avions complètement oublié le petit déjeuner.

— Non.

Si je n'avais pas été avertie, si cette idée ne m'avait pas paru si loufoque, j'aurais juré que cette femme se retenait de lever les yeux au ciel. Mais le Dr Lyanne était l'image même du professionnalisme dans sa jupe droite noire et son chemisier bleu marine.

Elle murmura quelque chose, si bas et si vite que nous ne pûmes rien saisir. Puis, elle nous prit par le bras et nous guida vers la porte.

— Viens, allons te chercher quelque chose à manger.

— Vous n'allez pas l'emmener avec les autres enfants, n'est-ce pas ? lança le Dr Wendle alors qu'Addie suivait déjà le Dr Lyanne dans le couloir en essayant d'adopter son rythme rapide.

Le Dr Lyanne jeta un coup d'œil derrière elle tandis que la porte se refermait.

— Pourquoi pas ? De toute façon, elle finira par les rejoindre.

— Quand pourrai-je appeler mes parents ? demanda Addie en pressant le pas derrière le Dr Lyanne.

Contrairement à l'infirmière, elle ne faisait rien pour s'assurer que nous la suivions bien.

— Plus tard, sans problème, répondit Lyanne. J'y veillerai.

Nous tournâmes dans un corridor qui ressemblait au précédent. Nornand était un dédale de couloirs blancs. Notre jupe et nos chaussures noires faisaient penser à des taches d'encre sur une toile vierge.

— C'est le chemin qui mène au Pavillon, expliqua le Dr Lyanne. Tu seras toujours accompagnée dans les couloirs, donc tu ne risques pas de te perdre, mais c'est bien d'avoir une idée de la disposition des lieux. Au cas où…

Elle désigna un autre couloir sans même le regarder.

— Les vestiaires sont là-bas. C'est là que les enfants prennent leur douche et se préparent pour aller au lit. La salle d'études se trouve dans la direction opposée, mais je suis sûre que quelqu'un t'y conduira plus tard.

— On m'a dit… On m'a dit que je ne resterais ici que deux jours, dit Addie. Donc, je n'ai pas vraiment besoin de… enfin, je vais bientôt rentrer chez moi.

Le Dr Lyanne ralentit, comme si elle s'apprêtait à se retourner pour nous faire face. Mais au dernier moment, elle accéléra de nouveau son allure.

166

— Ma foi, c'est toujours bien d'être au courant. Toute cette aile de la clinique est réservée aux hybrides, mais...

Elle s'arrêta. Addie manqua lui rentrer dedans.

— Qu'est-ce que... commença Addie, qui ferma aussitôt la bouche en apercevant le brancard à l'angle d'un couloir.

Nous avions vu de nombreuses civières auparavant, des personnes anonymes glisser près de nous dans des lits blancs et nets, avec du goutte-à-goutte planté dans les veines. Des hommes et des femmes âgés et fragiles pour la plupart, des gens à la mine de papier mâché qui tremblaient à chaque respiration.

Le garçon qui était allongé sur ce brancard n'avait pas une mine de papier mâché. Il était petit et jeune et ses yeux marron fixaient le plafond tandis que l'infirmière poussait son lit. Le Dr Lyanne émit un petit bruit étranglé, qui ne dura qu'une seconde avant qu'elle ne l'étouffe. Mais cela suffit à attirer l'attention. La nôtre, celle de l'infirmière et celle du garçon avec un bandage autour de la tête. Et cela me suffit pour saisir le prénom étouffé dans ce cri.

« *Jaime.* »

Jaime Cortae ?

Tout le monde se tourna vers le Dr Lyanne, sauf Addie qui ne pouvait détacher son regard du garçon. Il ne bougeait pas, mais ses yeux croisèrent ceux de la doctoresse un court instant avant qu'elle ne se détourne.

Jaime Cortae. Treize ans. Deux scanners. Deux dates.

Deux dates. Deux scanners de la même chose, mais différents. Jaime Cortae et un bandage autour de sa tête et les deux scanners de son cerveau.

Deux scanners.

Un *avant* et un *après* l'injection.

Et c'est ainsi que le monde s'écroula.

Chapitre 16

L'infirmière força l'allure et disparut bientôt de notre vue avec le brancard. Mais ni Addie ni le Dr Lyanne ne s'étaient remises à marcher.

Intervention chirurgicale. Tous les médecins que j'avais vus dans le passé me revinrent en flash-back. Tous les traitements qu'ils avaient proposés lorsque Addie et moi étions enfants. Il y avait eu des pilules, des tonnes de pilules. Il y avait eu le conseiller d'orientation, les psychiatres et les salles d'examen blanches et glaciales. Mais il n'avait jamais été question d'intervention chirurgicale.

— Le petit déjeuner, dit le Dr Lyanne, s'adressant plus à elle-même qu'à nous. Par là.

Et elle reprit sa marche, encore plus vive qu'auparavant.

Elle ne prit plus la peine de nous indiquer d'autres repères.

Elle ne prononça pas un mot jusqu'à notre arrivée devant une porte à double battant, juste au moment où une infirmière sortait, tirant un gros chariot en acier derrière elle.

— Oh, bonjour, docteur Lyanne, lança-t-elle avec un sourire. Les enfants n'ont pas encore fini de manger.

Le Dr Lyanne nous toucha l'épaule légèrement mais avec fermeté pour nous faire avancer. Ses yeux étaient encore plus distants que précédemment.

— Je viens juste vous amener Addie.

— Bien sûr, répondit l'infirmière. (Elle reporta son sourire sur Addie en tenant la porte ouverte.) Entre et va t'asseoir. Je vais t'apporter un plat.

Addie ne bougeait pas. Chirurgie. *Chirurgie.*

Le Dr Lyanne nous poussa pour nous faire entrer. Addie eut juste le temps de se retourner pour voir la porte se refermer.

Le Dr Lyanne et l'infirmière étaient restées de l'autre côté. Notre cœur n'était plus qu'un gros caillou déchiqueté dans notre poitrine.

La salle faisait penser à une version miniature de notre cafétéria de l'école. Au centre s'étirait une longue table entourée de tabourets assortis. Le groupe assis sur ces tabourets était moins uniforme. Tous les garçons portaient des chemises bleu clair et des pantalons sombres, toutes les filles des chemises similaires et des jupes bleu marine, mais les plus âgés devaient avoir notre âge tandis que le plus jeune, un petit roux au teint pâle, était à peine plus grand que Lucy Woodard. S'il avait dix ans, il était terriblement petit.

Nous ne restâmes pas trop longtemps à le fixer. Car non loin de l'extrémité de la table, à moitié cachés par les autres gamins, se tenaient Devon et Hally.

Le premier portait toujours ses vêtements habituels, mais la seconde était déjà affublée de la même tenue que les autres. Nos poings se serrèrent jusqu'à enfoncer nos ongles dans nos paumes. Addie faillit, *faillit,* crier.

La bouche de Devon s'ouvrit.

— Qui es-tu ? nous demanda le plus jeune garçon.

Les conversations cessèrent. Tous les yeux se tournèrent vers nous. Je fis le compte. Treize. Treize gamins. Quatorze en incluant Addie et moi… Vingt-huit, s'ils étaient tous réellement hybrides. La table était quasiment tout occupée. Il y avait juste quelques chaises vacantes, quelques trouées d'espace dans cet océan de bleu.

— Chut, Eli, souffla la fille blonde assise à côté de lui.

Il se tut, sans se détourner pour autant. Il y avait quelque chose de troublant dans sa façon de nous regarder, un air méfiant d'animal piégé. Il n'aurait pas dû être ici. Maintenant que nous le voyions de plus près, il était certain qu'il n'avait pas encore dix ans. Il aurait dû rester au moins encore un an ou deux avec sa famille.

— C'est parce que Jaime est rentré chez lui, déclara une autre fille.

Elle avait probablement deux ou trois ans de plus qu'Eli et faisait penser à une fée avec ses longs cheveux bruns qui lui descendaient jusqu'à la taille. Une chevelure qui semblait plus lourde qu'elle.

— Ils ont fait venir quelqu'un pour le remplacer.

Le silence enserra le cou de chaque gamin, un silence dont la queue couverte d'écailles ajoutait à l'oppression de leurs visages inquiets. La plupart des enfants baissèrent alors les yeux.

Les fourchettes en plastique gisaient, abandonnées, sur les plateaux jaunes.

Ils pensaient que Jaime était rentré chez lui.

— Ben, ne reste pas debout, nous lança la fille blonde.

Elle était parmi les plus âgés du groupe, et ses prunelles sombres donnaient un peu de relief à son visage pâle.

Lentement, Addie alla s'asseoir sur la chaise placée à la diagonale de Devon. Il nous adressa un bref mouvement de tête à peine perceptible.

À côté de lui, Hally gardait les lèvres serrées et une expression plus ou moins sous contrôle.

— Comment vous vous appelez ? demanda quelqu'un.

Il était déconcertant d'être le centre d'autant d'attention après une vie d'évitement.

— Addie, répondit ma sœur.

Bien que la salle ne soit pas immense, notre voix résonna dans le silence. La lumière était si forte que c'était comme subir un interrogatoire.

— Et ?

— *Chuuut !* coupa un autre.

Des regards nerveux parcoururent la salle. Je réussis à saisir des bribes de phrases chuchotées mêlant disputes, négations et craintes. L'infirmière n'était pas là, donc c'était bon, mais cela ne voulait rien dire, parce qu'ils avaient des caméras. Ils n'avaient pas de caméras *ici*, et même s'ils en avaient, eh bien, *je* pense que…

— Chut ! sembla s'écrier chacun en même temps.

Juste à temps, car la porte s'ouvrit et une infirmière entra.

Elle sourit au silence et à l'assemblée d'yeux ronds qui la fixaient.

— Vous êtes bien silencieux, ce matin. Vous n'êtes pas encore réveillés ? (Elle gratifia Eli d'un petit sourire auquel il ne répondit pas.) Bien, dit-elle. Je vois qu'Addie a déjà trouvé un siège. Désolée de t'avoir fait attendre, mais j'ai dû retourner aux cuisines pour te chercher ton plat.

Notre plateau était en tout point semblable à celui des autres. Dans chaque compartiment, il y avait une portion de notre petit déjeuner : des œufs brouillés, détrempés ; des morceaux de bacon carbonisés ; et deux pancakes blafards.

— Merci, dit doucement Addie.

— Je t'en prie, répondit l'infirmière. Si tu as besoin de quoi que ce soit, je suis là-bas.

Elle s'installa près de la porte dans une chaise pliante, croisa les jambes et saisit un magazine posé sur le sol.

Le calme se prolongea pendant un petit moment. Puis, comme si quelqu'un avait retiré le mode *pause*, le murmure des conversations reprit.

On entendait le bruit des couverts s'attaquant au petit déjeuner version hôpital. Tout le monde chuchotait. Les têtes restaient baissées, épaules rentrées. Eli fut le seul à laisser son regard vagabonder jusqu'à Addie et moi, puis à travers la salle jusqu'à l'infirmière.

— Addie... *Addie*.

Nos yeux clignèrent vers Hally, qui nous offrit un timide sourire.

Puis son visage se déforma.

— Je suis désolée, murmura-t-elle. Je suis vraiment désolée. Je ne voulais pas... juste... il fallait que je le voie. Je n'ai pas pu...

— Chut, souffla Devon en inclinant sa tête vers l'infirmière.

Hally ravala le reste de ses paroles. Et je me souvins de ce que Ryan m'avait dit à propos de Hally, à quel point elle mourait d'envie de rencontrer d'autres hybrides, d'être avec des personnes comme elle. Comme nous.

Addie hésita.

— Ne t'en fais pas.

— C'est plus ça, le problème, renchérit Devon en essayant de dompter un pancake avec sa fourchette et son couteau.

Son visage était volontairement dénué de toute expression, débarrassé de son habituel froncement de sourcils indiquant la concentration ou un léger ennui.

— Ils sont ici. Il faut qu'on dégage tous.

— Comment ? demanda Addie.

172

— Pour commencer, fais profil bas, répondit Devon. Mange quelque chose, Addie... elle regarde. Non, ne lève pas la tête, mange.

Une douleur sourde avait remplacé notre faim. Et la nourriture ne risquait pas de la raviver, mais Addie mangea quand même, goûtant les œufs en premier. Ils étaient caoutchouteux sur le dessus, spongieux au milieu et redoutablement salés. Elle mastiquait mécaniquement pendant que Devon continuait de parler, remuant à peine les lèvres. Aucun des autres gamins ne semblait nous écouter, mais nous n'en étions pas certaines. Ceux qui ne parlaient à personne fixaient leur plateau.

— Garde la tête baissée. Tu nies tout. Il y a encore un espoir que tes tests soient négatifs. Ou au minimum, discutables.

Je mentirais en affirmant ne pas avoir ressenti un certain soulagement. L'entendre nous dire cela nous faisait toutes deux nous sentir mieux, même si c'était minime. Toutefois, ce sentiment fut rapidement anéanti par une autre peur.

— Et vous deux ?

— On va trouver une solution, affirma Lissa, car c'était elle qui parlait à présent.

Je le sus sans même me poser la question. Sa voix était à peine un murmure.

— Tu t'occupes de vous, d'accord ? Il se passe quelque chose dans cet endroit et... (Elle prit une profonde inspiration.) Nous ne pensons pas que Jaime soit rentré chez lui, Addie. Nous...

— Arrêtez, lança quelqu'un avant qu'Addie puisse crier la vérité, avant qu'elle puisse décrire le garçon que nous avions vu sur le brancard, les scanners *avant* et *après*, les bandages enroulés autour de son crâne.

Nous redressâmes vivement la tête avec, déjà à l'esprit, la vision du visage de l'infirmière dansant devant le nôtre. Mais non, c'était une fille qui avait parlé. La fille blonde aux nattes fines et soignées. Elle nous fusilla d'un regard appuyé. D'abord nous, puis Lissa, puis Devon.

— Ne parlez pas comme ça.

Addie jeta un coup d'œil vers l'infirmière, mais celle-ci était toujours plongée dans son magazine et semblait n'avoir rien remarqué.

La fille blonde serra la bouche jusqu'à ce que Lissa hoche la tête.

Chirurgie résonnait dans notre tête, de plus en plus fort, mais si les autres gamins pensaient que Jaime était rentré chez lui, alors nous n'étions pas censées en savoir davantage. Seulement censées faire mine de ne rien savoir. Addie serra nos dents.

« *On leur dira plus tard*, dis-je. *Dès que l'occasion se présentera.* »

Le reste du repas se déroula en silence.

Quinze minutes plus tard, l'infirmière se leva, frappa dans ses mains, et annonça que le petit déjeuner était terminé. Elle nous fit sortir de la salle et nous dirigea dans les couloirs, en veillant à ce que nous restions du côté droit. Nous formions une ligne désordonnée, les plus jeunes marchant côte à côte.

Nous atteignîmes bientôt une autre porte devant laquelle nous nous arrêtâmes.

Porte, couloir, porte. Porte, couloir, porte.

Nornand semblait n'être qu'une série de couloirs et de portes, quelles que soient les horreurs qui s'y déroulaient.

Le sol de la salle qui se trouvait derrière cette porte était tapissé d'une moquette d'un bleu-gris sombre. Elle était plus grande que celle que nous venions de quitter, mais plus en longueur, comme s'il s'était agi d'une ancienne salle de conférences. Mais au lieu d'une unique grande table, six tables rondes étaient réparties à l'intérieur et, tout au bout, à l'opposé de la porte, siégeait un grand bureau. Un homme portant une chemise blanche à col boutonné fit un signe de tête affirmatif à l'infirmière qui lui sourit et tourna les talons pour partir. Je le reconnus immédiatement : M. Conivent.

— Bien, dit-il. Vous savez ce que vous avez à faire. Eli, c'est le Dr Lyanne que tu vas voir aujourd'hui au lieu du Dr Sius.

Eli se retourna en entendant son nom, mais regarda à nouveau ailleurs sans montrer le moindre signe de compréhension.

Les autres gamins se dirigèrent vers le mur le plus éloigné de la salle contre lequel était installée une bibliothèque basse, ainsi que deux tiroirs en plastique posés l'un sur l'autre. Nous pouvions voir des cahiers et une boîte de crayons.

Addie et Devon s'apprêtaient à suivre Lissa lorsque M. Conivent posa sa main sur notre épaule pour nous arrêter.

— Bonjour, Addie, dit-il en souriant.

Il avait également attrapé Devon qui se dégagea d'un haussement d'épaule, le visage impassible.

— Bonjour, répondit Addie d'une voix fluette.

— Alors ? continua-t-il en nous faisant traverser la salle vers la bibliothèque et le bureau. Contents de vous être retrouvés ? La journée a bien commencé ? (Il attrapa un classeur sur une étagère.) Vous avez déjà fait de la géométrie ? J'ai ici quelques feuilles d'exercices.

— Pardon ? s'étonna Addie, surprise par ce soudain changement de sujet.

Devon ne prononçait pas un mot, toisant M. Conivent comme on regarderait un enfant particulièrement assommant qui se croit intelligent.

— De la géométrie ?

M. Conivent nous sourit.

— Je suis sûr que vos parents ne souhaitent pas que vous preniez du retard dans votre programme scolaire pendant que vous êtes ici.

En plus de toutes les choses qui nous inquiétaient, il nous ajoutait l'école. La géométrie !

— On est samedi, souligna Addie avec froideur.

— Effectivement, répondit M. Conivent. Mais ici, ce genre de détail importe peu. (Son sourire s'était desséché, comme un gâteau trop longtemps oublié.) Avez-vous ou non fait de la géométrie ?

Addie lutta pour faire disparaître le dégoût de notre visage.

— Oui, l'année dernière. Devon est deux classes au-dessus de moi, donc je suis sûre qu'il en a fait, lui aussi.

L'intéressé déplaça son regard sur nous, mais resta silencieux, acceptant la réponse d'Addie.

— Formidable. Ce ne sera donc pas trop difficile ni pour l'un ni pour l'autre.

M. Conivent nous mit quelques feuilles de papier entre les mains.

— Il y a des crayons et des calculatrices dans le deuxième tiroir à côté de la bibliothèque. Je viendrai voir comment ça se passe dans un petit moment.

— Mais…

— Oui ? dit-il, sans se départir de son sourire.

Son expression était calme, posée. Compréhensive. Effrayante.

« *Prends-les, c'est tout*, dis-je. *On ne peut pas se permettre de se le mettre à dos, Addie. Prends-les.* »

Le goût de sa protestation imprégna amèrement dans notre gorge. « *D'accord* », souffla-t-elle.

Les dents de M. Conivent étaient très blanches et très régulières. Parfaites, tout comme sa chemise idéalement repassée avec son col blanc immaculé.

— Tu es une bonne petite, nous dit-il en tendant les feuilles d'exercices à Devon. Devon, tu as rendez-vous avec le Dr Wendle à dix heures. Arrange-toi pour avoir fini avant.

Personne ne leva la tête lorsque nous nous assîmes, pas même les gamins placés à notre droite et à notre gauche. Le silence était oppressant. Nous nous penchâmes sur nos papiers et nous mîmes au travail, sans savoir pourquoi ni à quelles fins.

Les maths étaient encore plus faciles que nous l'aurions cru. Nous expédiâmes la première page en quelques minutes. Mais au lieu de passer à la deuxième page, Addie jeta un coup d'œil dans la salle. Chacun était assis, les yeux rivés sur son devoir, un livre, du papier, une pile de feuilles d'exercices. Chacun *avait l'air* normal. Si nous avions rencontré l'un d'entre eux en dehors de Nornand, à l'école peut-être, ou dans la rue, nous n'aurions jamais deviné le secret qu'ils gardaient dans leur tête.

Nous n'aurions jamais su qu'ils étaient comme nous.

« *Regarde* », souffla Addie. Elle orienta nos yeux une fraction de seconde vers la droite, vers ce qu'elle voulait que je voie.

Eli.

« *Regarde son visage* », murmura-t-elle.

Tout commença par un tic près des yeux, un clignement, un battement de paupières, un tremblement. Puis son front se plissa en un froncement de sourcils qui ne cessait de tressauter. Bientôt, ce plissement envahit son visage tout entier, depuis ses grands yeux marron jusqu'à sa bouche. Deux expressions différentes qui se disputaient la suprématie.

Notre cœur se mit à battre plus fort, *boum, boum, boum*, contre nos côtes.

« *On devrait peut-être...* »

Eli grogna doucement, couvrant son visage de ses petites mains. Sa voisine ne releva pas la tête, mais se concentrait fortement sur son livre. Le crayon tremblait dans sa main. Personne ne semblait avoir rien remarqué.

« *Eva ? Eva, tu ne crois pas que nous dev...* »

— Non ! chuchota quelqu'un en attrapant notre bras.

Addie se retourna pour se retrouver face à la petite fille aux cheveux noirs. La petite fée. Ses ongles s'enfonçaient dans notre peau.

— Non, répéta-t-elle. Il ne faut pas.

— Mais...

— Non, répéta-t-elle.

Eli criait, enfouissant sa tête dans ses bras. Tout son corps était secoué de spasmes. Une fois, lorsque Addie et moi étions très jeunes, durant l'un de nos premiers séjours à l'hôpital du coin, nous avions vu un garçon en pleine crise dégringoler de son lit. L'infirmière n'était pas venue dans sa chambre avant qu'il ne heurte le sol, secouant la tête si violemment d'avant en arrière que j'avais eu peur qu'il se brise le cou.

Eli était en train de vivre la même chose. Mais ce n'était pas sa tête qui bougeait. C'étaient ses doigts, ses jambes, ses épaules, ses bras. Comme si lui et l'autre âme se partageant leur corps étaient en train de le déchirer en morceaux.

Mais cela n'était pas normal, non, ce n'était pas normal. Addie et moi n'avions jamais été comme cela. Jamais. Et pourtant, Dieu sait que nous avions lutté pour prendre le contrôle lorsque nous étions enfants.

M. Conivent fut bientôt là, arrachant le garçon de sa chaise d'une main et se saisissant d'un talkie-walkie de l'autre.

— Docteur Lyanne, on a besoin de vous. C'est Eli. Est-ce que vous m'entendez ? Docteur Lyanne, *répondez.*

Quelques bruits de parasites. Puis :

— J'arrive.

Sous la poigne de l'homme, Eli se tortillait, agitant les bras, un méli-mélo de peau pâle, de cheveux roux et d'uniforme bleu Nornand.

— Arrête ! ne cessait-il de crier avec des mots confus.

Mais à qui s'adressait-il ?

— Arrête. *Arrête.*

L'une de ses baskets s'écrasa contre le tibia de M. Conivent qui grogna, manquant le lâcher. Eli libéra un bras. Mais ses mouvements étaient trop confus, la coordination de ses membres trop hasardeuse pour lui permettre d'aller bien loin. L'homme lui fit traverser la salle, en le traînant et en le poussant.

La porte claqua. D'une main de fer, le silence reprit le pouvoir. Mais seulement pour un court moment.

Les chuchotements s'élevèrent comme un bruissement dans un champ. Tout travail fut abandonné dans l'instant. Toutes les têtes étaient penchées, les épaules courbées, les yeux collés sur la porte. Chacun était revenu à la vie. De l'autre côté de la salle, Devon et Lissa discutaient tranquillement en nous regardant.

La main sur notre bras, dont nous avions oublié la présence, resserra son étreinte.

— Quand il fait ça, il faut faire comme s'il n'était pas là, dit la fille aux cheveux noirs. Sauf s'il devient violent. Dans ce cas, il faut partir en courant. Mais nous ne sommes pas autorisés à lui parler quand il devient comme ça.

— Et pourquoi pas ? s'étonna Addie.

La fille fronça les sourcils.

— Parce qu'il est malade, dit-elle. Et que les médecins font ce qu'ils peuvent pour qu'il aille mieux. Nous risquerions de le faire rechuter.

— Ce serait pire ? demanda Addie. Comment était-il, avant ?

La fille n'eut pas le temps de répondre. Parce qu'à ce moment précis Eli se mit à hurler.

On entendit des bruits de pas courant dans toutes les directions.

Des appels, des ordres étouffés filtraient à travers la porte.

Le garçon hurla de nouveau, mais cette fois-ci, le grain de la voix était différent. Terminé.

— Maintenant, il est Eli, dit la fille, tirant sur ses cheveux, enroulant nerveusement de longues mèches autour de ses doigts.

Addie fronça les sourcils.

— C'est-à-dire ? Il n'était pas Eli, avant ?

La petite fée pinça les lèvres.

— Ils disent que c'est Eli, lança un garçon assis à la table située à notre droite. Ils font comme si, parce qu'avant c'était toujours Eli qui était dominant.

Il regarda les gamins autour de lui. Aucun ne croisa son regard et il se fit un peu plus petit.

— Ferme-la, lança la fille blonde.

Celle aux longues tresses fines attachées par des rubans noirs. *Bridget*, avait murmuré Lissa à notre oreille tandis que nous traversions le couloir après le petit déjeuner.

— Ferme-la, maintenant.

La porte s'ouvrit avant que quiconque puisse dire autre chose.

Le Dr Lyanne scruta la salle, croisant chaque regard qui ne se détournait pas.

— Tout va bien, dit-elle.

Des mèches de cheveux bruns s'échappaient de sa queue-de-cheval, sans qu'elle y prête attention. Sa voix était calme. Retournez à votre travail.

M. Conivent apparut à sa suite et les deux échangèrent quelques mots à voix basse avant de passer l'un devant l'autre.

Nous n'entendîmes que la toute fin de leur conversation :

— Occupez-vous-en avant qu'ils n'arrivent.

— Bien, nous lança M. Conivent. Vous avez entendu ce qu'a dit le Dr Lyanne. Remettez-vous au travail.

Nous travaillâmes dans le silence le plus absolu jusqu'à dix heures, heure à laquelle une infirmière vint chercher Devon.

Les doigts de Lissa se mirent à trembler. Elle donnait l'impression de s'empêcher de saisir le bras de son frère.

Au lieu de quoi, ils échangèrent un regard avant que Devon pose son crayon, se lève et quitte la salle.

Pas de chichis. Juste une sortie paisible.

Pendant que nous regardions, terrifiées.

Chapitre 17

Le déjeuner était à douze heures trente précises. À douze heures quinze, M. Conivent nous dit de ranger nos affaires et de nous mettre en rang près de la porte. L'infirmière nous ramena dans le réfectoire, et nous nous retrouvâmes assises en face de la fille fée aux cheveux bruns qui gardait la tête baissée. Lissa prit le siège situé à notre gauche, et je ressentis une pointe de soulagement lorsque je vis Bridget s'asseoir à l'autre bout de la table.

L'infirmière déposa un par un nos plateaux, qu'elle tirait d'un chariot en métal. Purée. Une fine flaque de sauce brune.

Une chose qui avait l'air d'un steak de poulet frit. Mais comment en être sûre sous l'amas de pain détrempé qui le recouvrait ?

Comme au petit déjeuner, un murmure de conversation s'éleva lorsque l'infirmière se retira dans son coin.

— Jaime n'est pas rentré chez lui, chuchota Addie d'une voix si basse à l'oreille de Lissa que je me demandai si elle entendrait quelque chose. (Mais Addie continua.) Je l'ai vu. Sur un brancard. Avec un bandage autour de la tête.

— Devon ! s'exclama Lissa, si fort que les autres se retournèrent pour la fixer du regard, ce qu'elle ne

182

remarqua pas car elle nous regardait, les yeux hagards. Devon. Ils ont pris Devon…

— Ils l'ont seulement emmené pour un test, expliqua la fille fée en triturant son steak. (Ses yeux clignèrent vers l'infirmière avant de revenir se poser sur nous et Lissa.) Ils en font beaucoup, des tests, la première fois. Devon reviendra.

Lissa semblait trop accablée pour parler. Addie s'empressa de demander :

— Tu en es sûre… ?

Elle hésita.

— Kitty, dit la fille.

Ce prénom ne lui convenait pas. Il était trop ordinaire, trop mielleux. Cette fille méritait un prénom de conte de fée.

Kitty s'arrêta de mâcher et nous fixa. Elle rougit, lança un coup d'œil sur chacun des gamins assis à ses côtés avant de marmonner :

— Oui. Je crois.

Elle tira sur une mèche de cheveux que retenaient deux barrettes cunéiformes l'empêchant de tomber sur son visage. Ces barrettes, avec leurs traces de peinture rouge écaillée, n'étaient plus qu'un squelette métallique.

— C'est donc ça qu'on fait ici ? demanda Addie. Des tests, des examens ? Tout le temps ?

La petite fille fit tourner la sauce pour la mélanger à sa purée.

— Pas tout le temps. On fait aussi des devoirs d'école. Et on joue à des jeux de société. Parfois, ils nous laissent regarder un film.

— Et ils nous posent des questions, dit doucement le garçon blond à notre droite, en regardant l'infirmière pendant qu'il parlait. (Addie sursauta, mais le garçon continua de parler comme s'il participait à la conversation depuis le début.) Ils nous demandent de leur raconter les choses qu'on a faites tel jour, ou telle semaine ou telle autre. Ils nous font parler de ce qui nous est arrivé quand on était petit.

Kitty hocha la tête.

— Parfois, ils nous font aussi prendre des pilules, comme Cal… (Elle blêmit, se mit à bafouiller, puis continua une avalanche de paroles confuses.) Comme ils ont fait avec Eli. Et avec Jaime.

— Quelle sorte de pilules ? demanda Lissa. Qu'est-ce qu'elles font ?

— Elles nous font aller mieux, répondit Kitty.

Le visage de Lissa se crispa, et Addie enchaîna avant qu'elle ne puisse parler.

— Qu'est-ce qu'il voulait dire, ce garçon, ce matin ? Dans la salle d'études. Il a dit… il a dit que les médecins *disaient* que c'était Eli, qu'ils faisaient *comme si*, parce que c'est Eli qui était dominant… avant ?

Kitty mordit sa fourchette. La bouche du garçon blond se tordit en une moue triste.

— Hanson est juste dérangé dans sa tête, finit-il par ajouter d'un ton bourru.

— Eli est dominant. Il l'a toujours été.

— Oui, bien sûr, dit Addie. Mais…

Le garçon détourna le regard.

Nos yeux croisèrent ceux de Lissa. Addie risqua une autre question :

— Est-ce qu'Eli n'est pas trop jeune pour être ici ? Il n'a pas encore dix ans, n'est-ce pas ?

L'intéressé était assis à cinq ou six chaises de Lissa. Personne ne lui adressait la parole. Parce qu'il était trop jeune ? Ou à cause de ce qui s'était passé plus tôt dans la salle d'études ? Le Dr Lyanne l'avait ramené avec le groupe au début du déjeuner en le tenant par la main. La méfiance animale avait disparu, remplacée par une vacuité dans son regard et une hésitation dans ses pas.

— Il a huit ans, confirma Kitty juste au moment où le garçon blond ajoutait :

— Ses parents se sont débarrassés de lui.

184

— Pourquoi ? s'offusqua Addie. Il lui reste encore deux ans.

Kitty eut un haussement d'épaules, des épaules si frêles que ses manches bleu clair se soulevèrent à peine.

— Ils ne voulaient pas de lui. En tout cas, ils ne voulaient pas d'un hybride. Peut-être que s'ils le soignent ils le reprendront.

Elle enfourna une bouchée de purée, l'avala, et nous regarda.

— Ils sont obligés, s'il est guéri.

Mais il y avait dans sa voix un chevrotement qui s'accordait tristement avec celui qu'affichait le regard du garçon blond, avec le menton tremblotant de Lissa et le frisson qui hantait le mouvement de chaque enfant à cette table. La peur sous-jacente.

Toute une tablée d'enfants qui faisaient semblant de ne rien savoir, de faire confiance à leurs gardiens. Qui faisaient semblant de ne pas avoir peur.

Il s'avéra que c'était le jour des jeux de société. Nous nous divisâmes en petits groupes, chacun avec sa boîte, ou son jeu de cartes. Comme Kitty nous suivait du regard, Addie lui fit signe de se joindre à nous ainsi qu'à Lissa dans un coin de la salle.

Nous choisîmes nos jetons et lançâmes le dé pour savoir qui allait commencer. La porte s'ouvrit juste au moment où Addie allait attraper le dé. Une infirmière entra, suivie par Devon. Un peu secoué, un peu pâle, mais bon, c'était Devon.

Lissa bondit en nous saisissant le poignet. Pour nous empêcher de partir ? Ou pour se retenir ?

L'infirmière qui était entrée avec Devon échangea quelques mots à voix basse avec celle qui était déjà dans la salle, puis elles se tournèrent dans notre direction. Non, pas juste dans notre direction. Pour nous regarder *nous*. Addie et moi.

L'une d'elles poussa légèrement Devon pour le faire bouger.

Il avança en trébuchant.

« *Qu'est-ce qui lui arrive ?* » demanda Addie. Dans les remous de sa peur, on sentait sourdre une colère inattendue, une colère noire. « *Ils lui ont fait quelque chose.* »

— Addie ? lança l'une des infirmières.

Nos yeux ne quittaient pas Devon.

— Addie, viens ici, s'il te plaît.

Ma sœur ne bougea pas. Sa voix était tendue. « *Qu'est-ce qu'ils lui ont fait ?*

— *Je ne pense pas que…* »

Devon sembla nous voir pour la première fois. Ses yeux nous fixèrent. Son pas s'accéléra.

— Addie… commença-t-il.

— Addie ! répéta l'infirmière, d'un ton beaucoup plus tranchant. Viens ici.

— Vas-y, chuchota Kitty.

Mais Lissa ne lâchait pas sa prise sur notre poignet, et Devon continuait de s'adresser à nous.

Sauf que ce n'était pas Devon. Je ne reconnus Ryan qu'en arrivant à un mètre de lui, mais je le reconnus. Contrairement à Addie.

— Addie, dit-il en s'écroulant à côté de nous. Addie. Ne crois pas que quand, quand ils… (Il fronça les sourcils comme s'il avait du mal à trouver les bons mots pour activer sa langue.) C'est un mensonge, Addie…

Une main nous souleva, nous arracha à la prise de Lissa et aux phrases marmonnées par Ryan.

— Tu n'as pas entendu ce que je t'ai dit ? lança l'infirmière.

Addie regarda derrière nous en essayant de saisir les dernières paroles de Ryan.

— Non, je…

— Bon, le Dr Wendle t'attend. Suis-moi. (S'adressant à Lissa qui nous regardait d'un air effrayé, elle ajouta :) Occupe-toi de ton frère. Il est un peu dans les vapes avec le médicament qu'on lui a administré, mais il va vite se remettre. Ne t'en fais pas.

— *Quel* médicament ? demanda Lissa.

L'infirmière ne l'entendit pas, ou fit semblant de ne pas l'entendre. Elle nous éloigna des autres, des grands yeux bruns de Kitty, du dé noir et blanc et du jeu de société en cours.

L'ultime chose que nous entendîmes, avant que la porte se referme, fut la voix de Ryan qui avait fini par articuler ses pensées.

— Ne les crois pas, Addie. Surtout pas…

Et ce fut tout.

Le Dr Wendle nous gratifia d'un sourire lorsque nous entrâmes. J'avais pensé qu'on retournerait dans son bureau, mais nous étions maintenant dans une pièce beaucoup plus petite. Ici, les murs étaient d'un gris-bleu insipide, et le sol brillait sous les lumières crues du plafond. Le Dr Wendle se tenait à côté d'une sorte de fauteuil de dentiste.

— Ah, te voilà, Addie ! s'exclama-t-il comme s'il venait de retrouver son porte-monnaie.

Il tendit le bras vers nous et Addie recula.

— Qu'est-ce que tu as ? Oh, ce ne sera pas comme ce matin, c'est promis. (Il désigna le fauteuil.) Tu vois, tout est ouvert.

— Devon, dit Addie. Devon, il…

— Il est un peu groggy ? Ne t'inquiète pas, je lui ai juste donné un petit sédatif. Il va vite reprendre ses esprits.

Addie esquiva une autre de ses tentatives pour saisir notre bras.

— Pourquoi est-ce que vous lui avez donné un sédatif ?

Pourquoi est-ce qu'Eli, ou Cal, ou je ne sais qui, trem-blait de peur au point que je me sois demandé s'il n'allait pas se fissurer ? Qu'est-ce que vous avez fait à Jaime Cortae ?

Et pourquoi avez-vous dit aux autres enfants qu'il était retourné chez lui ?

Le Dr Wendle eut un rire qui ressemblait à un râle. Il rajusta ses lunettes en les remontant sur son nez trop court.

— C'était pour l'aider à se détendre. Tu vois, comme quand on donne un peu de gaz hilarant chez le dentiste.

Le détendre pour quoi faire ? voulais-je demander, mais le Dr Wendle ne souhaitait visiblement pas poursuivre la discussion.

Il tapota le fauteuil.

— Assieds-toi. Ce ne sera pas long, et ensuite tu pourras rejoindre tes amis.

Sur la paillasse, il y avait un plateau en métal, et sur le plateau, une seringue étincelante.

— Addie, allez, dépêche-toi.

Addie s'avança, en traînant les pieds, vers le fauteuil bleu nuit, s'allongeant dessus contre le repose-tête. Que faire d'autre ?

— J'ai revu tes dossiers, dit le Dr Wendle. Il te manque un vaccin que tu aurais dû recevoir il y a quelques années.

— Un vaccin contre quoi ? demanda Addie.

Nos ongles s'enfoncèrent dans les accoudoirs rembourrés du fauteuil.

— Le tétanos. Je suis surpris que ton école ne l'ait pas exigé.

« *Le tétanos ?* s'étonna silencieusement Addie.

— *Je n'en sais rien. Je ne me souviens pas.* »

On nous avait fait tous les vaccins obligatoires, bien sûr.

Rougeole. Oreillons. Toute la panoplie. Avoir un enfant qui n'était pas vacciné était un délit et l'on risquait une grosse amende. Mais nous avions eu la plupart de nos vaccins lorsque nous étions bébés ou encore bambins, et cela faisait si longtemps qu'il était difficile de s'en rappeler. Le vaccin contre le tétanos n'avait pas dû être obligatoire.

Addie mesura du regard l'aiguille dans la main du Dr Wendle.

— Vous êtes sûr ? insista-t-elle. On ne pourrait pas... d'abord, appeler mes parents ?

— C'est écrit là, dans ton dossier, dit-il, alors qu'il ne regardait pas du tout le dossier. Ce n'est vraiment rien, Addie. Juste un petit pincement.

Mais ça n'était pas de l'aiguille dont nous avions peur.

— Mais je...

— Ne bouge pas, dit le Dr Wendle. Ce n'est qu'une piqûre, mais elle est importante. Tu sais ce que fait le tétanos ?

Nous l'ignorions. Et avant que nous puissions encore protester, il s'arrangea pour mettre l'aiguille en position et l'enfoncer dans la veine de notre coude.

Addie cria, mais de son autre main, le Dr Wendle tenait fermement notre bras tandis qu'il pressait sur le piston. Nous restâmes silencieuses lorsqu'il retira l'aiguille et apposa rapidement un tampon de coton sur notre peau.

— Voilà, dit-il. Ce n'était pas la peine d'en faire toute une histoire, tu vois ?

Nous étions incapables de parler. Nos yeux étaient rivés au minuscule point rouge à l'intérieur de notre coude. Puis le Dr Wendle le recouvrit d'un pansement et ce fut tout.

— Et voilà, c'est terminé, lança-t-il avec un sourire.

Nous restâmes assises là, une seconde, à le fixer. Il était si petit que nous devions à peine lever les yeux pour le regarder. La peau fine de l'intérieur de notre coude palpitait.

Il toussa et montra la porte d'un geste.

— Je vais appeler une infirmière et elle te ramènera avec le groupe.

— Quoi ? demanda Addie. Mais et... et le test ?

— Je crains qu'il ne soit pas encore tout à fait prêt pour toi, répondit-il. Il faudra sans doute que tu reviennes avant le dîner. (Il était déjà retourné à ses instruments.) Maintenant, va attendre près de la porte. L'infirmière va bientôt arriver.

Nous le toisâmes encore un moment. Puis, lentement, Addie lui obéit, se dirigea vers la porte et sortit pour attendre. Comme il l'avait promis, une infirmière apparut quelques secondes plus tard.

Nous marchions dans une sorte d'étourdissement. Toute l'adrénaline que nous avions accumulée s'écroulait autour de nous. Juste un vaccin. Revenir plus tard pour le vrai test.

— Viens, suis-moi, dit l'infirmière.

Elle avançait loin devant nous, plus loin que nous l'aurions pensé. Addie accéléra notre rythme, mais cela ne servait à rien. La femme progressait trop vite. En fait, tout le monde semblait évoluer trop vite. Dans un angle de notre vision, il y avait comme un flou incrusté, qui bougeait quand nous bougions, qui s'arrêtait quand nous nous arrêtions.

— Allons, ne traîne pas, dit l'infirmière en revenant sur ses pas.

Elle tendit le bras vers nous en fronçant les sourcils, comme si... comme si elle savait qu'il était temps de nous... rattraper.

— Les autres attendent, et on ne voudrait pas...

Nous n'entendîmes pas ce qu'on ne voudrait pas.

Il y eut un cri étouffé.

Un affaiblissement...

Une chute.

L'obscurité.

Chapitre 18

« *Addie ?* »

Son prénom fut la première chose qui me vint à l'esprit lorsque je me réveillai. Quand nous étions petites, avant les docteurs, avant la peur, nous nous appelions presque toujours lorsque nous émergions de rêves partagés. Cela avait été en diminuant au fur et à mesure que les années passaient, jusqu'à ce que cette habitude disparaisse tout à fait.

« *Addie ?* »

Nous reposions, immobile. Je m'étirai dans le brouillard de notre esprit pour retrouver Addie. Il était impossible qu'elle soit encore endormie, mais il lui arrivait parfois de mettre plus de temps que moi à se réveiller.

« *… Addie ?* »

Elle ne répondait pas. J'intensifiai ma recherche tandis que la lame acérée et glacée de la peur arrachait les derniers lambeaux de mon sommeil.

« *Addie, où es-tu ?* »

Souvenir et conscience me frappèrent soudain. L'hôpital !

Nous étions à l'hôpital, à la clinique. Nous étions dans le couloir. Il y avait une infirmière. Et maintenant ? Maintenant quoi ?

« *Addie !* »

Ma voix retentit et me revint en écho avec le frisson d'une impression de déjà-vu.

C'était la deuxième fois que j'appelais Addie comme ça, cherchant à tâtons dans notre esprit pour trouver une parcelle de son existence.

La première fois remontait à un peu plus d'un mois, lorsque nous avions bu le thé avec la drogue. Le Refcon, c'était le nom qu'avait employé Ryan.

« Ça sert à quoi, d'habitude ? » avais-je réussi à demander au cours d'une de nos dernières séances, lorsque j'avais développé un meilleur contrôle de notre langue et de nos lèvres. Ryan avait alors parlé de soins spéciaux et services psychiatriques.

Services psychiatriques. Hôpitaux psychiatriques.

La Clinique Nornand de Soins Psychiatriques.

Ici même.

« *Addie !* » hurlai-je.

Pas de réponse. J'étais seule. Nous n'étions pas chez Hally. Il n'y avait pas de Ryan assis à côté de nous en train de discuter pour passer le temps.

Je forçai nos yeux à s'ouvrir.

Peu importait l'endroit, c'était faiblement éclairé. Il n'y avait pas de fenêtres. Un trait de lueur jaune filtrait en bas de la porte, mais c'était tout. Je fermai de nouveau nos paupières. « … *Addie ?* »

Je n'espérais pas vraiment de réponse, et aucune ne vint. Elle était partie. Pour combien de temps ? Dans la maison de Hally, cela n'avait jamais duré plus d'une heure. Mais dans la maison de Hally, je n'avais jamais sombré dans l'inconscience avec elle.

Je ne savais plus quoi penser. Et plus je réfléchissais, plus je me sentais nauséeuse.

Tout allait bien. Peut-être avions-nous déjà été inconscientes un long moment. Peut-être qu'Addie reviendrait bientôt. Je n'avais qu'à rester allongée dans ce lit et attendre.

Je préférais ne pas penser à ce que je ferais si je continuais à attendre et attendre sans que rien se passe.

Notre poitrine bougeait doucement, se soulevait… s'abaissait… se soulevait… s'abaissait. Nos yeux restaient clos. Je restai à l'écart de l'obscurité brumeuse qui avait avalé Addie. D'habitude, quand elle revenait, je sentais sa présence qui, repliant le vide comme une couverture, emplissait de nouveau l'espace à côté du mien. Tout ce que j'avais à faire, c'était attendre que la drogue se dissipe et que ma sœur se réveille.

Je n'aurais pas pensé à autre chose. Je ne me serais pas demandé pourquoi nous étions ici, pourquoi ils nous avaient fait ça, pourquoi ils nous avaient menti. Ce que nous ferions une fois qu'Addie serait réveillée. Non. J'aurais attendu qu'elle revienne. Que nous formions de nouveau un tout. Alors, nous pourrions nous inquiéter ensemble de ce genre de choses.

Notre respiration était calme, régulière. La respiration d'une fille endormie. Pour notre corps, nous *étions* endormies.

En tout cas, Addie l'était, et c'était ce qui me perturbait. Combien de temps s'était-il écoulé depuis l'époque où ma colère pouvait accélérer notre respiration, ma peur faire battre notre cœur, ma gêne nous faire rougir ? Bien sûr, d'habitude, lorsque j'étais en colère, effrayée ou gênée, Addie l'était aussi, cela n'était donc pas un problème.

Ou alors je…

Une sirène transperça mes pensées. Nos yeux s'ouvrirent brusquement.

Au plafond, une lumière clignotait, lançant des flashs rouge-rouge-rouge…

Mon esprit se vida, puis fut submergé.

Par quoi ? Un incendie ? Une fuite de gaz ?

Notre respiration était oppressée.

Quelque chose n'allait pas.

« *Addie. Addie, réveille-toi… !* »

Rien. Rien hormis cette sirène violente et la lumière rouge clignotante.

« *Addie !* »

Peut-être que quelqu'un allait venir. Oui… oui, absolument. Quelqu'un nous avait amenées ici. Ils sauraient. Ils allaient venir. Ils allaient nous sauver.

Parce qu'Addie était endormie et que je ne pouvais pas bouger.

Nos yeux papillotaient avec frénésie vers la porte, mais le rai de lumière restait net et ininterrompu. Personne ne se tenait dans l'embrasure. Nous étions seules.

Mais ils allaient venir. Il le fallait.

« *Oh, Addie, s'il te plaît !* »

Je crus entendre des pas précipités, des voix éloignées qui appelaient, qui hurlaient. Des gens qu'on évacuait. Des gens qui couraient. Qui couraient pour s'éloigner de nous. C'était l'épisode du musée Bessimir qui se répétait ; le jour du raid qui se répétait.

« *Addie, il faut que tu te réveilles. Il faut que tu appelles à l'aide…* »

Mais elle ne se réveillait pas. Et nous restions simplement allongées là.

D'autres voix, plus près de la porte, cette fois-ci. Des murmures, puis des bruits de pas rapides.

« *Non*, criai-je. *Non, non, non, je vous en prie. Revenez. Revenez.* »

Autrefois, j'avais parlé. Je pourrais le faire à nouveau.

Si seulement j'arrivais à me concentrer.

« *S'il vous plaît ! Ici ! Ici !* »

Notre bouche restait fermée, notre langue immobile. Pas un son. Et la sirène continuait de brailler. Et la lumière de clignoter. Rouge-blanc-rouge-blanc-rouge-blanc-rouge…

Un bruit gargouilla au fond de notre gorge, suivi par un mot, un mot faible et murmuré :

… *secours*.

— Pitié. Pitié… Au secours !

Notre corps tremblait. Entre deux inspirations rauques, je criais aussi fort que je le pouvais :

— À l'aide ! Venez ! Je ne peux pas sortir !

Quelqu'un aurait dû m'entendre. Quelqu'un aurait dû venir. Mais personne ne se manifestait.

Il ne s'était écoulé que quelques minutes depuis que l'alarme s'était déclenchée. Pas assez de temps pour que tout le monde soit parti. Pas assez de temps pour que nous nous retrouvions seules.

Pas vrai ?

Je hurlais, oubliant les mots. Notre gorge s'étira sous l'effet de ce son inconnu – Addie n'avait jamais hurlé comme cela.

Personne ne venait. Personne n'allait venir.

« *Addie !* » beuglai-je une dernière fois.

Elle n'était pas là. Elle n'allait pas nous faire bouger. Et j'en étais incapable. Mais j'allais devoir le faire.

Je me concentrai aussi fort que je le pouvais sur nos doigts. Pour les enrouler. Pour plier nos coudes afin d'y appuyer notre corps. Dans l'obscurité, avec notre tête immobile, je n'aurais pu dire si je bougeais vraiment ou si c'était le fruit de mon imagination.

Je ne me rendis compte de ce qui se passait qu'au moment où notre ongle s'accrocha dans la couverture.

Pas le moment de se poser des questions. Pas le moment de s'arrêter. Notre cœur battait si fort que je sentais notre poitrine prête à éclater. Soit parce que notre cœur allait en jaillir, soit parce que ce serait moi, et aucune des options n'était rassurante.

Je pliai nos doigts, cherchant un moyen de nous soulever. Nos bras ne fonctionnaient pas correctement. Ils bougeaient trop lentement, se tordant à cause de l'irrégularité de mon contrôle. Nos coudes s'agitaient en mouvements convulsifs, se pliant comme les ailes d'un poulet. Avec un hurlement silencieux, je me balançai en avant et m'assis.

Le monde tournait. J'avais envie de hurler, de rire ou de pleurer. Mais l'heure n'était pas à ce genre d'émotions.

La sirène braillait. La lumière clignotait.

Il fallait que je sorte.

Rester debout n'était pas moins difficile ni maladroit.

Nos muscles étaient forts… mais j'étais incapable de les maîtriser. Je tanguai, puis retombai sur le lit pour essayer encore. La deuxième fois fut un peu plus aisée que la première.

Enfin, sentant la transpiration couler sur ma nuque, je fis mon premier pas.

Mon premier pas en presque trois ans.

Pas le temps de fêter l'événement.

Un deuxième pas.

Un troisième.

Un quatrième.

Je chancelai. Criai, tombai.

J'attrapai le bord du lit et réussis à me relever.

Le plus difficile, c'était de trouver l'équilibre. À quelle distance nos pieds étaient-ils censés se trouver l'un de l'autre ?

Je tombai deux fois avant d'atteindre la porte.

Notre main agrippa le bouton. J'appuyai notre joue contre le bois froid et fermai nos yeux. La porte.

J'avais réussi à aller jusqu'à la porte.

Et maintenant ?

Est-ce que quelqu'un allait me trouver dans le couloir ? Ou allais-je devoir marcher seule jusqu'à la sortie ?

Je tremblais. En fait, mon corps tremblait par réaction à mon doute.

Jamais je ne réussirais à sortir.

Va simplement dans le couloir. Simplement dans le couloir et appelle à l'aide. Il y a bien quelqu'un qui t'entendra. Quelqu'un qui viendra.

Notre main glissa légèrement, puis serra de nouveau la poignée. Je l'actionnai. Pendant une seconde, la porte ne bougea pas. La peur affaiblissait nos jambes déjà tremblantes. Était-elle verrouillée ? Mais non, non… je tournai le bouton en insistant un peu plus, et la porte s'ouvrit d'un coup. Dans l'élan, nous nous retrouvâmes dans le couloir, propulsées par la porte à laquelle nous nous accrochions de toutes nos forces.

Puis quelqu'un fut là. Quelqu'un qui nous soulevait. Qui nous tirait pour nous ramener vers le lit. Vers le lit ? Non, non… c'était la mauvaise direction

— Il faut qu'on parte, dis-je. La sirène. L'incendie… le…

— Chut, souffla-t-il. Chuuut…

— Ryan, m'écriai-je. (Je souriais presque, même si, de toute évidence, il ne comprenait pas.) Ryan, c'est moi ! Moi ! Eva.

— Chut, insista-t-il encore et encore.

Nous étions retournés près du lit. Il nous installa sur le matelas en nous poussant presque. Ses mouvements étaient raides, sa mâchoire crispée.

— J'ai bougé, Ryan, dis-je en riant, riant. (Puis, haletante :) Mais il faut qu'on parte. L'alarme…

— Il n'y a pas d'incendie.

J'essayai de me lever, mais il m'en empêcha.

— Bon alors, une fuite de gaz, ou autre… il faut partir d'ici. L'alarme…

— C'est un piège, déclara-t-il. Ils t'ont piégée.

Me piéger, moi ?

Je me remis à rire, encore plus fort.

— Comment ça ?

— Pour te faire bouger. Te faire sortir.

Ce fut comme si un bouchon de caoutchouc venait bloquer notre trachée-artère, bloquant ma respiration si brutalement que je vis des étoiles.

Me faire bouger ? Me faire sortir ?

Le rire me reprit, ou plutôt un ricanement faible mais incessant, que je ne pouvais retenir.

— On dirait que ça a marché, pas vrai ?

Ryan me regarda. Au-dessus de sa tête, la lumière continuait de clignoter, lançant des ombres rouges et blanches sur son visage. Il ne riait pas. Je ne voyais même pas l'ombre d'un sourire.

Je riais pour lui, riais jusqu'à en perdre haleine.

— J'ai bougé, Ryan. J'ai marché. *Marché !*

— Oui, répondit-il avec une infinie tristesse.

Une étrange hilarité obscurcissait mon esprit. Si Ryan ne nous avait pas tenues par les épaules, je serais tombée.

— J'ai bougé, répétai-je, afin de m'assurer qu'il avait bien entendu.

Je riais, riais. Je me sentais comme envahie de bulles et de nuages.

Et puis je saisis Ryan par le col de sa chemise… je l'agrippai pour le tirer vers moi et sentis ses bras se serrer autour de mon corps. Dans ma gorge, le rire devint putride.

— *Je ne les laisserai pas m'arracher*, soufflai-je en haletant. *Jamais. Jamais.*

Addie et moi étions assises sous la lumière.

L'intensité était suffisante pour alerter quelqu'un dans le couloir, mais ni elle ni moi ne suggérâmes de l'éteindre. Nous avions eu notre dose d'obscurité pour la journée.

Ils nous avaient laissées appeler nos parents, mais seulement pour quelques minutes, et une infirmière nous avait surveillées. Elle avait prétendu faire la poussière et ranger la pièce déjà impeccablement propre, mais nous savions qu'elle écoutait.

Même si l'infirmière n'avait pas été là, nous n'aurions pas pu leur parler de l'absorption forcée de drogue, de la façon dont ils nous avaient piégées. Si nous le leur avions dit, il aurait fallu leur expliquer comment j'avais bougé. Il aurait fallu leur dire que, oui, leurs craintes étaient fondées, que M. Conivent avait raison.

Que nous étions toujours anormales. Bien sûr, ils ne tarderaient pas à l'apprendre. Les médecins le leur diraient. S'ils voulaient nous garder ici.

Mais visiblement, ils n'avaient encore rien dit. Nous avions d'abord eu Maman au téléphone, puis Papa. Comment vas-tu ?

Le vol s'est bien passé ? Tu as aimé l'avion ? La nourriture est bonne ? Est-ce que ta chambre est jolie ?

Juste avant que l'infirmière ne se mette à toussoter d'un air lourd de sens, Papa avait ajouté : « Je suppose qu'il n'y a rien de bien important, n'est-ce pas ? C'est juste l'affaire d'une nuit. »

« Oui », avait murmuré Addie. Elle ne faisait que murmurer depuis qu'elle s'était réveillée. « C'est ça. »

L'infirmière s'approcha et nous souffla que les lignes téléphoniques de l'hôpital étaient très sollicitées.

Ils ne pouvaient pas se permettre d'en bloquer une trop longtemps. Ce qui semblait ridicule, mais qu'aurions-nous pu répondre ?

« Nous te rappellerons demain », avait promis Papa.

Ils ne nous avaient pas laissées rejoindre les autres enfants, prétextant que nous étions trop tendues, épuisées et trop nerveuses.

« Tu as besoin de repos, nous avaient-ils dit en nous faisant traverser les couloirs. Nous avons déjà préparé ta chambre. Nous t'apporterons ton dîner. »

Et ils nous avaient enfermées dans notre chambre.

Addie délaça soigneusement nos chaussures et grimpa sur le lit. Il y avait un mur autour de sa moitié de notre esprit, un écran qui avait commencé à se former dès l'instant où elle s'était réveillée quelques heures plus tôt et avait senti les bras de Ryan qui nous étreignaient. Une seconde plus tard, une infirmière avait fait irruption, le visage rouge de colère avec d'énormes yeux noirs. Elle avait éloigné Ryan en lui criant qu'il devait rester avec le groupe et écouter les consignes. Il n'avait pas protesté. Mais ses yeux n'avaient jamais quitté notre visage.

« *Eva ?* » disait maintenant Addie en fixant le plafond. Il était presque identique aux murs, une surface blanche interrompue seulement par une lumière agressive. Dans cette chambre, minuscule et au confort spartiate, il n'y avait qu'un lit et une table de chevet. Le sommier s'étirait presque d'un mur à l'autre et il n'y avait pas de fenêtre. Au moins, comme l'infirmière nous l'avait promis ce matin, notre sac de toile y avait-il été déposé.

Je remuai. « *Oui ?* »

Une pause, puis : « *... C'est comment ?* »

Je crus tout d'abord qu'une partie de sa phrase m'avait échappé.

« *C'est comment, quoi ?* »

Elle prit quelques instants pour répondre.

« *D'être seule ?* »

D'être seule ?

« *Qu'est-ce que tu veux dire ?* »

Elle soupira doucement, tandis que nos yeux continuaient de suivre les bosses sur le plafond.

« *Quand je me suis réveillée, tu étais assise avec Devon et...*

— *Ryan*, la corrigeai-je. *C'était Ryan, pas Devon.* »

Elle redevint silencieuse, puis reprit : « *Tu étais assise avec Ryan, et il était...* » Elle s'arrêta de nouveau. « *Tu étais seule. Sans moi.* »

« *Ils nous ont piégées*, répondis-je, ne sachant pas vraiment où elle voulait en venir. *Ils ont déclenché l'alarme. J'ai cru qu'il y avait un incendie ou une urgence. Je ne savais pas qu'ils nous observaient...*

— *Je ne te parle pas de cela.* »

J'arrêtai mon récit. « *Alors, de quoi est-ce que tu parles ?* »

Elle ferma les yeux, pressant nos paupières. Nos doigts agrippèrent le bord d'un oreiller. « *Je sais pas... toi, Ryan.* » Elle prit une longue et profonde inspiration. « *Qu'est-ce que ça fait de parler sans que je sois là à t'écouter, Eva ?* »

Comme je tardais à répondre, elle enchaîna avec précipitation. « *Cela fait plus d'un mois maintenant que chaque jour... Que chaque jour, tu as pu parler toute seule avec quelqu'un. Que tu as pu... être là sans moi.* »

Je n'évoquai pas l'évidence... à savoir que la plupart du temps je n'avais pas été capable d'aligner assez de mots pour former une phrase.

« *Je n'ai jamais eu l'occasion de faire cela* », conclut-elle.

Pendant un instant dingue, ridicule, j'eus l'impression qu'elle était jalouse. Addie. Jalouse de moi !

Mon rire se fit bouillonnant à en déborder. Un rire à la fois éclatant et doucereux. Un rire silencieux, car sans le médicament, Addie contrôlait fermement nos lèvres, notre langue, nos poumons. Mais elle l'entendit tout comme elle entendait ma voix silencieuse.

« *Quoi ? Qu'est-ce qu'il y a de drôle ?* »

Qu'est-ce qu'il y a de drôle ? Était-ce une question à poser ?

« *Tu n'as jamais eu l'occasion de faire cela, Addie ? Oh, je suis terriblement désolée. La vie est vraiment, vraiment trop injuste, n'est-ce pas ?* »

Elle tressaillit. Ouvrit nos yeux. « *Eva, je...*

— Alors on devrait peut-être changer de place. Tu trouverais cela plus juste, Addie ? C'est ça que tu préférerais ? »

Elle se tourna sur notre côté. « *Eva…*

— Aujourd'hui, j'ai eu droit à cinq minutes, Addie. Cinq minutes sur les trois dernières années et c'est cela qui te rend jalouse ?

— Pas du tout ! lança-t-elle. *Ce n'est pas ce que je voulais dire.*

— Alors, qu'est-ce que tu voulais dire, Addie ? Explique-moi. »

Elle était calme.

Un orage s'éleva entre nous, qui se déchaîna bientôt avec violence, mêlant coups de tonnerre et pluie glaciale.

Nous fixions le plafond. Lentement, Addie se tourna, aplatissant notre visage sur l'oreiller.

« *Tu crois que c'est facile, n'est-ce pas ?* dit-elle.

— Je ne vois pas du tout de quoi tu parles. »

Notre respiration se fit de plus en plus oppressée. « *Vas-y, offre-toi ta dose de pitié, Eva. Tu la mérites. Je suis celle qui a de la chance, pas vrai ? Je suis la veinarde. Addie est dominante, donc tout ce qui arrive de mal est forcément sa faute. Toi, tu n'as rien à te reprocher.*

— Tu dis n'importe quoi », rétorquai-je.

Un mur s'abattit brutalement entre nous. Blanc. Tremblant. Un cri s'échappa de nos lèvres. Addie enfouit notre visage dans l'oreiller, étouffant les sanglots jusqu'à ce qu'il n'y ait plus de son. Rien que des larmes.

« *On a encore tout raté*, se lamenta-t-elle. *Cette fois, nous allions être normales, Eva. Je voulais juste être* normale, *rien qu'une fois. »*

Je me recroquevillai en moi-même, me faisant aussi petite que je le pus.

Je me tapis dans un recoin de notre esprit, me cachant des larmes d'Addie. Mais je ne pouvais me cacher de ce qu'elle avait dit. Je voulais disparaître dans ce néant que j'avais découvert en cet hiver de nos treize ans, ce néant où il n'y avait rien de blessant, de douloureux, juste un flot de rêves qui m'emportaient en tourbillonnant jusqu'à ce que je fasse partie d'eux.

Mais je ne pouvais pas. Désormais, j'avais trop à perdre.

Chapitre 19

Le lendemain matin, ils nous vêtirent de bleu. Chemisier bleu ciel à col boutonné. Jupe bleu marine qui nous descendait jusqu'aux genoux.

Le haut amidonné était beaucoup plus raide que ce que Maman avait jamais réussi à faire. Le col était cassant, blanc comme neige. Contrairement à notre uniforme d'écolière, celui-ci n'arborait ni emblème ni décoration. Quant aux poches, elles nous étaient interdites.

— Suis-moi, dit l'infirmière, une fois qu'Addie eut lacé nos souliers.

Avec nos longues chaussettes, voilà tout ce qu'ils nous avaient laissé de notre tenue d'écolière. J'aurais bien aimé savoir ce qu'était devenu le reste.

Addie avait sorti, en douce, le disque de Ryan de notre poche.

À présent, l'objet était blotti dans le creux situé sous l'os de notre cheville, maintenu par une chaussette contre notre peau.

— Où allons-nous ? demanda Addie d'une voix morne.

Nous nous étions toutes deux éveillées en silence, ce matin.

Mon prénom ne s'était pas formé sur sa langue quand les derniers voiles du sommeil s'étaient évaporés. Peut-être l'avait-elle ravalé avec amertume, comme je l'avais fait avec le sien.

L'infirmière sourit.

— Faire connaissance avec ta nouvelle camarade de chambre. Tous les autres enfants sont logés dans leur propre petit pavillon. Tu vas t'y installer aujourd'hui.

— M'y installer ? s'étonna Addie.

L'infirmière ne répondit pas, se contentant de nous gratifier d'un petit sourire doucereux.

Addie s'apprêtait à prendre notre sac de toile, mais l'infirmière nous toucha la main.

— Quelqu'un te l'apportera plus tard.

Il ne devait pas être plus de huit heures du matin. Sans montre, il nous était difficile d'être précises, mais lorsque nous pénétrâmes dans le couloir, nous vîmes le soleil briller dans le ciel à travers les grandes baies vitrées de Nornand. Nous étions visiblement les seules à regarder dehors. La femme qui nous conduisait à travers les couloirs gardait les yeux rivés droit devant elle, et les autres infirmières et docteurs que nous croisions semblaient avoir mieux à faire que d'admirer le paysage au-delà des murs de Nornand.

L'infirmière s'arrêta enfin devant une porte d'apparence ordinaire. Elle sortit un trousseau de clés de sa poche, en choisit une et l'inséra dans la serrure.

— Bienvenue dans le Pavillon, Addie, lança-t-elle.

À l'intérieur, il faisait encore sombre. Dans l'angle le plus éloigné de la pièce, une veilleuse diffusait une lueur floue qui ne permettait pas de voir vraiment, surtout après la luminosité des couloirs de Nornand. Addie cligna les yeux pour essayer d'accommoder notre regard. Un effort inutile car, une seconde plus tard, l'infirmière allumait la lumière.

Le Pavillon et la salle d'études étaient très similaires. La moquette était faite de la même fibre tissée, les murs peints en bleu pâle, une uniformité seulement interrompue par une porte grise et une petite alcôve qui semblait ouvrir sur deux cabinets de toilette. Dans un angle se dressait une plante à feuilles larges qui semblait prête à jaillir de son minuscule pot.

Il y avait deux tables rondes de taille moyenne, quelques chaises, et un petit placard. Mais pas d'enfants.

— Ils sont encore tous dans leur chambre, dit l'infirmière comme si elle avait lu dans mon esprit.

Elle désigna la porte grise.

— Allons donc voir la tienne.

La porte donnait sur un autre couloir, plus étroit et plus court que tous ceux que nous avions traversés. Une faible lueur en éclairait l'extrémité, mais l'infirmière la fit s'évanouir en éclairant les néons du plafond.

J'arrivai à compter huit portes avant que l'infirmière en ouvre une et nous invite à entrer.

— Kitty ? lança-t-elle en nous emboîtant le pas et en allumant les lumières. C'est l'heure de se lever, ma belle. Tu vas enfin avoir une camarade de chambre.

La fille couchée dans le lit se redressa si rapidement qu'elle éjecta ses couvertures sur le sol. La fille fée. Après sa nuit de sommeil, ses longs cheveux bruns étaient crépus et emmêlés, ce qui leur donnait un énorme volume comparé au reste de son corps. Ses yeux étaient immenses, ses lèvres entrouvertes.

— Je te présente Addie, dit l'infirmière.

Sa voix, branchée en permanence sur un ton de gaieté, faisait penser à celle d'une maîtresse d'école maternelle le jour de la rentrée des classes.

Kitty nous fixa du regard, mais ne dit rien. Un long silence qui pesait lourdement sur nos épaules. Finalement, l'infirmière frappa dans ses mains.

— Très bien, les filles. Je vais aller réveiller les autres. Kitty, habille-toi et explique à Addie notre programme de la matinée.

Kitty descendit de son lit et se précipita vers ses affaires en nous jetant un regard furtif. Ses vêtements, une petite pile bleue, l'attendaient déjà sur sa table de nuit.

L'infirmière ferma la porte en sortant.

Addie resta debout, immobile, nos mains serrées devant nous.

— Bonjour, dit doucement Kitty, sans ajouter un mot pendant qu'elle s'habillait.

Elle avait à peine terminé qu'une voix retentit dans le corridor :

— Tout le monde dans le couloir, s'il vous plaît.

Kitty se précipita vers la porte. Addie jeta un dernier coup d'œil à la pièce... des murs blancs, un sol carrelé, des lits en métal et de minces oreillers. De toute évidence, l'unique fenêtre était censée ne jamais s'ouvrir. J'essayai de m'imaginer en train de dormir ici. De me réveiller ici. Combien de temps nous faudrait-il pour nous habituer aux draps froids et blancs de l'hôpital ?

Non, l'infirmière se trompait. Nous n'avions pas encore parlé à nos parents. Papa avait promis de venir nous chercher.

Cette pièce n'était pas notre chambre.

— Tu viens, Addie ? demanda Kitty en s'attardant sur le pas de la porte.

Pendant une seconde, une fraction de seconde, je sentis une fissure lézarder le mur entre Addie et moi. Puis elle disparut. Mais ce bref laps de temps m'avait suffi pour saisir un murmure des émotions d'Addie.

Une pointe de peur.

— Oui, répondit ma sœur. J'arrive.

Dans la salle principale régnait un désordre silencieux. Certains gamins, encore à moitié endormis, étaient affalés sur leur chaise en bois, la tête couchée sur le dessus de la table.

Eli s'était recroquevillé dans un coin, à tel point que ses genoux dissimulaient pratiquement son visage. D'autres, un peu plus vieux, discutaient paisiblement près de la porte la plus lointaine.

Hally venait d'émerger de l'alcôve. Ses lunettes dans une main, se frottant les paupières de l'autre et sa bouche formant le grand *O* d'un bâillement. Ryan apparut l'instant d'après. Il jeta un rapide coup d'œil dans la salle et nos regards se croisèrent. Addie se détourna. Mais quelques instants plus tard, il était près de nous.

— Tu vas bien ?

Il parlait de façon que sa voix se noie dans le murmure des bruits calfeutrés du Pavillon.

— Oui, répondit Addie.

Il marqua une hésitation.

— Elle aussi, elle va bien, enchaîna Addie en s'éloignant du mur pour se diriger vers un angle de la salle.

Elle venait de passer devant l'infirmière lorsque celle-ci frappa dans ses mains.

— Écoutez-moi, lança-t-elle. Eli ? Shelly ? J'ai vos médicaments. Venez les prendre, s'il vous plaît.

Addie s'était immobilisée au claquement de mains. Quand elle se remit en marche, le mouvement dut accrocher le regard de l'infirmière, qui baissa les yeux, fronça un instant les sourcils, puis reprit son sourire.

— J'allais oublier, Addie. Quelqu'un vient de me prévenir que tes parents sont au bout du fil.

Nos parents. Ils avaient dû les informer de nos résultats. Tout le reste me sortit de la tête. Nos parents étaient au téléphone et c'était tout ce qui comptait.

— Je peux aller leur parler ? demanda Addie. (Notre voix sortit beaucoup plus fort que je m'y attendais.) S'il vous plaît, je…

— Un instant, Addie. (L'infirmière leva la main et se tourna vers une petite fille qui venait de s'approcher.) Tiens, Shelly… Où est ton gobelet ? Tu te souviens, il faut que tu les avales avec de l'eau, ma chérie.

Puis la petite s'éloigna et Addie essaya d'attirer à nouveau l'attention de l'infirmière.

— S'il vous plaît, est-ce que je peux aller leur parler, maintenant ?

La femme hésita. Elle parcourut la salle des yeux avant de regarder le flacon de pilules qu'elle tenait à la main, puis finit par soupirer :

— Tu ne peux pas attendre cinq minutes ?

Addie secoua notre tête, le regard implorant.

— Bon, très bien. Je vais trouver quelqu'un pour te conduire jusqu'à un téléphone, conclut l'infirmière.

— Merci, murmura Addie.

Ryan redressa la tête lorsque nous passâmes près de lui, mais n'ajouta rien.

Il était tôt et le couloir était relativement désert. Il n'y avait qu'un livreur, et deux docteurs penchés sur un bloc-notes discutaient tranquillement. Assez rapidement, une autre femme vêtue de l'uniforme gris et blanc d'infirmière apparut et la nôtre lui fit signe d'approcher.

— Addie, que voici, a besoin de téléphoner, dit-elle. Je dois emmener les autres enfants prendre leur petit déjeuner. Vous pouvez la conduire dans un bureau ? C'est sur la ligne quatre.

— Bien sûr. (L'autre infirmière nous sourit.) Par ici.

Après quelques minutes de marche, elle nous fit entrer dans une petite pièce. Un bureau, encombré de papiers et de dossiers en papier kraft, occupait presque tout l'espace. L'infirmière nous désigna la chaise pivotante qui se trouvait derrière.

— Tu peux t'asseoir ici.

Addie s'exécuta, la regardant soulever le combiné de son socle et enfoncer l'une des touches lumineuses orange.

— Allô ? dit-elle. (Une pause.) Votre fille, monsieur… ? Son prénom ? (Une autre pause.) D'accord, c'est parfait. Oui, elle est ici. Je vous la passe.

Elle posa le téléphone dans nos mains ouvertes. Addie le plaqua sur notre oreille.

— Allô ?

— Bonjour, Addie, dit Papa. (Une fausse bonne humeur filtrait dans ses paroles.) Comment vas-tu ?

— Ça va, répondit Addie.

Elle enroula le cordon du téléphone autour de notre poignet, déglutit, et se lova dans le fauteuil pour s'éloigner de l'infirmière qui restait à tourner autour du bureau.

— Tu me manques. Et Maman aussi. Et…

Et Lyle, mais notre voix lâcha avant que nous puissions le dire.

Il y eut une hésitation presque imperceptible. Lorsque Papa reprit la parole, la bonne humeur avait disparu.

— Toi aussi, tu nous manques beaucoup. Tu le sais, n'est-ce pas, ma chérie ?

Addie fit oui de la tête. Serrant le téléphone, elle murmura :

— Oui, je sais.

Comme Papa n'ajoutait rien, elle demanda :

— Comment va Lyle ?

Qu'est-ce que vous lui avez dit ?

— Oh, il va bien, Addie, répondit Papa. (Puis, comme s'il comprenait qu'une autre question pourrait suivre, il ajouta :) Il est très contrarié que tu sois partie.

Addie ne répondit pas.

— Mais nous… nous avons reçu un coup de fil, hier soir… ajouta Papa. De son docteur.

Nos muscles se contractèrent.

— Addie, ils vont le mettre en tête de liste pour une greffe. Ils ont dit… qu'ils allaient lui donner la priorité. Même s'ils doivent faire venir le rein d'un autre endroit.

Au début, rien. Puis un grand froid. Un vertige. Un feu à l'arrière de nos yeux. Et finalement, un halètement dans nos poumons oppressés. Nous savions ce que cela signifiait, pas seulement pour Lyle, mais pour nous.

Une transplantation impliquait la fin de ces heures de dialyse hebdomadaire pour Lyle, la fin de ces bleus inutiles, et de ces journées où il ne voulait plus ouvrir les yeux.

Cette greffe serait un miracle pour nos parents.

Cela voulait aussi dire une « transaction ».

— Tu avais dit que ce serait seulement pour deux jours, Papa... Tu avais promis de venir me chercher si...

Notre gorge s'étranglait. Nous serrions le combiné si fort que nos doigts furent pris de crampes. Addie ne termina pas sa phrase.

— Je sais, admit Papa. Je sais, Addie. Je sais, mais...

— Tu avais promis ! s'écria-t-elle.

Un sanglot secoua notre poitrine. Elle ferma nos yeux très fort, mais les larmes réussirent à s'échapper et à couler sur nos joues.

— Tu avais *promis*.

Notre frère. Notre merveilleux et terrible enquiquineur de petit frère allait être soigné, réparé, comme neuf.

Et jamais plus nous ne le reverrions.

— Addie, dit notre père. Addie, je t'en prie...

L'assourdissement qui envahit nos oreilles noya toutes ses paroles. Ce qu'il disait était-il important ? Il ne venait pas.

Il ne *venait pas* pour nous chercher.

— Ils affirment qu'ils peuvent t'aider à aller mieux, Addie, reprit-il. C'est un bon hôpital... c'est le seul endroit du pays qui soit spécialisé dans ce... cette sorte de chose. Nous voulons que tu ailles mieux. *Tu* veux aller mieux, n'est-ce pas, Addie ?

Il n'y eut aucune mention de ce que « l'amélioration » d'Addie signifierait pour moi, pour son autre fille, qu'il avait prétendu aimer. Il avait dit qu'il m'aimait. Je l'avais *entendu*.

Addie ne répondit pas. Elle tenait le combiné contre notre oreille et pleurait, sachant que l'infirmière nous regardait, la haïssant d'être témoin de cette scène.

— Addie ? dit doucement notre père. Je t'aime.

Mais et moi ?

— Nous… (Addie hoqueta.) Enfin, je…

C'était trop tard. Tout était dit dans le silence qui filtrait à travers le téléphone.

— Je veux rentrer à la maison, reprit ma sœur. Papa, viens me chercher, je t'en prie…

— Tu es malade, Addie, répondit-il. Et je ne peux pas t'aider à aller mieux. Mais eux… Ils disent qu'ils savent comment faire. Ils peuvent…

— Papa…

— Je sais que c'est dur, Addie, ajouta-t-il d'une voix tendue. Je le sais, Dieu m'en est témoin, je le sais. Mais c'est la meilleure chose pour toi, maintenant, tu comprends ? Ils vont t'aider à guérir, Addie.

Pensait-il vraiment ce qu'il venait de dire, ou l'avait-il fait uniquement pour justifier notre abandon ?

— Mais je ne suis pas malade, contra Addie. Je…

— Si, tu l'es, répliqua-t-il.

Ses mots étaient tellement défaitistes qu'ils nous coupèrent le souffle.

— Non, ce n'est pas vrai, souffla Addie, si doucement que je fus la seule à l'entendre.

— Nous rappellerons demain, et nous prendrons l'avion pour venir te voir dès que possible, assura Papa. Addie, écoute ce qu'ils te disent, d'accord ? Ils ne veulent que ton bien. Maman et moi, aussi. Tu comprends, Addie ?

Pendant un long moment, elle ne dit rien. Il ne dit rien. La ligne bourdonnait de silence.

— Addie ? reprit notre père.

Nous ne répondîmes pas.

Chapitre 20

Nous fûmes apathiques tout le reste de la journée. Il y avait trop de gens, trop de paires d'yeux. Les autres gamins. Les infirmières. M. Conivent. Nous n'étions jamais seules, alors que c'était la chose dont nous avions le plus envie. À la place, ils nous trimballèrent d'une salle à une autre, d'un repas à une activité, toujours sous surveillance, toujours observées. Tout n'était que bruit de fond, comme des parasites dans une radio. À plusieurs reprises, Ryan ou Hally essayèrent de nous parler. Addie fuyait chaque fois qu'ils approchaient, tournant notre visage et nous frayant un chemin à travers la foule de gamins jusqu'à ce que nous soyons aussi loin que possible. Je n'essayai pas de la faire changer d'avis.

Enfin, la nuit tomba et une infirmière nous fit mettre en rang pour nous conduire jusqu'au Pavillon à travers les couloirs désormais silencieux.

Au-delà des fenêtres de Nornand, un soleil jaune sombrait lentement sous l'horizon. Pendant que certains enfants prenaient leurs médicaments, les autres patientaient. Nous nous assîmes dans l'une des chaises au dossier raide en fixant la moquette.

— Addie, souffla Kitty, nous sortant de notre rêverie. Il faut aller dans notre chambre, maintenant.

Addie la suivit silencieusement. Hally marchait aussi à côté de nous, faisant tourner ses mains l'une dans l'autre, et lançant des regards qui passaient de nous à son frère, qui marchait à distance. Elle semblait sur le point de dire quelque chose lorsque Addie arriva devant notre porte, mais elle resta muette, se contentant de contempler le sol et de disparaître dans la chambre voisine.

Kitty ferma la porte derrière nous. Notre sac de toile se trouvait maintenant à côté du second lit sur lequel était posée une chemise de nuit blanche pliée. Addie ne prit pas la peine de se changer. Elle rampa sous les couvertures sans même ôter nos chaussures.

Après quelques minutes, les lumières s'éteignirent. Enfin, il n'y avait plus que l'obscurité, plus d'observation, plus de bruits dénués de sens. Addie serra nos dents, mais les larmes réussirent à déborder de nos paupières.

Silence. Puis un chuchotement dans la nuit.

— Addie ?

Kitty s'était glissée hors de son lit et s'était approchée du nôtre à pas feutrés. L'obscurité masquait son expression, nous ne distinguions que la douce courbe de son nez, la rondeur de ses joues et son menton. Sa voix fluette ressemblait à une triste berceuse.

— Addie, tu pleures ?

Ma sœur tourna notre visage vers le mur, mais une main se frotta contre notre joue.

— Addie ?

— Oui ? murmura-t-elle.

Pendant un moment, Kitty ne répondit pas. Je pensais presque qu'elle était retournée dans son lit. Mais Addie releva la tête, et Kitty était toujours là, plus évanescente que jamais dans sa chemise de nuit blanche.

— Parfois… (Elle hésita avant de poursuivre.) Parfois, ça m'aide quand je pense à ce qu'ils font à la maison. (Comme Addie ne détournait pas les yeux, Kitty

214

déglutit et ajouta :) J'avais l'habitude de parler de chez moi avec Sallie. De mes frères et de ma sœur.

— Sallie ? demanda Addie.

Kitty hocha la tête.

— C'était ma camarade de chambre. Mais cela fait des mois qu'elle n'est plus là.

— Où est-ce qu'elle est allée ? demanda Addie en nous redressant lentement.

Elle se pencha en arrière jusqu'à ce que nos omoplates appuient contre le mur. Nos yeux s'étaient suffisamment habitués à l'obscurité pour voir la bouche de Kitty trembler.

— Ils nous ont dit qu'elle était rentrée chez elle, chuchota-t-elle. Comme Jaime.

De nouveau, Jaime. Devions-nous lui dire ? Est-ce que cela servirait à quelque chose ?

— Addie ?

Quelque chose dans sa voix nous fit ravaler notre lassitude et la douleur vive dans nos entrailles. C'était la même voix que celle que prenait Lyle quand il se retrouvait seul avec nous et qu'il était trop fatigué pour continuer à jouer les durs.

Penser à Lyle nous serra de nouveau la poitrine. S'il y avait quelque chose de bon à tirer de cet enfer, c'était l'occasion pour notre petit frère d'avoir la chance que nous avions tous espérée.

Addie tapota l'espace du lit à côté de nous. Kitty hésita, puis sauta sur notre matelas en repliant ses jambes sous elle.

— Parle-moi de la maison, dit Addie.

— La maison ?

Addie hocha la tête.

— Oui, chez toi. Ta famille. Parle-moi de tes frères.

— J'en ai trois, commença Kitty. Et une sœur. Mais c'est Ty, le plus gentil. Il s'est occupé de nous depuis que Maman… il a vingt et un ans.

— Oh ?

Avec précaution, elle tendit notre bras et passa nos doigts dans les longs cheveux de la fillette. Ils étaient emmêlés et nous n'avions pas de brosse, alors elle entreprit de défaire les nœuds à la main. Kitty se raidit, puis se détendit.

— Il joue de la guitare et il est vraiment bon.

Addie continuait de lisser les cheveux de Kitty.

— Il a dit qu'il m'apprendrait à jouer aussi, poursuivit Kitty. Mais ça, euh… maintenant il a des problèmes. Parce qu'il a essayé de les empêcher de m'emmener…

Nos doigts s'immobilisèrent.

— Parle-moi de ta sœur, dit Addie. Quel âge a-t-elle ?

— Dix-sept ans… non, je pense qu'elle doit en avoir dix-huit, maintenant.

— J'ai un petit frère, intervint Addie rapidement, ignorant la douleur qui s'intensifiait dans notre poitrine. Il s'appelle Lyle. Il a dix ans.

Kitty hocha la tête, mais je pouvais sentir que la conversation touchait à sa fin, comme le rideau tombe à la fin d'une représentation.

Addie repoussa une mèche de cheveux du visage de la petite fille.

— Tu penses que tu vas pouvoir dormir, maintenant ?

Kitty fit oui de la tête, sans croiser notre regard. Mais elle ne bougea pas.

— Tu peux rester ici, si tu veux, proposa Addie. (L'air était froid et sa chemise de nuit, plutôt fine.) Je peux aller dans ton lit ?

Autre léger hochement de tête.

— Bonne nuit, Kitty, dit-elle.

Addie se glissa hors du lit, mais elle avait à peine fait un pas qu'une main jaillit et saisit notre poignet.

— Oui, Ki…

Elle se dressa à côté de nous, collant sa bouche si près de notre oreille que le mot qu'elle prononça fut davantage une perception qu'une sensation auditive.

Nina.

Ses yeux s'agrandirent alors en nous regardant avec intensité. Dans l'attente.

— Bonne nuit, Nina, chuchota Addie.

La petite main serra notre poignet, ses ongles griffèrent le creux entre nos os. Nous entendîmes un soupir semblable à un rêve qui se libère. Puis la main disparut. Nina se tourna et se glissa sous notre couverture sans prononcer d'autre mot.

Des heures plus tard, nous étions toujours éveillées. Une infirmière était passée, avait ouvert la porte pour jeter un rapide coup d'œil sur nos lits avant de retourner dans le couloir.

Nous pouvions entendre Nina respirer doucement, ses cheveux bruns étalés sur son… notre… oreiller. Si l'infirmière avait remarqué l'échange des lits, elle n'avait pas essayé d'y faire quoi que ce soit. Peut-être que quelqu'un nous réprimanderait au matin. À moins que le choix du lit ne fasse partie des rares décisions qu'il nous était permis de prendre.

Le manque de repos nous faisait mal à la tête. Le mur entre Addie et moi se dressait toujours, solide et sans faille, ne laissant rien passer.

Je me dis que j'étais toujours en colère après elle. En colère à cause de ce qu'elle avait dit. De ce qu'elle avait insinué. Mais nos parents ne viendraient pas. Notre père n'allait pas venir pour nous emporter dans ses bras, comme il le faisait quand nous étions une enfant. Nous étions seules. Nous n'avions personne d'autre.

Nous aurions dû pouvoir compter l'une sur l'autre.

Là, pourtant, il y avait ce mur et ce silence et cette colère entre nous. Là, il y avait Addie et moi qui ne nous parlions pas. J'aurais pu attendre qu'elle fasse le premier pas, comme je l'avais fait pendant des années.

Mais j'en avais tellement assez de cette solitude qui me rendait malade.

« *Addie.* »

Elle tressaillit. Pendant une seconde, je fus terrifiée à l'idée qu'elle m'ignore.

Jamais je ne l'avais ignorée lorsqu'elle revenait vers moi après une dispute.

« *Addie, je...*

— *Je suis désolée* », dit-elle la première. Ses paroles me frôlèrent comme des ailes de papillon abîmées.

« *Quoi ?* demandai-je.

— *Pour tout. Pour... pour la façon dont tout a tourné.* »

Je restais muette. Je savais qu'elle ne parlait pas de notre venue à Nornand, ni des médecins, des tests et de la peur de ne jamais rentrer à la maison.

« *Tu te rappelles quand on rêvait de ne jamais trancher ?* reprit-elle. *On était encore toute petite. C'était bien avant d'aller à l'école. On se disait toujours qu'on pourrait rester ensemble, à égalité. Toujours.*

— *Je m'en souviens* », affirmai-je.

Addie quitta le lit de Kitty, frissonnant lorsque nos pieds se posèrent sur le carrelage glacé. Elle se glissa jusqu'à la fenêtre pour observer la nuit noire et les étoiles qui ressemblaient à des piqûres d'aiguille.

« *Eva ?* souffla-t-elle.

— *Oui ?*

— *Parfois je me demande comment cela se serait passé. Si nous n'avions jamais tranché.* »

Si nous n'avions jamais appris à nous haïr. Si nous n'avions jamais laissé le monde nous diviser, nous forçant à devenir Addie-ou-Eva, pas Addie-et-Eva. Nous étions nées ainsi, deux âmes entrelacées. Et si nous n'avions jamais cédé ?

« *Oui*, répondis-je. *Moi aussi, il m'arrive d'y penser.* »

Addie posa notre front contre la vitre glacée. « *Je suis désolée* », dit-elle à nouveau.

Ses excuses qui auraient dû me rasséréner ne firent qu'intensifier ma douleur. Qu'étais-je censée répondre ?

Oui, j'accepte tes excuses ? Non, cela n'est pas ta faute ?

Ce n'était pas la faute d'Addie. Je n'avais jamais pensé que ça l'était. Si quelqu'un était coupable, c'était moi. J'étais celle qui ne s'était pas évanouie au moment où elle aurait dû. Celle qui avait gâché sa vie à tout jamais. Une âme récessive marquée par le sceau de la mort au moment de la naissance. J'aurais dû disparaître.

Au lieu de cela, j'avais entraîné Addie dans cette demi-vie, cette existence dangereuse, où la peur régnerait à jamais.

J'allai vers elle, à travers l'espace vide qui séparait nos âmes.

« *Moi aussi, je suis désolée* », lui dis-je.

Nous contemplâmes, ensemble, le monde de l'autre côté de la fenêtre.

Il y avait une vague cour en contrebas, un espace irrégulier fermé par un grillage.

Nous le distinguions à peine dans l'obscurité.

Les courbes de Nornand masquaient certains recoins de la cour, obscurcissant notre vision. Mais une partie de l'enclos n'était fermée que par un grillage, et au-delà… au-delà, tout était noir. Pas une seule lumière.

« *Nous allons sortir d'ici* », déclarai-je.

Addie appuya nos doigts contre la vitre, et avec un peu d'imagination, j'aurais presque pu la voir céder, nous voir atterrir saine et sauve dans la cour, escalader le grillage comme un rien, et courir, nous sauver de cet endroit jusqu'à ce que l'obscurité nous enveloppe et nous fasse disparaître.

Chapitre 21

Au réveil, le lendemain matin, le changement était palpable. L'infirmière qui rassemblait les enfants dans le Pavillon ne souriait pas comme elle le faisait la veille, et quand Eli trébucha en se levant de sa chaise, elle le tira si brutalement pour le remettre debout qu'il poussa un cri. Kitty avait dû voir Addie observer la scène ; elle se glissa à côté de nous et murmura :

— C'est parce qu'ils sont ici.

— Qui ? s'enquit Addie, mais l'infirmière exigea le silence et Kitty se refusa à parler, même à voix basse, avant que nous arrivions à la petite cafétéria où nous prenions nos repas.

Kitty attendit même que l'infirmière ait rejoint son fauteuil dans le coin de la salle pour s'incliner vers nous et nous souffler :

— La Commission d'examen !

Une mèche de ses cheveux noirs vint frôler ses flocons d'avoine et elle poussa un petit couinement de dégoût.

« Et c'est quoi ? » me marmonna Addie, sans avoir le temps de s'exprimer à voix haute.

Car à cet instant précis, la porte s'ouvrit, l'infirmière se figea, et M. Conivent fit son entrée. L'atmosphère de la salle changea immédiatement. M. Conivent ne cadrait pas avec le lieu.

Malgré le carrelage froid, les néons aveuglants et l'infirmière de faction, il régnait au sein de notre groupe de quatorze enfants une sorte d'intimité qui se mélangeait avec la présence de M. Conivent comme l'huile avec l'eau.

Nul ne pipa mot tandis qu'il inspectait la salle du regard. Il adressa un signe de tête affirmatif à l'infirmière qui, comme un oiseau, lui répondit d'un hochement de cou saccadé.

Nombreux étaient les gamins qui ne mangeaient pas vraiment, se contentant de déplacer leur nourriture. Nous nous sentions désorientées, sentiment qui se lisait aussi sur le visage de Hally. Devon était penché sur son plateau, mais nous pouvions voir ses yeux fixés sur Conivent.

Comme nous étions tous trois assis du côté de la table qui faisait face à la porte, nous vîmes très clairement les hommes et la femme qui entrèrent ensuite. Ils n'étaient que quatre, mais affichaient un tel pouvoir que leur emprise sur la salle se fit immédiatement sentir, comme s'ils s'étaient emparés d'un espace ne leur appartenant pas.

Les hommes étaient vêtus de costumes stricts, cravate et pantalon au pli impeccable, la femme portait une jupe droite noire et, à chaque oreille, un petit diamant qui lançait des reflets. Ils nous observaient ouvertement, comme l'avait fait le livreur efflanqué le matin de notre arrivée. Comme s'ils visitaient un zoo et que nous étions les prochains animaux du parcours.

M. Conivent s'adressa à voix basse à l'un des hommes qui opina du chef sans se tourner vers lui. Ils restèrent peut-être deux minutes à simplement nous examiner, comme si nous ne les avions pas remarqués. Puis ils repartirent avec M. Conivent et tout le monde se remit à respirer de concert, comme si nous partagions les mêmes poumons.

— Qui c'était ? demanda Hally lorsque le bourdonnement d'une conversation reprit autour de la table.

Dans son fauteuil, l'infirmière, qui semblait s'être légèrement affaissée, n'écoutait visiblement pas.

— La Commission d'examen, répéta Kitty. Ils font partie du gouvernement.

— *C'est* le gouvernement, corrigea Devon, et elle haussa les épaules.

— Ils gouvernent le gouvernement. Ils sont importants.

— Et ils viennent souvent ? l'interrogea Hally.

Kitty secoua la tête et prit une cuillerée de flocons d'avoine.

Elle tenait sa cuillère comme une pelle, à l'instar de Lyle lorsqu'il jouait avec sa nourriture.

— Avant aujourd'hui, je ne les avais vus qu'une fois, il y a environ un an. Juste après mon arrivée ici.

L'infirmière avait repris des couleurs. Même trop, pour tout dire. Elle avait les joues rouges. Elle se frotta le front, puis se remit debout et frappa dans ses mains, comme font toutes les infirmières.

— Allons, les enfants. Dépêchez-vous de manger.

Plus personne ne parla. Le silence me permit d'assimiler, lentement, le temps que Kitty avait déjà passé à Nornand.

L'étude et le déjeuner se déroulèrent sans nouvelle intrusion de la Commission d'examen, idem pour le dîner.

Mais, contrairement à la veille, nous ne prîmes pas la direction de la salle d'études après notre dernier repas. À la place, nous nous retrouvâmes dans un genre de salle d'attente.

Addie et moi avions connu d'innombrables salles d'attente au cours des années. Certaines avec des tables basses couvertes de magazines de santé en papier glacé. D'autres avaient des murs revêtus d'un papier peint bleu ciel relaxant. D'autres encore avec ces ridicules tables de jeu sur rails pour les tout-petits. Cette salle n'avait rien de tout cela. Il y avait une rangée de chaises collées contre un mur, face à deux portes découpées dans le mur opposé, au-delà desquelles nous pouvions distinguer ce qui ressemblait à des salles d'examen d'un blanc éclatant. Ce qui était le cas. Et c'est ce que la disposition des lieux annonçait avec force : *Salle d'attente*.

Le Dr Lyanne, le Dr Wendle et M. Conivent se trouvaient à l'intérieur, un étrange trio dans le coin de la pièce. Le Dr Wendle était tout rouge, le Dr Lyanne, le visage pâle, parlait rapidement et avec passion. M. Conivent était froid, et ses paroles encore plus. Leur querelle à voix basse cessa immédiatement lorsque l'infirmière s'éclaircit la gorge. Tous trois levèrent la tête. Le Dr Wendle pâlit. Le Dr Lyanne bafouilla. M. Conivent garda la même expression.

— Ah, les enfants sont arrivés, dit-il. (Et bien que son ton soit poli et son visage calme, cela sonnait comme une fin de non-recevoir.) Je vous laisse le soin de commencer. La Commission ne va pas tarder à arriver.

Il sortit, et tous les enfants près de la porte s'écartèrent pour le laisser passer, aucun ne touchant ne serait-ce que le bord de sa chemise. Pendant un petit moment, personne ne parla. Le Dr Lyanne fixait le mur. Ce fut l'infirmière qui rompit le silence, puisant dans la collection de sourires qu'elle semblait posséder, pour en coller un sur son visage.

— Très bien, nous dit-elle. Allez tous vous asseoir et restez tranquilles. Les docteurs vous appelleront lorsqu'ils seront prêts.

Lentement, chacun s'installa. Addie s'assit sur une chaise proche de la porte et Kitty prit place à côté de nous.

Lissa s'installa de notre autre côté, Ryan sur la chaise voisine. Il nous jeta un coup d'œil assez rapide. Nous n'avions pratiquement pas parlé de toute la journée.

Les infirmières apparaissaient trop tendues, et avaient réprimé tout chuchotement durant l'étude et surveillé de près notre table durant les repas.

Ryan avait touché notre épaule alors que nous sortions après le déjeuner, et comme Addie ne s'était pas immédiatement dégagée, il nous avait demandé, doucement, si nous allions bien. Ma sœur avait hoché la tête. Il nous avait doucement serré l'épaule avant de nous laisser avancer. Cela avait été notre seul échange.

Nous devions leur faire part de nos soupçons concernant Sallie. Il n'était plus seulement question d'un garçon. Cette procédure, cette *opération chirurgicale* avait eu lieu plusieurs fois. Et ni Jaime ni Sallie n'en étaient visiblement revenus. Même si les docteurs avaient prétendu qu'ils étaient rentrés chez eux.

Le Dr Wendle disparut dans l'une des salles d'examen. Le Dr Lyanne se tenait dans l'encadrement de la porte voisine. Elle soutenait son propre poids, sans même s'appuyer contre le mur ou le chambranle de la porte.

Eli gémit. Un frisson parcourut la salle, mais personne ne dit mot et seules quelques têtes se tournèrent pour le regarder.

« *Est-ce qu'il est… ?* » me souffla Addie.

— Cal a la trouille des piqûres, expliqua Kitty qui avait correctement interprété notre expression. Il pleure toujours quand on lui prend du sang.

— Cal ? s'étonna Addie.

D'un petit geste de la main, Kitty rejeta sa réponse, puis se reprit :

— Je… je voulais dire Eli.

224

— Tu veux dire que tu t'es trompée ? insista Addie en fronçant les sourcils. Tu as dit Cal, mais c'est Eli ?

Kitty considéra le petit garçon. Ses poings étaient serrés, ses petites jambes remontées sur sa chaise.

— C'est Eli, affirma-t-elle d'une voix étouffée mais certaine. C'est toujours Eli.

Le gémissement du petit garçon avait attiré l'attention du Dr Lyanne. Celle-ci l'observa du coin de l'œil, puis détourna le regard qu'elle laissa planer à travers la pièce, étudiant, tour à tour, chacun d'entre nous.

— Kitty, dit-elle en consultant son bloc-notes. Tu es la première.

Kitty quitta sa chaise pour suivre le Dr Lyanne dans la salle d'examen. Addie attendit que le Dr Wendle nomme quelqu'un à son tour, jusqu'à ce que les portes soient fermées. À Hally et Ryan, elle murmura :

— Il n'y a pas que Jaime.

— On sait, souffla Lissa.

— Quoi ? s'étrangla Addie. (Ryan haussa les sourcils pour la rappeler à la prudence, et elle baissa notre voix pour chuchoter :) Comment ça ?

— J'en ai discuté avec d'autres, expliqua Ryan. (D'un signe de la tête, il indiqua l'un des garçons les plus âgés à l'autre extrémité de la pièce.) Il y en a qui sont ici depuis des années. Ils ont vu d'autres gamins disparaître. Rentrer chez eux. Sauf que…

— Personne n'est vraiment rentré chez lui, compléta Addie.

Eli s'était remis à gémir. Le garçon blond assis à côté de lui posa une main maladroite sur son épaule, mais tous les autres firent semblant de ne rien remarquer. Eli avait été étrangement maladroit toute la matinée, ses pas étaient incertains, ses paroles rares et presque bafouillées, mais personne n'avait fait de commentaire.

— Il faut qu'on sorte d'ici, dit Ryan à mi-voix. Maintenant.

Il n'était plus question de l'endroit où nous irions. De ce que nous ferions. N'importe où serait mieux qu'ici. N'importe quoi aussi.

— Il y a forcément des failles dans cet endroit. Il y a toujours des failles. Il faut simplement qu'on les trouve.

« *Mais là, comme ça, on ne peut pas*, murmurai-je. *Pas dans l'état d'alerte où ils sont. Peut-être que la surveillance sera plus relâchée une fois que la Commission d'examen...* »

Lesdits membres de la Commission apparurent à la porte juste à ce moment-là, comme convoqués par mes pensées. L'infirmière de garde les fit entrer. Cette fois, M. Conivent ne les précédait pas. Au contraire, il suivait le groupe, chuchotant à l'oreille de l'homme auquel il avait déjà parlé au petit déjeuner.

Tous les enfants se voûtèrent légèrement. La moindre conversation passée fut instantanément oubliée. Comme ce matin, la Commission d'examen resta à une certaine distance de nous, à nous étudier en parlant d'une voix feutrée. De temps à autre, nous lancions un regard vers eux, et nous surprîmes d'autres gamins les observant aussi en douce. Mais personne ne les regardait pendant qu'ils nous regardaient.

Les minutes s'égrenèrent.

Lorsque l'une des portes des salles d'examen s'ouvrit enfin, le raclement de la poignée rompit le silence.

Kitty sortit la première et sursauta à la vue des hommes et de la femme dans leurs tenues sombres. Derrière elle, le Dr Lyanne continuait de noter quelque chose sur son bloc-notes.

— Eli ? appela-t-elle sans lever la tête.

Ce qu'elle fit toutefois l'instant suivant. Elle se figea, tout comme Kitty. La petite fille fut la première à se ressaisir, se dépêchant de reprendre sa place à côté de nous. Le Dr Lyanne fut incapable de bouger pendant un assez long moment, mais finit par se racler la gorge et répéta :

— Eli ?

L'intéressé secoua la tête.

— Allons, Eli, viens, l'encouragea le Dr Lyanne.

Elle tendit la main, mais ne quitta pas l'embrasure de la porte. Sa mâchoire était serrée, son timbre presque rauque.

— Non, répliqua Eli d'une voix où perçait la panique. (Il avait repris cette méfiance de chat sauvage que j'avais remarquée le premier jour.) Non, non, *non*.

La main de Kitty se glissa dans la nôtre. Elle ne nous regarda pas, ne regarda ni Eli, ni le Dr Lyanne, ni la Commission d'examen, et garda les yeux baissés sur ses genoux. Mais son étreinte était si forte qu'elle faisait mal. Il y avait un pansement à la saignée de son coude, et pour une quelconque raison, Addie ne pouvait s'empêcher de le fixer.

— Eli, lança M. Conivent, ce qui fit tressaillir Kitty.

Toute la Commission d'examen observait à présent ce petit garçon de huit ans qui refusait de se lever de sa chaise, qui refusait de faire ce que les adultes lui demandaient.

— Y a-t-il un problème ? s'enquit le Dr Wendle en ouvrant l'autre porte de la salle d'examen.

— Quelqu'un pourrait-il faire entrer ce garçon dans une salle ? répliqua calmement M. Conivent.

Il n'avait pas l'air en colère, ni même contrarié, ennuyé ou agacé. Mais son poing droit était serré le long de son flanc, et la tension se lisait sur son cou.

— Docteur Lyanne ? S'il vous plaît ?

La doctoresse s'approcha d'Eli, qui sauta de sa chaise. Toute la matinée, il avait été chancelant, tenant à peine sur ses jambes. Mais nous avions été distraites, nous ne l'avions pas observé d'assez près pour repérer le brouillard qui voilait son regard. Ce brouillard qui luttait contre sa méfiance, opposant des forces qui se disputaient son corps.

« Occupez-vous-en », avait dit M. Conivent le premier jour. S'agissait-il de cela ? C'était ça, *s'en occuper* ?

Eli fit un bond en avant, trébucha, tomba. Le Dr Lyanne le rattrapa, soit pour l'emmener dans la salle d'examen, soit pour l'empêcher de heurter le sol... mais quelle qu'en soit la raison, Eli hurla comme si elle l'avait coupé en deux. Elle recula d'un bond. Il réussit à se mettre debout, puis se mit à courir.

Addie agrippa notre chaise pour s'empêcher de sauter, de s'arracher de l'étreinte de la main de Kitty afin que nous puissions nous précipiter et récupérer Eli. Il s'était réfugié dans un coin de la salle, piégé entre les membres de la Commission et le Dr Wendle, qui avait abandonné sa salle d'examen pour lui courir après. Tout ce qui me vint à l'esprit, ce fut Lyle au cours de ses premières séances de dialyse. Il avait pleuré, pleuré et pleuré, les infirmières l'avaient réconforté, nos parents s'étaient efforcés de le distraire, Addie lui avait lu des histoires. Et maintenant, ce garçon, qui hurlait et donnait des coups de pied, était en train d'être *maltraité* par le Dr Wendle, et tout le monde se contentait de *regarder*...

— Laissez-le tranquille ! s'écria Addie.

Nous nous figeâmes. Ryan nous fusilla du regard. Mais les mots avaient été prononcés et Addie ne pouvait pas les ravaler.

M. Conivent se tourna pour nous dévisager, mais le Dr Wendle ne s'arrêta pas, il ne lâcha pas Eli, et avant que je comprenne ce qui se passait, nous avions sauté de notre chaise et traversé la salle. Ne voyaient-ils pas à quel point il était perturbé ? Ne pouvaient-ils donc pas faire preuve d'un peu de gentillesse ?

Quelqu'un nous rattrapa avant que nous ayons le temps de le rejoindre. C'était l'un des membres de la

Commission. L'homme qui parlait toujours avec M. Conivent. Sa poigne nous fit souffrir.

Il nous tira d'un coup sec, nous plaqua contre lui, et les premières paroles que nous entendîmes de sa bouche furent :

— Tu vas arrêter ça ? Tu vas te calmer, maintenant ?

Ses ongles étaient si profondément enfoncés dans notre peau que les larmes nous montèrent aux yeux. Nous ne pouvions pas voir son visage, seulement entendre sa voix dans notre oreille. Il nous fit nous retourner, le dos toujours contre son torse mais le visage dirigé vers les autres enfants.

Chacun d'entre eux nous observait. Chacun affichait une expression différente. Mais chacun était traversé par le même courant de peur. Ryan avait à moitié quitté sa chaise, mais s'était figé.

Lentement, silencieusement, l'homme nous ramena, Addie et moi, vers la rangée de sièges. Dans sa main, nous n'étions qu'une poupée en plastique aux couleurs artificielles. Toutes nos articulations étaient douloureuses. Il nous fit asseoir sur une chaise et nous restâmes stoïques lorsque Eli, coincé et capturé par le Dr Wendle et deux infirmières, fut transporté, gigotant et hurlant dans l'une des salles d'examen.

Chapitre 22

Kitty se tint tranquille cette nuit-là, après extinction des feux.

Elle se recroquevilla contre le mur, les genoux contre la poitrine, sa chevelure s'étalant comme une tache d'encre sur l'oreiller. En moins d'une demi-heure, sa respiration était devenue régulière.

Il nous fut impossible de fermer les yeux et, encore moins, de dormir. J'entendais des échos de voix qui n'étaient pas là. Les hurlements d'Eli. Les paroles des toubibs bourdonnaient dans nos oreilles. Ils n'avaient même pas fini le test. Ils avaient disparu quelque part avec Eli, laissant le reste des troupes avec une infirmière maussade qui nous poussait dans nos chambres en pestant contre ses horaires contraignants.

Personne n'osait sortir. Même si l'infirmière était partie et n'était plus assise dans la salle principale, quelqu'un pouvait entendre une porte qui s'ouvrait et… qui connaissait les conséquences ?

« *À ton avis, qu'est-ce qu'ils leur font ?* » demanda Addie.

Elle saisit le disque de Ryan dans notre paume et nous observâmes le lent clignotement lumineux. Peut-être qu'il nous rassurait.

230

Je n'eus pas besoin de lui demander qui étaient les « ils » dont elle parlait. *« Ils essaient de leur faire la même chose qu'à nous tous.*

— *Non*, souffla-t-elle. *Ils ont un plan différent pour Eli et Cal. Ils n'essaient pas seulement de les séparer. Il est très jeune et…*

— *Il est venu très jeune ici, parce que ses parents n'en voulaient pas »*, répondis-je.

La frustration d'Addie m'oppressait et je savais qu'elle ne lâcherait pas l'affaire. Mais avant qu'elle n'ait repris la parole, le disque dans notre main se mit à clignoter plus fort. Nous restâmes un moment à l'observer.

Puis, sans dire un mot, Addie rejeta les couvertures et sortit nos jambes pour poser les pieds sur le sol. Le carrelage glacé nous donna la chair de poule.

Kitty ne bougeait pas. Addie traversa la pièce, notre chemise de nuit rayonnante de blancheur sous les rayons de lune, nos plantes nues glissant sur le sol. Nous atteignîmes la porte et le jeton brillait d'un rouge continu.

Addie jaillit dans le couloir et se trouva nez à nez avec Ryan.

Elle plaqua son poing sur nos lèvres pour étouffer un glapissement de surprise. Ryan ne fut pas aussi rapide. Il proféra la première syllabe du nom d'Addie avant qu'elle colle notre autre main sur sa bouche, laissant tomber le disque. Heureusement, la moquette du couloir étouffa le bruit de sa chute.

Nous restâmes figés quelques secondes, coupant notre respiration, réfléchissant à toutes les excuses possibles au cas où quelqu'un aurait entendu et viendrait voir. Mais personne ne vint.

Ryan nous regarda intensément. Sa chevelure était ébouriffée, certaines de ses boucles aplaties, d'autres semblant défier les lois de la gravité.

Je pouvais sentir son souffle sur notre peau, le contour de ses lèvres dans les plis entre nos doigts.

Lentement, Addie écarta notre main de sa bouche. Elle ferma la porte derrière nous et Ryan en profita pour ramasser le disque.

Puis, sans un mot, sans même s'être concertés, Addie et Ryan se dirigèrent vers la salle principale.

Elle paraissait plus petite dans l'obscurité. Il n'y avait pas de fenêtres, et les seules sources lumineuses étaient nos diodes rouges. Nous prîmes place à une table, mais Addie et Ryan restaient toujours muets. J'aurais voulu dire des tonnes de choses. Je pouvais imaginer des tonnes de choses à faire si j'avais pu. Si seulement j'avais pu. Mais Addie était aux commandes et gaspillait son temps, figée dans le noir, à faire une tête d'enterrement.

— L'infirmière va bientôt venir nous examiner, murmura-t-elle enfin.

— Ça va prendre une heure, répondit Ryan en consultant sa montre.

Il semblait soulagé de pouvoir enfin dire quelque chose.

— Lissa a dit que l'infirmière venait tous les soirs à la même heure.

Addie hocha la tête. Et puis, avant que le silence ne s'installe à nouveau, elle lança :

— Au fait, qu'est-ce que tu voulais ?

— Pardon ? s'étonna Ryan.

Addie s'exprima d'un ton bref :

— Tu es venu dans notre chambre, tu dois avoir une raison. Si tu as quelque chose à dire, dis-le maintenant.

Le disque de Ryan claqua contre la table.

— Je n'ai aucune raison particulière. D'abord, je ne venais pas dans votre chambre, je passais par là.

Il désigna de la tête l'alcôve de l'autre côté de la salle.

— Il y a une seule salle de bains, ici.

Nous rougîmes. Addie se leva.

— Non, attends, reprit Ryan, avant qu'elle ne disparaisse dans le couloir. (Il se mit à son tour debout, lentement.) Je dis n'importe quoi, Addie. Je voulais savoir si tu allais bien.

— Tu n'arrêtes pas de me demander si je vais bien, répliqua-t-elle. Je vais *bien*. Tu vas bien. Hally et Lissa vont bien…

— Non, moi je ne vais *pas* bien, la coupa Ryan.

Malgré la faible lueur, je pouvais voir, et presque sentir la tension dans ses épaules. Ses sourcils froncés. Ses doigts crispés sur la chaise.

— Je n'ai pas de plan pour nous sortir d'ici. Et puis, où aller ? (Il soupira et farfouilla dans ses mèches en les hérissant davantage.) Plus j'observe cet endroit, plus j'en vois la déchéance. Ce soir, quand ce type vous a empoignées, Eva et toi… non, décidément je ne vais pas bien. Et si toi, tu vas bien, Addie, c'est sans doute que tu es plus forte que moi.

Si j'avais été aux commandes, je lui aurais dit que ce n'était pas son devoir de nous rendre libres. Qu'on trouverait un moyen, ensemble. Je lui aurais juré qu'on serait bientôt tirés d'affaire. J'aurais dit n'importe quoi pour gommer les rides d'inquiétude qui zébraient son front.

Addie regardait au loin, nos yeux glissant sur la moquette.

— Ne t'inquiète pas pour Eva et moi, dit-elle. Nous nous soutenons mutuellement.

— Plus pour longtemps, si les docteurs s'en mêlent, rétorqua Ryan.

Sa réflexion nous donna la nausée.

— Tu crois que je ne le sais pas ?

— Peut-être que… hésita Ryan. Peut-être que tu ne devrais pas faire ce que tu as fait aujourd'hui.

Addie se crispa.

— Ils le torturaient, pratiquement.

— Tu ne pouvais pas l'aider, souligna-t-il. (Il tournait et retournait le disque dans sa main, les épaules toujours rentrées.) Maintenant, ils vont te surveiller de plus près.

Addie ne dit rien, mais je la sentais bouillonner. Ses émotions faisaient trembler notre univers intérieur.

— Fais attention à vous, conclut Ryan, scrutant notre regard jusqu'à ce que Addie approuve de la tête.

Eli n'était toujours pas revenu dans le groupe le lendemain matin, à l'heure du déjeuner. L'infirmière servit quelques plateaux-repas supplémentaires sans offrir la moindre explication. Lorsque Hally demanda à voix haute où Eli pouvait bien être, personne ne lui répondit ni ne la regarda plus jusqu'à la fin du repas.

Après quelques heures, Eli n'arrivant toujours pas, mon attention se fixa sur un autre garçon. Celui qu'on avait vu ligoté sur un brancard, comme une momie dans ses bandages blancs, avec les yeux vides et les images *d'avant* et *après*.

En tout cas, personne ne nous avait dit qu'Eli était retourné à la maison. Je faisais semblant d'être rassurée.

— C'est comme ça que tout a commencé ? murmura Addie à Lissa à la fin de notre séance d'étude du soir.

Durant ces trois jours et demi, j'avais pu développer mon sens de l'orientation à Nornand. De toute évidence, nous revenions dans la salle que nous avions occupée la veille.

— Et Jaime ? Quand ils l'ont emmené, ça s'est fait aussi vite ? Il a tout simplement disparu ?

Addie et moi, nous étions en fin de file. Lissa, juste devant nous. Elle dut se retourner légèrement pour répondre, mais murmura si bas qu'on pouvait juste lire sur ses lèvres.

— Jaime, ils l'ont appelé et puis…

L'infirmière, qui jetait un regard par-dessus son épaule, ne pouvait pas nous entendre. Malgré cela, Lissa s'interrompit jusqu'à ce que la femme ait à nouveau tourné la tête.

— Ils l'ont sorti un jour de la salle d'études, et il n'est jamais revenu.

La file s'immobilisa devant la porte de la salle. L'infirmière n'essaya pas d'entrer, mais regarda sa montre en soupirant. Devon avait été le voisin de Kitty dans la salle d'études et ils étaient tous deux plantés devant cette porte, près de l'infirmière.

On faisait la queue dans le couloir, formant comme une ligne bleue sur une feuille de papier. Une étiquette sur le dos de notre blouse d'uniforme, collée près du cou. Nous avions la chair de poule, signe de la terreur permanente qui régnait à Nornand.

À la maison, nous serions en train de dîner avec Maman et Lyle. Le micro-ondes ronronnerait en chauffant les restes de la veille. Nous serions tous en train de suer à cause de la chaleur du four dans cet endroit trop petit. Lyle nous raconterait ses aventures de la journée et, si ça ne suffisait pas, il nous raconterait la journée d'avant et la journée d'avant la journée d'avant.

Je le revoyais encore devant le plan de travail, debout sur un tabouret, coupant les carottes avec une précision chirurgicale, les doigts repliés comme Addie lui avait appris.

Addie allait parler, lorsque la porte s'ouvrit brutalement.

Le Dr Lyanne émergea du bureau, une pile de dossiers sous un bras, une tasse rouge dans la main opposée, nous remarquant à peine au passage.

— Excusez-moi, grommela-t-elle en claquant la porte derrière elle.

Se figeant dans ses pas, elle avisa soudain la présence de la tasse dans sa main. Avec un gros soupir, elle battit rapidement en retraite dans son bureau. Lorsqu'elle réapparut, les dossiers et la tasse n'étaient plus là, et ses yeux semblaient plus clairs.

— Excusez-moi, les filles, répéta-t-elle, plus fort.

Cette fois, Lissa et Addie s'écartèrent.

— Docteur Lyanne, dit l'infirmière, provoquant un tressaillement de mâchoire chez la doctoresse. Pourriez-vous venir, s'il vous plaît ? Il est déjà sept heures et demie, et M. Conivent a dit que...

— Je vais voir où ils en sont, l'interrompit la doctoresse.

Elle enfila rapidement sa blouse en avançant vers l'infirmière. Ses talons claquèrent sur le sol carrelé. Addie et tous les autres la dévisageaient. Elle disparut dans la salle d'attente.

« *Vite ! Elle n'a pas verrouillé la porte !* » m'exclamai-je.

J'avais peur de devoir me répandre en explications, mais Addie avait compris. Elle observa brièvement autour d'elle, rencontra le regard de Lissa et s'introduisit dans le bureau du Dr Lyanne.

On pouvait reconnaître les dossiers à leurs étiquettes bleues.

Le bureau était petit et trapézoïdal, avec un plafond légèrement incliné et une grande fenêtre à son extrémité. Les derniers rayons du soleil filtraient dans la pièce, rebondissant depuis les tuiles du toit à l'extérieur. Le bureau personnel du Dr Lyanne était appuyé contre le mur du fond, près d'un meuble et d'une étagère, une pile de dossiers posée sur un coin.

— Addie, chuchota Lissa. (Elle l'avait suivie dans la pièce et ouvrait des yeux ahuris.) Qu'est-ce que tu fais ?

— Je veux savoir ce qu'ils ont fait à Eli et Cal, répliqua Addie.

Serait-il le prochain garçon sur la table d'opération ? Le prochain corps sur la civière, emporté à la hâte pendant que les autres restaient dans la salle d'études ou dans le réfectoire, à manger tranquillement le contenu des plateaux jaunes ?

Et peut-être que, si nous pouvions trouver les dossiers de Jaime Cortae ou de Sallie, nous découvririons où ils se trouvaient.

Que leur était-il arrivé maintenant que Nornand prétendait les avoir renvoyés chez eux ?

Addie traversa la pièce.

— Préviens-moi si quelqu'un arrive.

— Mais… ? répliqua Lissa.

« *Dépêche-toi, Addie*, murmurai-je.

— *C'était ton idée*, me fit-elle remarquer. *Et je me dépêche.* »

Nos mains tremblaient en fouillant dans les dossiers.

Bridget Conrad, la fille blonde avec les longues tresses. *Katherine Holynd…* Kitty ?

Arnold Renk…

Addie Tamsyn.

Addie hésita, mais je la remis sur le droit chemin. « *Pas le temps. Continue à fouiller. Ça doit être quelque part.* »

Elle leva les yeux. Lissa se tenait là-bas, dans l'entrebâillement de la porte, tournée vers le couloir. On pouvait voir ses mains s'agiter derrière son dos.

Addie finit de parcourir la pile. « *Je n'ai pas trouvé, Eva. Il n'y a pas non plus les dossiers de Jaime et de Sallie. Il n'y en a que neuf. Il en manque cinq.*

— *Et dans le meuble ?* » suggérai-je.

Addie s'exécuta sur-le-champ. Elle fouilla les dossiers et les sortit aussitôt pour vérifier les noms. Nos mains tremblaient tellement qu'elle pouvait difficilement remettre les documents à leur place.

« *Ça va durer trop longtemps. On n'aura pas le temps.*

— *Du calme*, lui répondis-je. *Continue à chercher.* »

Son angoisse s'amplifiait, me lardant de coups de poignard, mais elle fit ce que je lui conseillais et inspecta chaque dossier avant de le remettre en place.

« *Regarde celui-là, on en a déjà entendu parler* », lui dis-je.

Addie se figea. Nous décryptâmes l'étiquette.

Refcon.

La nuit où l'on nous avait emmenées. La scène dans la salle à manger avec l'expression désolée de Papa, les doigts crispés de Maman sur le dos de notre chaise. Et les mots de M. Conivent : « C'est ce qu'on appelle une drogue inhibitrice, une substance extrêmement contrôlée. Elle affecte le système nerveux. Elle inhibe l'esprit dominant. »

Addie, prenant appui sur nos talons, sortit le dossier du meuble.

Surveiller la porte d'entrée était presque devenu un tic nerveux. Mais Lissa ne bougeait pas de son poste, et nos yeux se jetèrent à nouveau sur le dossier. Il était usé, ses coins tout retournés d'avoir été manipulés. Addie l'ouvrit.

« *C'est juste, euh... des infos sur cette drogue*, résuma-t-elle en parcourant la première page.

— *M. Conivent parlait bien de ça, n'est-ce pas ? Ce que Hally a volé à l'hôpital de sa mère ? Cette drogue inhibitrice ?* »

Pourquoi cette feuille de papier indiquait-elle aussi *Vaccinations* ?

Addie parcourut le dossier. Les feuilles formaient un bloc épais de deux centimètres, certaines d'entre elles étaient imprimées sur papier officiel à en-tête, d'autres couvertes d'annotations écrites à la main. Addie s'énerva car un faux mouvement venait de faire tomber de nos genoux la moitié des papiers sur le sol.

Elle continua de proférer des jurons tout en récupérant les feuilles pour les fourrer à nouveau dans le dossier. Je priais pour que le Dr Lyanne ne soit pas trop à cheval sur son classement.

Un sentiment de déjà-vu nous envahit quand Addie mit la main sur une feuille ornée d'une photo agrafée au coin supérieur gauche.

BRONS ELI

Passant rapidement sur le paragraphe d'informations générales, nous nous plongeâmes dans le rapport lui-même.

Quelqu'un avait gribouillé des notes dans la marge et au-dessus du texte imprimé. Notre estomac se noua progressivement, une sensation qui nous accompagnait depuis que nous avions pénétré le bureau de la doctoresse. Mais maintenant, une nouvelle angoisse montait en moi. Moitié nausée, moitié douleur. Notre main pressa nos lèvres, puis nos dents. Nous nous mordions les lèvres. J'ignore si les larmes vinrent de cela ou de la douleur étalée dans le rapport d'Eli. Le secret reliant le Refcon, les vaccinations et les enfants rassemblés ici, à Nornand. Tous les enfants du pays.

« *Mon Dieu, Eva* », murmura Addie.

Un bruit lui coupa la parole. Un cri étouffé. Et puis, un crissement de semelles contre le carrelage.

L'espace dans l'embrasure de la porte était vide.

Lissa était partie.

Chaque nerf, chaque muscle, chaque tendon de notre corps se relâcha pour se tendre à nouveau comme un élastique.

Nous rangeâmes à nouveau le dossier dans le meuble.

Il nous fallait un endroit dans cette pièce, un endroit où se cacher, n'importe quel endroit. Il n'y en avait pas. Un seul regard le confirmait. D'ailleurs, on le savait depuis le début. Le bureau ressemblait à une table, on ne pouvait pas se cacher en dessous. Il n'y avait pas de rideaux à la fenêtre.

Le mieux à faire aurait été de ramper derrière le meuble, mais nous n'avions pas le temps.

La porte s'ouvrit.

L'homme qui nous avait attrapées dans la salle d'attente et dont les douloureuses empreintes de doigts marquaient encore notre poignet entra dans la pièce.

Chapitre 23

Pendant une fraction de seconde, un millième de seconde, nous restâmes immobiles. L'homme également. Sans quitter l'embrasure de la porte.

Nous ne hurlâmes pas.

Hurler. Une bulle de rire se forma à l'arrière de notre gorge. Comme si cela pouvait servir, aider à quelque chose.

L'homme s'adressa à quelqu'un derrière lui sans nous quitter des yeux.

— Amenez l'autre fille ici et que cette infirmière fasse sortir les autres patients du couloir.

Il avait parlé de ce même ton, bas et uniforme, que nous avions entendu la veille.

Il y eut un bruit de pas précipités sur le carrelage. Devon en train de crier.

Puis Lissa se retrouva dans la pièce avec nous, tirée sans ménagement par la femme de la Commission d'examen.

Nous pouvions voir ses ongles enfoncés dans l'épaule de Lissa.

La porte claqua derrière elles.

— Allez chercher Conivent, ordonna l'homme.

La femme acquiesça, relâcha Lissa et sortit. Il n'y eut plus que nous, Lissa et cet homme, dans le bureau du Dr Lyanne.

Il nous observait, son regard passant d'Addie/Moi à Lissa.

Il n'était pas plus grand que M. Conivent.

Pas plus large d'épaules, ni plus gros. Il était habillé comme s'il se rendait à l'opéra. Chemise avec boutons de manchettes, gilet noir, pantalon au pli impeccable, souliers noirs. Notre poignet palpitait au souvenir de son contact. Et notre poitrine nous faisait mal, rien qu'à voir l'expression de son visage, une expression qui disait très clairement que quelle que soit la situation, quoi que nous ayons fait, quoi que nous *pensions* accomplir, nous n'arriverions jamais, jamais, jamais à gagner contre lui.

Nous pourrions nous battre jusqu'au sang qu'il gagnerait encore.

Et à l'issue du combat, il serait toujours aussi présentable et tiré à quatre épingles.

— Jenson ? dit M. Conivent en ouvrant la porte.

Ce qui nous permit d'entrevoir le couloir qui, maintenant, était vide.

L'homme, M. Jenson, donc, ne se retourna pas vers lui.

— Vous disiez que ce bâtiment était sûr, Conivent, que les *patients* étaient en sécurité, que personne ne pourrait être porté disparu dans *cet* hôpital.

Même quand il appuyait certains mots, son ton ne changeait pas. Ni son expression, où rien n'avait tressailli.

— Quel phénomène étrange a permis à celle-ci d'entrer ici ?

Il devança la réponse.

— À qui est ce bureau ?

Il y eut une pause des plus brèves avant que Conivent n'ouvre la bouche, mais une autre voix parla à sa place.

— C'est le mien.

Le Dr Lyanne était apparue dans l'encadrement de la porte.

Elle observait M. Conivent. Il la regarda. Puis, d'un geste du bras, il lui fit signe d'entrer. Le bureau, qui n'était pas bien grand, semblait plein à craquer, même si personne ne se touchait.

— Fermez la porte, commanda Jenson.

Ce qui fut fait aussitôt.

M. Conivent demeura de l'autre côté.

Chaque souffle puisé dans nos poumons tranchait comme une scie.

— Le règlement de cet établissement n'exige-t-il pas que votre bureau soit fermé à clé en cas d'absence ? tonna Jenson.

— Je ne me suis éclipsée qu'un instant, répondit le Dr Lyanne. (Sa voix était calme, mais froide.) Je pensais revenir bientôt.

— L'infirmière de service est tout aussi fautive, dit Jenson.

Ses yeux qui nous fixaient se détachèrent enfin pour regarder le Dr Lyanne. Ce fut comme d'être libéré d'un poids écrasant, comme refaire surface du fond de l'océan.

— Ce que j'aimerais savoir, c'est ce que ces patientes venaient faire dans votre bureau.

Le Dr Lyanne nous dévisagea.

— Pourquoi ne pas leur poser la question ?

— Elles mentiraient, rétorqua Jenson. Ce serait une perte de temps.

Les yeux du Dr Lyanne se déplacèrent alors vers la pile de dossiers en papier kraft posée sur son bureau. Je me rendis compte, avec un sursaut dans l'estomac, que nous les avions rassemblés à la hâte au lieu de bien les empiler. La doctoresse nous dévisagea à nouveau et porta son regard sur le classeur à tiroirs. Sans mot dire, elle s'en approcha et entreprit de les ouvrir. Il n'y en avait que deux. Quand elle fit coulisser celui du haut, elle aperçut le dossier posé sur le dessus, celui que nous n'avions pas eu le temps de reclasser.

J'essayais toujours de trouver quelque chose à dire.

Une échappatoire… il nous aurait suffi de bousculer le Dr Lyanne, de saisir la main de Lissa, pour *filer*.

Le Dr Lyanne leva les yeux vers nous.

— Donnez-moi ça, exigea Jenson.

Elle prit le dossier et le lui tendit. Il l'ouvrit et le parcourut pendant qu'Addie/Moi et Lissa l'observions en silence. À chaque instant, je souhaitais simplement mourir, tellement la peur de l'inconnu nous rendait malades au point de paralyser notre respiration.

Finalement, l'homme releva la tête et scruta notre visage.

Le rapport sur Eli s'était trouvé sur le dessus. Il l'avait maintenant dans les mains et nous observait attentivement pendant que nous essayions, *essayions* de garder une expression neutre, sans y parvenir. La pièce s'opacifiait. La chaleur nous picotait la peau.

— Un cas intéressant, déclara-t-il.

— C'est dans les vaccins, lâcha Addie, et la pièce se brouilla davantage.

Nous luttions pour ne pas cligner les yeux, parce que nous aurions pu pleurer… vraiment commencer à pleurer… ce qui aurait été un autre signe de faiblesse devant cet homme qui n'en montrait absolument aucun.

Le Dr Lyanne se redressa. Lissa était toujours près de la porte, si calme et immobile qu'elle aurait pu faire partie des meubles. Mais son regard était rivé sur nous. Pas sur l'officiel de la commission. Pas sur le Dr Lyanne. Sur nous.

Nous relâchâmes le bord du classeur à tiroirs.

— Ces vaccins que chaque nourrisson doit recevoir… vous avez mis quelque chose dedans…

Nos respirations restaient coincées dans notre gorge. Il fallait faire une pause pour attraper de l'air. Une larme tomba.

— Pour tuer l'une des âmes. Pour les empêcher d'être hybrides…

L'hybridité était génétique. Tout le monde savait cela.

Mais dans le reste du monde… dans le reste du monde, les hybrides étaient tellement prédominants, et il y en avait si peu ici, que nous avions toujours cru… que nous avions toujours cru qu'il s'agissait d'un phénomène génétique, une race qui engendre la même race, comme on nous l'avait enseigné en biologie. Mais ce n'était pas cela *du tout*…

— Ça ne se passe pas ainsi, affirma le Dr Lyanne. Dans ce pays, la plupart des gens perdent quand même leur âme récessive. Les vaccins ne font que… que faciliter le processus…

— Ils sont *mauvais*, cria Addie. C'est du poison. Vous nous empoisonnez tous. (Nous fixions Jenson à travers notre regard brouillé mais ferme.) Et quand ça ne marche pas… quand vous tombez sur quelqu'un comme Eli, ou Cal, ou nous… alors vous nous encerclez, vous nous rassemblez et vous en remettez une couche. Parfois, c'est même vous qui choisissez celui ou celle que vous avez envie de faire mourir.

Il y avait des âmes dominantes et des âmes récessives. Choisies avant la naissance. C'était inscrit dans notre ADN. Un *processus naturel*, n'avait cessé de souligner notre conseiller d'orientation durant toutes ces séances. Un processus inchangeable. Immuable.

Qui ne devait en aucun cas être modifié par les docteurs opérant dans ces couloirs glacials, sous d'aveuglantes lumières blanches.

— Qui a décidé qu'Eli n'était pas adapté à la société ? demanda Addie au Dr Lyanne. Qui a décidé qu'il n'était pas assez bon ? Qui a dit à Cal qu'il devait prendre sa place et répondre à un faux nom pendant toute sa vie ? Vous ?

Il me sembla voir le Dr Lyanne tressaillir. Addie devait l'avoir remarqué aussi, car elle bomba le torse.

— As-tu autre chose à ajouter ? demanda Jenson.

Il gardait un tel sang-froid que son attitude transpirait l'ennui.

— Qui est au courant ? demanda Addie à voix basse. Pas mes parents... Je suis sûre que non. Personne, hormis les gens comme vous, n'est-ce pas ?

Nous toisions Jenson, qui soutenait notre regard sans ciller.

Après cela, il fit venir les agents de la sécurité.

Ils nous enfermèrent d'abord dans notre chambre, afin que nous ne puissions pas voir ce qui se passait plus loin dans le couloir. Nous entendîmes juste Lissa hurler de terreur et une porte claquer... et Lissa qui n'arrêtait pas de hurler.

— Lissa ? appela Addie. (Nous frappâmes contre la porte, puis contre le mur qui nous séparait d'elle.) Lissa ? *Lissa ?*

Elle ne répondait pas. Elle sanglotait et nous pouvions l'entendre à travers la cloison, mais elle ne nous parlait pas et nous ignorions ce qui s'était passé, ce qu'ils lui avaient fait.

— Lissa ?

La poignée de porte grinça dans notre main, mais ne tourna pas.

— Ouvrez la porte ! hurla Addie. Qu'est-ce que vous avez fait ? Qu'est-ce que vous *lui* avez fait ?

Personne ne vint. Lissa continuait de pleurer. Nous marchions de long en large d'un bout de la pièce à l'autre, dans un incessant aller-retour, mais il n'y avait *rien*, aucune voie de sortie.

Aucun moyen de la rejoindre.

« *Sauf la fenêtre* », soufflai-je.

Addie n'hésita pas une seconde. Elle s'empara de la petite table de nuit en bois qui se trouvait à côté de notre lit, et fracassa la vitre. Le carreau explosa en une pluie de débris jaillissant en tous sens, tombant avec fracas dans la cour en contrebas. En sortant le bras, nous vîmes que nous pouvions atteindre la fenêtre de Lissa. D'un élan violent qui faillit nous faire lâcher la table de nuit, nous fîmes aussi voler sa vitre en éclats. Il n'y avait pas de moustiquaire. Ces fenêtres n'étaient pas censées s'ouvrir.

Il n'y avait pas d'alarme non plus, même si je ne me fis cette réflexion qu'en enjambant le rebord.

Le vent nous fouetta les cheveux. Nous nous étions débarrassées de la plupart des morceaux de verre qui dépassaient des côtés et du bas de la fenêtre, mais nos jambes et nos mains étaient en sang lorsque nous trouvâmes un endroit où poser nos pieds à l'extérieur du bâtiment.

Le ciel, couleur pêche et crème, était simplement percé en son centre d'un paresseux tourbillon géant de framboise sanglante.

Nous évitions de regarder en bas. À deux étages au-dessus du sol, une partie de moi fut prise d'un rire hystérique. Ça sortait tout droit des livres d'aventures de Lyle. Mais dans ses romans, personne ne mourait jamais en tombant du rebord d'une fenêtre en tentant de sauter à travers une autre ouverture située à un mètre de là. Nous ne bénéficions pas d'une telle garantie.

En retenant notre respiration, nous lâchâmes notre prise d'une main pour attraper la fenêtre de Lissa. Lançant un pied vers le chambranle, nous poussâmes très fort de l'autre et atterrîmes dans la chambre de Lissa, maculées de coupures sanguinolentes, mais plus ou moins intactes.

Lissa hoqueta de surprise. Elle avait des larmes plein les joues, la bouche ouverte mais tombante, et ses lunettes de travers.

Elle nous observa sans paraître nous voir lorsque nous lui lançâmes d'une voix rauque :

— Tu vas bien ? Tu vas bien ? Est-ce qu'il t'a fait mal ?

Chapitre 24

Sur les bras de Lissa, il y avait des marques rouges, à l'endroit où l'agent de la sécurité l'avait empoignée, et une coupure sur la main dont j'ignorais l'origine. Mais à part cela, elle avait l'air d'aller bien et nous n'aurions pu deviner pourquoi elle avait tant lutté et hurlé jusqu'à ce qu'elle se jette dans nos bras en criant :

— Je suis la prochaine sur la liste. Ils vont nous *trancher* !

— Quoi ? dit Addie, la prenant par les épaules.

Lissa tremblait.

— L'homme de la Commission d'examen. Il a dit... Oh, mon Dieu ! Addie ! Mais tu *saignes*. La *fenêtre*.

— Oublie la fenêtre, répliqua Addie.

Jamais je n'avais entendu notre voix s'exprimer avec une telle dureté, une telle férocité, une telle froideur. Jamais de toute notre vie.

— Qu'est-ce qu'il a dit ? Exactement.

— Il a dit que nous serions une bonne candidate pour l'opération chirurgicale, répondit Lissa.

Nous sentions nos mains et nos jambes pulser à l'endroit où le verre nous avait coupées, mais hormis l'entaille dans notre paume, rien ne semblait trop profond. Addie s'effondra sur l'un des lits, maculant les draps de notre sang.

— Ils ne peuvent pas… lança-t-elle dans un souffle révolté. Pourquoi toi ? Pourquoi pas nous ? C'est nous qui… C'est moi qui ai vraiment…

Lissa était restée debout. Ses larmes s'étaient maintenant calmées, remplacées par une sorte de chaleur que diffusaient ses yeux et sa voix lorsqu'elle dit :

— Addie, Addie, *regarde-moi*.

Ce que nous fîmes. Et nous vîmes ses grandes lunettes à monture noire ornées de strass, ses épais cheveux bouclés, ses longues mains, ses petits pieds et son nez pointu.

— Addie, reprit Lissa d'une voix lasse, tellement lasse. Mon père n'arrive pas à trouver un job décent parce que personne ne veut l'embaucher. Les parents de ma mère envoient de l'argent parce qu'ils en ont suffisamment pour pouvoir le gaspiller, et qu'ils ont un minimum de conscience, mais je n'ai jamais rencontré qui que ce soit de ce côté de la famille. Ils n'ont jamais voulu nous connaître.

Elle était finalement venue s'installer à côté de nous sur le bord du lit, mettant le drap en boule et le pressant contre notre main pour arrêter le saignement. Addie tressauta, mais ne retira pas notre main.

— Addie, tu ne comprends donc pas ? Ils estiment que nos vies n'ont aucune valeur parce que nous sommes hybrides, mais en ce qui nous concerne, c'est pire que ça. S'ils t'opéraient, toi, quelqu'un pourrait encore se manifester. Si tes parents protestaient et menaçaient de faire des histoires, il y aurait une petite chance qu'ils soient écoutés. (Elle reprit sa respiration en tremblant.) Mais nous ? Ou Devon ? Ou Ryan ? Personne ne s'inquiéterait pour nous.

Personne ne s'inquiéterait pour une enfant hybride, de surcroît à moitié étrangère. Le gouvernement pourrait faire tout ce qu'il veut, et personne ne trouverait à y redire. Ils pourraient anéantir les Mullan, les expulser de leur maison, leur prendre jusqu'à leur dernier centime, les jeter en prison pour une raison futile, et personne ne réagirait, personne ne poserait de questions. Ce serait même presque attendu. J'entendais déjà les chuchotements, le soulagement.

J'ai toujours su qu'ils cachaient quelque chose, dirait-on. *Je n'arrêtais pas de le dire, vous vous rappelez ? Une famille comme ça… ça cache forcément quelque chose.*

— C'est dingue, commenta Addie. C'est complètement dingue.

Je ne me rappelais pas la dernière fois où Addie avait serré dans ses bras quelqu'un d'autre que nos parents ou Lyle. En tout cas, pas volontairement. Mais à présent, elle étreignait Lissa.

— Je n'aurais pas dû t'entraîner là-dedans, s'excusa-t-elle, le nez dans son épaule.

— Hé, répondit Lissa avec douceur. Mais c'est moi qui t'ai entraînée là-dedans.

À cet instant précis, alors que notre menton était posé sur l'épaule de Lissa, nous regardâmes à travers la fenêtre explosée et aperçûmes une infirmière, dans le bâtiment de l'autre côté de la cour. Une infirmière qui nous observait. Nous étions trop éloignées pour distinguer clairement son expression, mais nous devinâmes immédiatement l'utilisation du talkie-walkie noir, au reflet renvoyé par un mouvement de son poignet.

De toute évidence, elle lançait l'alerte.

Addie se rejeta en arrière.

Lissa sursauta, puis se retourna pour suivre notre regard.

— Tu dois retourner dans ta chambre, dit-elle, avant de se moquer du ridicule de sa suggestion.

Comme si cela suffirait à réparer l'état des fenêtres, de nos mains et de nos jambes.

« *Colle le lit contre la porte* », soufflai-je, et Addie bondit sur nos pieds, relevant Lissa avec nous. Nous grimaçâmes. Notre main saignait toujours. Mais on n'avait pas le temps de s'occuper de ça.

— Aide-moi à le déplacer.

Addie attrapa l'une des extrémités du lit en essayant d'ignorer la nouvelle pointe de douleur.

— Vite.

Le cadre en acier était plus lourd qu'il n'en avait l'air et chacun des pieds grinça sur le sol. Nous avions à peine la force de pousser le sommier, et lorsqu'il fut enfin plaqué contre la porte, Addie était essoufflée. Quand elle lâcha le cadre du lit pour dégager nos cheveux de notre visage, j'essayai de ne pas faire trop attention aux empreintes sanglantes que nous avions laissées sur le métal.

— Maintenant, l'autre, décida Addie.

Et bientôt, le second lit se retrouva bloqué contre le premier.

— Qu'est-ce qu'on fait maintenant ? demanda Lissa.

Oui, et maintenant ? Les lits étaient contre la porte, mais cela ne ferait que les empêcher d'entrer... et très provisoirement.

Addie courut jusqu'à la fenêtre. Retourner dans notre chambre ne servirait à rien. La porte aussi était fermée à clé. Nous étions à deux étages du sol, un sol en béton dur et redoutable. Nous pourrions peut-être briser la fenêtre de l'autre côté de la chambre de Lissa et essayer de sortir par là, mais au moment même où Addie s'apprêtait à saisir l'une des tables de nuit, nous entendîmes le bruit très reconnaissable d'une porte que l'on déverrouillait. Celle de la chambre de Lissa.

Impossible de fuir par le bas. Inutile de tenter les côtés.

Un souvenir confus flottait dans mon esprit. Quelque chose que j'avais vu... que nous avions vu... dont il fallait que je me souvienne.

Quelque chose d'important.

— Addie... supplia Lissa tandis qu'on martelait la porte en hurlant

— *Ouvrez ! Écartez-vous de la porte !*

251

— Addie ! reprit Lissa d'un ton plus pressant.

Puis la mémoire me revint. Le premier jour, avant d'entrer dans les salles aseptisées de Nornand, nous avions vu des ouvriers sur le toit.

« *Par en haut*, dis-je. *Est-ce qu'on peut monter ?* »

Addie sortit notre tête par la fenêtre et tendit notre cou. Oui… Oui, on pourrait peut-être. Il y avait un petit surplomb, pas très éloigné, juste au-dessus de la fenêtre, et si nous étions prudentes, très, très prudentes, nous pouvions l'atteindre et, de là, nous hisser sur le toit.

C'était dix fois plus délirant que de passer de notre chambre à celle de Lissa, mais maintenant que nous connaissions le sort réservé à notre amie, pourquoi attendre qu'ils viennent la chercher ?

— Viens. (Addie lui attrapa prestement la main.) On va grimper.

— Où ça ? s'écria-t-elle.

— Sur le toit, répondit Addie d'une voix grave tandis que le martèlement contre la porte devenait plus fort, plus régulier, comme des coups de bélier.

Les lits grinçaient sur le sol, se rapprochant peu à peu vers nous.

— Et qu'est-ce qu'on va faire une fois là-haut ? demanda Lissa en nous considérant avec de grands yeux. On va se retrouver coincées.

Addie lui parla des hommes que nous avions vus le premier jour, s'efforçant de lui expliquer aussi vite qu'elle le pouvait.

— S'ils ont réussi à monter, ce n'était certainement pas en cassant des fenêtres. Donc, il doit y avoir un autre accès.

— Ils avaient peut-être une échelle, soupçonna Lissa. Et s'ils nous bloquent tous les moyens d'atteindre le sol ? Et puis, on ne peut pas abandonner mon frère…

La porte était maintenant ouverte sur une bonne dizaine de centimètres.

« *C'est pas le moment de discuter* », dis-je.

— On n'a pas d'autre solution, lança Addie. J'y vais la première. Ensuite, je te tirerai. Lissa... Lissa, écoute-moi.

— Mais Devon et Ryan...

— Lissa, cria Addie. Lissa, ils voudraient que tu partes. Tu ne pourras les aider que si tu sors d'ici.

Lissa lança un dernier regard vers la porte, les lèvres pincées, puis hocha la tête. Addie prit une profonde inspiration.

Nous priâmes pour que la dernière chose qu'il nous soit donné de voir sur cette terre ne soit pas cette aile de la Clinique psychiatrique Nornand pendant que nous plongerions vers le sol.

— Fais attention, murmura Lissa tandis qu'Addie sortait doucement par la fenêtre.

Nous n'avions jamais été très athlétiques. Nous n'avions jamais pratiqué aucun sport, ni couru sur des pistes, ni même dansé. Ce que nous avions souvent fait, étant gamine, c'était grimper aux arbres. J'adorais ça, j'adorais la couleur des feuilles, la rugosité de l'écorce, l'odeur de la sève et de la terre, et la lumière du soleil dans le parc.

Je fis comme si nous étions en train de grimper à un arbre lorsque Addie agrippa le surplomb qui se trouvait bien au-dessus de notre tête et serra nos dents quand notre paume blessée s'écorcha davantage contre le béton.

Nous allions surtout devoir compter sur la force de nos bras pour nous hisser. Nous qui, en cours de gym, n'avions jamais été capables de réussir une seule traction. Ceci dit, nous n'avions jamais eu une équipe d'agents de sécurité prêts à enfoncer une porte pour nous obliger à le faire. Et alors que je chuchotais des encouragements, priai et espérai, Addie lança notre autre main, serra le surplomb de toute notre force, et s'élança vers le haut en poussant avec nos pieds.

Il y eut un terrible moment d'apesanteur. De suspension dans l'air. D'incertitude, de mouvements désordonnés de nos bras, nos coudes, nos doigts, pour prendre appui sur les tuiles. De panique aveugle et de sentiment que c'était la fin. Et puis nous arrêtâmes de glisser. Addie s'accrocha. Et avec une torsion qui fit hurler nos muscles, elle nous hissa sur le surplomb.

Le ciel était un festival de couleurs. Du violet. Du rouge. Mais ce n'était pas le moment de s'y perdre. Nous avions à peine le temps de reprendre notre respiration.

— Lissa ! hurla Addie, le bras tendu vers le bas. Attrape ma main !

Nous la soulevâmes d'un coup sec juste au moment où la porte de la chambre volait en éclats.

Le vent nous fouettait le visage pendant que nous courions sur le toit à toute vitesse, chassant la sueur de notre front, de nos sourcils, de notre cou. Chaque pas claquait. Chaque respiration brûlait. Mais nous ne pouvions pas nous arrêter. Il nous fallait trouver un moyen de descendre. N'importe quel moyen.

Le toit semblait immense, et il n'était pas plat partout. Nornand était un bâtiment aux angles bizarres, aux étranges protubérances qui dérobaient certaines parties de la toiture à notre vue. Nous n'avions pas très envie de nous pencher pour regarder en bas, mais nous étions obligées de le faire si nous voulions trouver un accès de secours en cas d'incendie, une échelle intégrée ou autre chose.

« *Là*, dis-je. *Là, sur la gauche. C'est quoi ?* »

Quelque chose lançait des éclats dans la lumière du soleil qui diminuait. Quelque chose de métallique.

Addie fonça, mais Lissa fut plus rapide.

C'était une trappe. Une trappe en métal qui permettait d'accéder à l'intérieur du bâtiment.

Et juste au moment où Lissa se penchait pour attraper la poignée, le battant s'ouvrit brusquement et un agent de sécurité en surgit.

Lissa s'écarta en titubant et fit demi-tour pour courir vers nous, mais elle ne fut pas assez rapide. Le vigile la saisit par la taille. Elle hurla. Nous plongeâmes sur le corps de l'homme, qui grogna sans paraître trop incommodé.

— Lâchez-moi ! lança Lissa.

Elle se débattait, agitant les jambes, multipliant les ruades.

— Quelqu'un vient m'aider ? cria l'agent.

Le toit se mit à résonner de bruits de pas pressés. Un autre homme, puis deux autres nous encerclèrent. Vêtus de noir. Le visage dur.

— *Arrêtez*, fulmina Lissa. *Lâchez-moi !*

— Calme-toi, dit l'un des nouveaux venus. Personne ne te veut du mal.

Il nous dévisageait, Addie et moi, tout en parlant et en s'approchant de plus en plus près.

Nous reculâmes. D'un pas. Puis de deux.

— Lâchez-la, dis-je, en désignant Lissa. Vous lui faites mal.

— Pas du tout, assura l'homme.

Un autre pas vers nous. Un autre. Un autre.

Lissa hurla. Je tressaillis, tandis qu'Addie reculait maladroitement sur presque un mètre. Et je découvris la sensation d'une absence soudaine de résistance, le choc haletant d'un rien. Du vide.

Notre tête se retourna. Nous nous agitâmes pour reprendre l'équilibre.

— Addie ! hurla Lissa.

Le ciel était d'un violet profond, très profond.

J'avalai une dernière bouffée d'air.

Et je sentis les doigts de l'agent de sécurité se glisser dans les nôtres juste au moment où nous dégringolions du toit, le dos tourné vers le vide.

Chapitre 25

Hé. Hé, tu te rappelles ?

Tu te rappelles quand on avait sept ans, ces gamins qui nous avaient enfermées dans une malle ?

On jouait à cache-cache, tu t'en souviens ? Et ce gamin... C'était quoi, son nom, déjà ? Il nous avait dit de nous cacher dans la malle car personne n'aurait jamais l'idée d'y aller voir.

Il avait raison, pas vrai ?

Personne ne nous a trouvées.

Et ça a duré des heures.

Réveil. Pression. Pression et douleur dans notre tête. Vertige. Nausée. Nous essayâmes de bouger... Lissa et Hally.

L'homme avait attrapé Lissa et Hally. J'essayai de bouger. Tout était trouble.

— Lissa ? appelai-je.

Des mains nous repoussèrent pour nous allonger, nous maintenir immobile. Nouvel éclair de douleur. Quelque chose nous enfonçait, nous immergeait dans l'obscurité. *Chut. Chuuut...*

Je m'éveillai, tirée d'une obscurité pour sombrer dans une autre. Il me fallut un moment pour me rappeler ce qui s'était passé.

Des souvenirs d'aujourd'hui se mélangeaient avec ceux d'hier et des jours précédents, tel un poisson d'argent visqueux dans une mare glauque. Difficile de réfléchir… à peine formées, les pensées se dissipaient. Mais une idée fixe persistait à travers ce fatras.

Lissa. Les hommes en uniforme noir se rapprochant sur le toit, l'un d'entre eux l'empoignant tandis qu'elle hurlait et se débattait.

Je me redressai brusquement, et faillis crier lorsque la migraine frappa, poing de pierre contre notre crâne. Notre souffle était court, notre tête cognait. Chaque battement de cœur injectait une autre secousse de douleur qui nous faisait trembler.

Nous n'étions pas dans notre chambre. Quelque chose se froissa sous nous. Du papier.

J'agrippai notre tête et tâtonnai maladroitement la table d'examen, manquant m'écraser sur le sol froid. Nos doigts pressèrent quelque chose de cotonneux et de doux sur notre tempe droite. Un pansement. Je grimaçai. Il y avait d'autres bandages sur nos jambes, un autre de notre main gauche et…

Et celle qui bougeait, c'était *moi*.

Addie…

Oh, mon Dieu, non…

« *Addie*, hurlai-je. *Addie !* »

Elle répondit.

« *Je… Je suis là.* »

Nous étions accroupies sur le sol, nous assurant l'une l'autre que tout allait encore bien, que nous étions toujours vivantes, présentes et *là*. Le bandage se déchira sur notre peau lorsque nous l'arrachâmes, et nous pleurâmes presque lorsque nos doigts rencontrèrent la plaie ouverte qui se trouvait dessous.

Juste une blessure. Pas d'agrafes. Pas de chirurgie. Je poussai un soupir de soulagement.

— Lissa ? chuchota Addie.

Pas de réponse. La douleur s'estompa suffisamment pour nous permettre de tenir debout et de garder l'équilibre. D'un coup d'œil, nous aperçûmes la grosse lumière sur son support articulé, les moniteurs, les plateaux d'argent abandonnés. La table d'examen.

C'était une salle d'opération.

« *Sors d'ici*, dis-je. *File, file Addie. Vite !*

Elle s'avança en trébuchant vers la porte et l'ouvrit.

Le couloir était sombre, uniquement éclairé par les lumières de secours. Addie regarda à droite, puis à gauche, bloquant de l'épaule la porte ouverte. La lumière ténue et blafarde n'éclairait pas loin. L'obscurité se dressait à chaque extrémité du couloir. Hormis un faible bourdonnement, tout était calme et tranquille.

Addie sortit dans le couloir et ferma doucement la porte.

Ce corridor nous était inconnu.

« *Quelle direction ?* »

Je n'avais guère de réponse à lui apporter. C'était difficile de bien réfléchir. Notre tête cognait. La nausée revenait en lourdes vagues. Et toujours, ces élancements de douleur dans la main.

Addie hésita, puis partit à droite. Le silence réverbérait notre respiration, le froissement de nos vêtements, le bruit de nos pas sur le carrelage. Nous passions devant des portes, de chaque côté du couloir. Comme une haie de gens. Comme des soldats.

Lissa était-elle dans l'une de ces chambres ? Et Ryan ? Est-ce qu'ils l'avaient pris, lui aussi ? Addie vérifia le disque toujours caché dans notre chaussette, mais l'objet restait froid et muet. Où qu'il soit, Ryan n'était pas proche de nous.

S'il s'agissait du deuxième étage, c'était une aile que nous n'avions jamais vue auparavant. Les murs semblaient différents, encore plus dénudés. Peut-être à cause de cette lumière trop tamisée. Les portes, en revanche, étaient en métal, pas en bois comme celles à proximité du Pavillon, et il n'y avait pas de fenêtres.

Addie ne détachait pas son regard de l'une d'elles, comme si la scruter assez longtemps la ferait s'ouvrir sur Lissa.

Sur la gauche, il y avait quelque chose qui ressemblait à un petit haut-parleur et deux boutons noirs. Un peu plus loin, un autre bouton rouge en forme de triangle. La porte en elle-même était unie, à part le B42 inscrit en haut du cadre et un petit panneau rectangulaire à hauteur des yeux.

Au-dessus de la poignée, un clavier numérique remplaçait la serrure habituelle.

« *Je pense que ce panneau est une fenêtre* », devinai-je.

Addie approuva de la tête. Elle attrapa la poignée en métal. Elle était froide dans notre paume. S'il avait fallu inspecter chacune de ces chambres pour retrouver Lissa et Hally, nous l'aurions fait.

Mais il y avait tellement de chambres. Et par où commencer nos recherches ?

Nous déglutîmes.

« *Prête ?* demanda Addie.

— *Prête.* »

Elle tira. Le panneau coulissa doucement, révélant une vitre.

Nous ne vîmes d'abord rien d'autre qu'un minuscule point de lumière dans l'obscurité. En plissant les yeux, nous comprîmes qu'il s'agissait d'une petite veilleuse, une veilleuse d'enfant en forme de voilier. Elle illuminait le coin de la pièce le plus éloigné de la porte, mais la chambre n'était pas grande et bientôt, nos yeux accoutumèrent et nous discernâmes le lit.

Et le garçon assis dessus.

Il avait la tête penchée, les épaules légèrement voûtées.

Ses jambes frêles pendaient au bord du matelas. Il nous était difficile de distinguer clairement son visage, mais nous y voyions suffisamment pour dire que…

« *Il dit quelque chose*, chuchota Addie. *Tu as vu ? Il remue les lèvres.* »

Mais quoi que puisse marmonner le garçon, jamais le son n'arriverait à traverser une porte si épaisse.

« *Le haut-parleur* », comprit Addie. Elle tendit le bras vers le grillage circulaire et ses petits boutons.

Aucun n'était étiqueté. Elle pressa celui de gauche avant que je ne puisse protester.

Immédiatement, une voix de garçon nous parvint :

« … Et… euh. Et, euh, ils, le… le jour d'avant. Avant-hier. Nous… nous, euh… encore. Encore, et, euh… quand ils… »

Addie enfonça de nouveau le bouton, coupant la voix du garçon.

Pendant un moment, aucune de nous ne parla.

Nos yeux passaient de la petite fenêtre au garçon qui continuait de marmonner à l'intérieur.

« *Est-ce qu'avec l'autre bouton on peut parler ?* » demandai-je.

C'était le cas. Il y eut un petit craquement sec lorsque Addie appuya dessus, mais ce fut tout.

— Allô ? chuchota-t-elle.

À l'intérieur de la chambre, le garçon leva la tête.

Et immédiatement, *immédiatement*, nous reconnûmes le garçon du brancard. Jaime Cortae. Âge : treize ans. Hispanique. Treize ans. Jaime. Jaime. Avant et après l'opération chirurgicale.

Jaime, qui se leva et s'avança en boitillant jusqu'à la porte.

Il tanguait tellement à chaque pas qu'on aurait dit un bateau qui gîte avant de sombrer. Mais ses yeux étaient brillants et un sourire éclaira son visage lorsqu'il s'approcha et plaqua son front contre la vitre.

Et oh, mon Dieu… Oh, mon Dieu, la longue cicatrice courbée de l'incision. La tête à demi rasée. Les agrafes dans son crâne.

Notre estomac se tordit, envoyant une giclée acide dans notre gorge.

La bouche de Jaime s'anima encore plus furieusement. Elle s'ouvrait, se fermait. Quand il nous vit, il agita son bras droit en penchant la tête sur le côté.

« *Le haut-parleur*, devina Addie. *Il veut qu'on puisse l'entendre.* »

Mais lorsqu'elle appuya sur le bouton de réception, nous ne perçûmes rien d'autre qu'un charabia incompréhensible :

— J'ai… toujours, je… et, hum… euh… s'il te plaît… Je, j'ai besoin…

Ses paroles fiévreuses se répercutaient en écho dans le couloir.

Jaime se mit à rire, ou à pleurer, ou les deux. Il détourna son visage de la vitre et du haut-parleur, c'était donc difficile à distinguer. Tout ce que nous pouvions voir, c'était ses épaules qui tremblaient. Qui étaient prises de mouvements brusques. Il avait toujours des mouvements brusques.

Il mit de nouveau sa bouche contre le haut-parleur en murmurant.

— Parti… parti… ils… ils l'ont coupé. Tranché. Il… (Il gémit.) Il est parti.

Addie cogna la fenêtre d'un coup sec.

Une redoutable nausée, paralysante, desséchait l'air de nos poumons. Prise de haut-le-cœur, nous nous précipitâmes dans le couloir. La voix faible et balbutiante de Jaime résonnait dans nos oreilles, battait dans nos veines, vibrait dans nos os.

Nous courûmes jusqu'à percuter quelqu'un qui dévalait le couloir dans la direction opposée.

Le Dr Lyanne poussa un cri, mais elle nous ceintura, nous immobilisant. Je hurlai.

Tout n'était que sueur froide, terreur, et incapacité à respirer.

Il est parti.

Il est parti. Il est parti.

Son frère d'âme, ce fantôme entrelacé avec lui.

Ils l'avaient supprimé. La chirurgie avait réussi… si on pouvait appeler ça une réussite. Une *réussite* !

Le Dr Lyanne bloquait nos membres en nous hurlant de *nous calmer. Nous calmer. Nous calmer.*

Quelqu'un pleurait, mais ce ne fut que lorsque le brouillard qui nous étreignait devint moins dense, lorsque la douleur diminua un peu et que nous pûmes respirer, respirer, respirer de nouveau, que nous réalisâmes que ce n'était pas nous.

Nous n'avions pas éteint le haut-parleur de la chambre de Jaime.

La main du Dr Lyanne était comme une menotte d'acier autour de notre poignet tandis qu'elle nous ramenait vers lui.

Nous ne voulions pas y aller, tétanisées par la peur et la honte.

La honte d'être effrayées, d'avoir détalé.

D'avoir laissé ce garçon qui était encore plus seul maintenant qu'il ne l'avait jamais été de toute sa vie.

— Jaime, dit le Dr Lyanne. Jaime, chut. Tout va bien.

Elle nous relâcha dans sa hâte d'entrer un code sur le clavier pour déverrouiller la porte. Nous nous adossâmes au mur en essayant de repousser le vertige et le mal de tête qui cognait. *Sauve-toi*, pensai-je, mais l'idée ne fut pas transmise à nos membres.

— Chut, Jaime. Mon chéri, tout va bien. Tout va bien.

Lentement, nous nous décollâmes du mur. Nous nous accrochâmes au chambranle de la porte pour nous soutenir lorsque nous nous tournâmes pour regarder dans la chambre.

La petite veilleuse bleue en forme de voilier diffusait une lueur douce. Avec les lumières jaunes de l'éclairage de secours, cela nous suffit pour voir le Dr Lyanne sur le lit, les bras autour de Jaime, le berçant doucement, doucement, doucement.

— Chuuut, mon chéri. Chut...

Le Dr Lyanne examina nos pupilles avec une lampe stylo. Addie cligna les yeux et se détourna, enroulant nos doigts autour de la table d'examen. Jaime s'était calmé, et la doctoresse l'avait de nouveau enfermé dans sa chambre avant de nous ramener dans la salle d'opération où nous nous étions réveillées.

— Est-ce que tu te sens étourdie ? demanda le Dr Lyanne.

Sa voix avait perdu un peu de son côté tranchant et autoritaire, comme un couteau qui se serait émoussé.

— Tu as la nausée ?

Addie répondit par un haussement d'épaules, malgré notre tête qui cognait et notre estomac tordu.

— Où sommes-nous ?

— Dans le sous-sol, répondit le Dr Lyanne.

— Où est Li... Hally ?

Le Dr Lyanne se détourna pour chercher quelque chose sur un plateau d'équipement médical. Elle fit tomber un objet et dut se baisser pour le ramasser. Ses mouvements étaient saccadés, son habituel sang-froid commençait à s'effilocher.

— Probablement au lit. Il est tard.

Mentait-elle ?

Addie déglutit, puis éclaircit notre gorge.

— Elle va bien ?

Le Dr Lyanne ne se retourna pas.

— Elle au moins n'est pas tombée du toit, donc ce que je peux dire, c'est qu'elle va mieux que toi. Toi et elle, vous avez de la chance de ne pas vous être enfoncé des tessons de verre dans la peau.

— Mais elle va bien ? insista Addie. Elle est dans sa chambre ? Ils ne l'ont pas encore tranchée ? Ils ne l'ont pas opérée ?

La femme nous lança un regard sévère. Peut-être n'aurions-nous pas dû révéler tout ce que nous savions, mais là, maintenant, on s'en fichait.

— Elle va bien, affirma le Dr Lyanne.

Addie baissa les yeux sur nos genoux, sur le doux tissu bleu de notre jupe, sur le faux cuir insipide de nos chaussures d'école. Nos chaussettes noires. Notre disque était toujours caché contre notre cheville droite. Le disque de Ryan. Nos doigts glissèrent pour tracer son contour. Aucune lumière.

Mais la sensation de sa présence, sa solidité, nous donna la force de dire :

— Jaime. (Le Dr Lyanne s'immobilisa.) C'était Jaime. Il n'est pas rentré chez lui. C'est lui que nous avons vu le premier jour. Il...

Addie releva la tête, accrochant le regard de la doctoresse. Et elle murmura d'une voix rauque :

— Vous l'avez tranché. Vous...

Le Dr Lyanne nous attrapa par le col et nous tira vers elle.

— Non. (Sa voix chevrotait.) Je n'ai jamais posé un doigt sur Jaime Cortae. Tu m'entends ? Je n'ai jamais posé un doigt sur *aucun* de ces enfants. *Je n'ai rien fait de tout cela à aucun de vous*... Je n'ai pas prescrit les vaccins, pas tenu le scalpel, pas...

Addie se dégagea.

— Alors, *aidez-nous*. Ne les laissez pas faire ça à Lissa... Vous ne *pouvez pas* les laisser faire ça à Lissa...

La colère qui enflammait les yeux du Dr Lyanne diminua, remplacée par quelque chose de plus calme.

— Je suis en train d'aider. Tu sais ce qu'ils font aux gamins comme vous... ils les balancent dans une sorte

264

de poubelle provisoire au milieu de nulle part et ils oublient qu'ils existent. Je travaille ici parce que nous essayons d'améliorer les choses, Addie. Nous cherchons des moyens de vous *guérir*. Tu ne comprends donc pas ?

— Nous guérir comme ils ont guéri Jaime ? rétorqua Addie.

Les joues du Dr Lyanne étaient comme des pommes rouges qui contrastaient avec le reste de sa peau pâle. Ses yeux étaient immenses, sombres et féroces.

— Nous nous améliorons. Nous avons déjà fait beaucoup de progrès. Un jour, peut-être…

— Un jour, cracha Addie. Mais et *maintenant* ? Et Lissa ?

— Il ne s'agit pas de Lissa ou de toi ou de moi, dit-elle. Il s'agit de l'intérêt général. Du pays tout entier.

Nous étions les yeux dans les yeux, chacune le souffle court.

Nous chuchotâmes :

— Comment est-ce qu'elle était, la vôtre ?

Le Dr Lyanne nous dévisagea intensément. Ses traits se durcirent avant qu'elle parvienne à adopter une expression neutre.

— Votre âme sœur, celle que vous avez perdue, vous vous souvenez de son prénom ?

La doctoresse ne répondit rien.

— Aidez-nous, lui dit Addie en saisissant son bras et en le serrant fort. Je vous en supplie.

Chapitre 26

Nous passâmes la nuit dans le sous-sol, couchées en boule dans la chambre située en face de celle de Jaime, à écouter notre propre respiration dans l'obscurité. Peu à peu, la nausée s'estompa et nous pûmes dormir.

Mais chaque fois que nous commencions à rêver, le Dr Lyanne arrivait pour nous réveiller. Il était question de commotion. Elle tenait à s'assurer que nous n'avions aucune lésion cérébrale. Lésion cérébrale. Cela nous fit rire et elle repartit.

Nous dormions et nous réveillions, dormions et nous réveillions, les rêves se mêlant à la réalité et la réalité se mélangeant à nos rêves. Je ne sais pas s'il s'agissait d'un rêve ou de la réalité, mais lorsque nous nous glissâmes hors de notre lit, nous vîmes, à travers la petite fenêtre de notre porte, la porte d'en face grande ouverte. Dans l'ombre, une silhouette assise au bord du lit, entourait de ses bras un garçon qui ne cessait de se murmurer des paroles à propos de quelqu'un qui n'existait plus. Il se peut que ce fût réel. À moins qu'il ne se soit agi de mes souhaits se manifestant en rêves. Nos souvenirs de Maman au chevet de Lyle chaque fois qu'il était malade. Auprès de notre lit quand nous avions de la fièvre.

Nous étions trop immergées dans la confusion pour discerner la réalité de l'illusion. La nuit passa, bien qu'il nous fût impossible de l'affirmer dans cet endroit enfoncé sous terre. Pas de fenêtres. Pas de soleil. Pas même l'agitation des docteurs et des infirmières qui signalait le départ d'une nouvelle journée Nornand dans les étages supérieurs. Non, ici, en bas, nous sûmes qu'il était l'heure de se lever pour de vrai lorsque la voix du Dr Lyanne nous l'annonça.

Après ce cycle de sommeil, réveil, sommeil, réveil, nous étions épuisées, mais elle, elle semblait n'avoir pas dormi du tout.

Elle nous dit que nous semblions aller bien et que nous irions rejoindre les autres enfants pour le petit déjeuner.

« *Ryan* », dis-je lorsque nous l'aperçûmes enfin dans la cafétéria. À en juger par l'expression qui traversa son visage, il était lui aussi soulagé de nous voir. Nos yeux scrutèrent la table pour trouver Lissa, mais elle n'était pas là. Cal était présent, et il s'agissait de Cal malgré tout ce que disaient les docteurs ; le brouillard dans ses yeux était plus intense que jamais. Kitty était là également, observant sa nourriture, bougeant comme une poupée. Mais pas de Lissa. Pas de Hally.

L'infirmière nous arrêta lorsque Addie essaya de s'asseoir à côté de Ryan.

— On m'a demandé de vous garder séparés, dit-elle sans émotion. Choisis un autre siège, ma chérie.

La bouche de Ryan se crispa, mais il ne protesta pas. Il regarda juste Addie se traîner lentement à l'autre bout de la table.

Malgré notre éloignement, l'infirmière ne détacha pas son œil d'aigle de nous durant le petit déjeuner.

Addie restait concentrée sur le plateau jaune de nourriture industrielle, la bouche fermée. Et quand l'infirmière nous ordonna de nous mettre en rang, Addie n'essaya même pas de trouver une place à côté de Ryan. Dans la salle d'études, elle rejoignit l'une des plus jeunes filles, en face de la table de Bridget.

Ni l'une ni l'autre ne croisa notre regard. À présent, nous étions comme Cal. Un danger.

Ce matin marquait notre cinquième jour à Nornand. Il me fallut compter à l'envers pour arriver à me rappeler quel jour de la semaine nous étions… mercredi. Tous les jours se mélangeaient. Qu'est-ce que ça pouvait faire que l'on soit lundi, mardi ou dimanche ? Il n'y avait plus de balades jusqu'à l'école, plus de rires dans les couloirs entre les sonneries, plus de ruées pour aller déjeuner au café de l'autre côté de la rue. Rien qu'une salle d'études sombre et silencieuse et quatorze gamins en bleu Nornand. Ou plutôt treize. Parce que Lissa et Hally étaient parties.

Je me surpris à me poser des questions sur mille petites choses stupides. Quelle sorte de vêtements Kitty portait-elle avant de venir ici ? Aimait-elle les robes ou, vu son nombre de frères, préférait-elle les pantalons ? Et Bridget, mettait-elle des rubans noirs par goût personnel ou était-ce la seule couleur qu'elle avait apportée quand elle était partie de chez elle ?

Nous considérions tous ces gamins penchés sur leur rédaction ou leurs feuilles de travail dénuées de sens. Pour la plupart, j'ignorais toujours leurs prénoms et n'avais jamais adressé la parole à certains d'entre eux. Un sentiment de culpabilité pareil à une douleur physique me noua l'estomac. Nombre d'entre eux étaient à peine plus âgés que Kitty. J'essayai de les regarder chacun à leur tour, de repérer certains détails de leurs visages, leurs cheveux, leur façon de s'asseoir, de se tenir voûtés sur leurs chaises. L'une des filles avait une auréole de boucles châtain clair. Son voisin était couvert de taches de rousseur et s'était rongé les ongles jusqu'au sang. Beaucoup étaient chaussés de tennis, mais certains portaient leurs chaussures de l'école, comme nous. L'une des filles avait des sandales blanches, une autre des talons vernis noirs, comme si on l'avait kidnappée dans une fête pour l'emmener directement ici.

Mais à ces petits détails que j'avais notés sur les autres hybrides qui nous entouraient vint s'ajouter une pensée nauséabonde qui se répandit comme un venin. Combien d'entre eux finiraient comme Jaime ? Combien d'entre eux auraient à soumettre au scalpel leurs deux âmes se chuchotant des adieux tandis que l'anesthésie s'emparerait de la force de leurs membres ?

« *Lissa* », répétai-je encore et encore. Un gémissement de peur. Que je ne pouvais arrêter. « *Lissa. Hally.* »

Nous cassâmes la mine de notre crayon et M. Conivent vint nous en donner un autre. Il portait le même genre de chemise, stricte et blanche, que lorsqu'il était venu nous enlever à notre famille. Une chemise blanche comme la neige et la glace, avec des poignets retournés, et un col rigide. Il s'approcha de nous et se pencha afin de pouvoir nous murmurer, très, très doucement à l'oreille :

— Ça devrait être une belle journée aujourd'hui. (Le crayon s'enfonça, pointe en avant, dans notre main.) Un jour parfait pour une opération chirurgicale.

C'était une belle journée. Nous en eûmes la confirmation de visu lorsqu'une infirmière nous fit descendre deux étages et sortir par la porte de derrière. Un frisson s'était propagé parmi les gamins dès que nous avions mis les pieds dans l'escalier après le temps d'étude, un bourdonnement d'excitation presque physique.

— Elle nous emmène dehors, chuchota Kitty.

C'était la première phrase qu'elle nous adressait depuis notre retour et, bien qu'elle ne nous ait pas regardées en la prononçant, elle nous avait parlé, et cela signifiait quelque chose.

Si les infirmières avaient fourni quelque explication aux autres enfants, que leur avaient-elles dit ? De nous éviter ? Ou l'avaient-ils fait naturellement ? Ignorez ceux qui causent des problèmes, comme Cal, comme Eli, cela vous évitera d'en avoir vous-mêmes.

La cour était beaucoup plus grande qu'elle ne nous avait paru depuis la fenêtre du deuxième étage. Le grillage se dressait à un bon mètre au-dessus de notre tête et aucun portail ne s'y découpait. On nous avait relâchés d'une cage pour nous mettre dans une autre. Mais si l'intérieur de l'hôpital était aseptisé et froid, quelqu'un avait au moins tenté de rendre cette cour plus accueillante. On l'avait remplie de toutes sortes d'objets liés à l'enfance : un cerceau de basket sur un pied branlant, un ensemble de jouets en plastique pour tout-petits, que même Cal aurait eu du mal à utiliser. Le sol était couvert de tracés de marelle à moitié effacés. Une cabane d'un rose-rouge criard dont les portes en plastique bâillaient était nichée dans un coin. Et c'était tout ce que nous pouvions discerner depuis l'escalier, car le flanc irrégulier du bâtiment nous masquait certaines parties de la cour.

L'infirmière commença à distribuer des cordes à sauter avec des poignées en plastique et des balles en caoutchouc. Elles lui furent littéralement arrachées des mains au fur et à mesure où elle les sortait de son sac. Puis, avec des hurlements de rire qui ressemblaient à des cris de folie, tous les enfants s'éparpillèrent. Kitty nous jeta un regard par-dessus son épaule, hésita, puis suivit les autres.

Les paroles de M. Conivent continuaient de résonner dans notre esprit. Où étaient Lissa et Hally, à présent ? Le Dr Lyanne avait menti lorsqu'elle nous avait dit qu'elles allaient bien. Si elles allaient bien, pourquoi les avait-on mises à l'écart ? Pourquoi les avait-on séparées du groupe ?

Nous aperçûmes Ryan à l'endroit le plus éloigné de la cour, un petit espace coincé entre le mur et le grillage, à moitié dissimulé par le côté du bâtiment. L'infirmière réglait une bagarre entre deux gamins à propos d'un ballon. Addie profita de l'occasion pour s'en éloigner et se diriger vers l'enclave cachée.

— Addie, s'exclama Ryan lorsqu'il nous vit nous précipiter dans l'ombre du bâtiment. (Il était adossé contre le mur, mais il s'avança aussitôt vers nous pour nous presser de questions.) Bon Dieu… Qu'est-ce qui s'est passé ? Tu vas bien ? Où est-elle ? Où est ma sœur ? (Il ne cessait d'examiner les bandages sur notre front, notre main, nos jambes.) Qu'est-ce qui s'est passé ?

— Je ne sais pas où est Lissa, avoua Addie.

Il se figea. L'expression de son visage fit revenir la nausée, fit se tordre quelque chose en moi tellement fort que j'eus l'impression que j'allais craquer.

— Comment ça, tu ne sais pas ? Elle était avec toi, non ?

Addie lui raconta l'épisode de la fenêtre cassée pour pénétrer dans la chambre de Lissa. La fuite sur le toit. Notre chute et notre réveil dans l'obscurité. Elle lui révéla ce que – *qui* – nous avions vu.

Elle lui raconta l'horrible vérité qui s'était ainsi dévoilée. Ce que nous avions découvert dans le bureau du Dr Lyanne à propos des vaccinations, sur Eli et sur Cal. Ce que l'homme de la Commission d'examen avait dit en faisant enfermer Lissa dans sa chambre.

Lorsque Addie fit une pause pour respirer, Ryan ne dit rien, mais nous dévisagea sans bouger. Il faisait une chaleur torride, même dans ce coin ombragé de Nornand. Avec la transpiration, notre corsage nous collait à la peau. Addie répéta, juste assez fort pour être audible, ce que M. Conivent nous avait murmuré à l'oreille ce matin-là. Durant un long moment, aussi interminable qu'insoutenable, nul ne pipa mot et le monde sembla s'arrêter.

Puis Ryan reprit la parole.

— Est-ce que tu lui as donné ton disque ?

Par automatisme, Addie regarda notre chaussette. Non, nous l'avions gardé. Nous n'avions pas pensé un instant à le lui confier, et le silence d'Addie était une réponse en soi.

— Pourquoi est-ce que tu ne le lui as pas donné ? lança Ryan.

Il avait maintenant du mal à rester tranquille. Ses mains, ses pieds ébauchaient des mouvements, comme faire les cent pas, se frotter les tempes ou *autre*, mais on sentait qu'il empêchait toute action de commencer. Il releva la tête, la baissa, la bouche de côté, lèvres serrées.

— C'est fait *pour ça*, Addie. Pour qu'on puisse garder le contact. Et donc pour qu'on ne perde personne…

Nos mâchoires étaient tellement crispées qu'elles nous faisaient mal.

— Je n'y ai pas pensé, d'accord ?

Ryan pressa son poing sur ses lèvres.

— Je pensais qu'elle était avec toi. Maintenant on ne sait pas où elle est. Si ça se trouve, ils l'ont…

— J'étais en train de tomber du toit, le coupa Addie d'un ton sec. J'étais un peu occupée…

Il ne pouvait pas hurler. Il ne hurla pas… Il se maîtrisait suffisamment pour parler d'une voix basse, mais cinglante.

— Trop occupée pour penser à sauver ma sœur ?

— Ryan, c'est pas juste, dis-je en mordant presque notre langue.

Mais je l'avais dit.

Ça n'était pas le moment d'essayer de comprendre ce que j'étais en train de faire ou comment je m'y étais prise, ce que cela impliquait ou autre. Ryan était tout simplement injuste, Addie s'agitait à côté de moi et j'étais à peine capable de garder le contrôle de moi-même.

Je tremblai de me retrouver ainsi debout, à parler, réfléchir, regarder, réagir et bouger.

— C'est quoi cette attitude, Ryan ? Tu crois que ça nous aide ? On ne lui a pas donné notre disque. J'en suis désolée. Mais maintenant, hein ? Qu'est-ce qu'on fait *maintenant* ?

Il nous toisait fixement. Et dit, d'un ton que j'eus du mal à comprendre et n'essayai même pas d'analyser tellement je luttais pour maintenir une cohésion…

— Eva ?

Ce fut un drôle de sentiment, comme nager dans de la mélasse. Nos membres étaient lourds… épais. Je ne pouvais pas bouger, mais, me semblait-il, Addie non plus. Nous étions coincées dans un entre-deux. Notre cœur, qui bondissait furieusement dans notre poitrine, était la seule partie de nous qui bougeait encore. Nous étions figées, transpirant dans la chaleur, notre main valide appuyée contre le mur dont le grain rugueux raclait notre paume.

« *Addie* », soufflai-je.

Puis Ryan prit notre main bandée dans la sienne. Si quelqu'un, l'une de nous deux, avait été en pleine possession de ses moyens, nous aurions tressailli lorsque ses doigts appuyèrent un peu trop fort sur notre blessure. Mais Addie et moi étions coincées dans cet entre-deux, ce terrible entre-deux, et la lutte qui se déroulait dans notre esprit fit taire la douleur. Les doigts de Ryan contre les nôtres étaient une sensation familière. Je reconnaissais cette étreinte que j'avais ressentie la première fois où je m'étais retrouvée seule dans notre corps, aveugle, avec ce sentiment que c'était la seule chose qui me reliait au monde. Je luttai pour tenir, pour fermer ma main autour de la sienne, parce qu'*il fallait qu'il se calme*. Il fallait qu'il se concentre. Nous devions sauver Lissa et Hally.

Mais je ne pouvais pas, je ne pouvais pas serrer sa main parce qu'Addie luttait pour aller dans la direction opposée.

— S'il te plaît, Addie, laisse-la, dit Ryan.

Il parlait d'une voix basse ; tout ce que nous disions devait être chuchoté.

Mais les mots étaient clairs.

— Laisse-la prendre le contrôle, Addie. Juste pour un moment… accorde-lui juste un moment…

Addie se mit à pleurer. Mais elle ne maîtrisait plus assez notre corps pour produire de vraies larmes. Ses pleurs étaient silencieux et invisibles. Pour tout le monde, sauf pour moi. Comme les miens l'avaient été pour tout le monde sauf elle au cours de tous ces jours, ces semaines, ces mois depuis que nous avions tranché. Depuis que j'avais été bannie et enfermée dans mon propre corps, avec ma peau comme camisole de force, mes os comme barreaux de prison.

J'avais lâché.

— Lâche-nous, siffla Addie.

Notre visage brûlait. Tout notre corps brûlait. Elle s'écarta de Ryan qui libéra notre main avant qu'elle ne la retire brusquement.

Addie se tourna vers le grillage. Nos bras tendus le long de notre corps, nous suffoquions. Ses émotions m'assaillaient ; elles étaient tellement emmêlées qu'il m'était impossible de les trier.

Elle regardait fixement vers le parking. Nos doigts serrèrent le grillage si fort que les maillons mordirent notre peau.

Le feu se mourait, remplacé par un malaise froid et profond. Nous pouvions entendre les autres enfants qui riaient et poussaient des cris plus loin dans la cour.

— Va-t'en, dit Addie.

Elle ferma nos yeux, se perdant un instant dans le tourbillon de notre propre tête.

Lorsqu'elle rouvrit nos paupières, Ryan s'était un peu éloigné et nous observait.

— Je ne suis *pas* elle, dit Addie. (Notre visage se déforma.) Je ne suis pas Eva. Alors, arrête… arrête. *Arrête ça…*

À présent, ses larmes étaient réelles, tangibles sur nos joues. Ryan hésita, mais Addie le fusilla du regard et il s'éclipsa.

Je pouvais sentir Addie se mettre en quarantaine dans un endroit vide et nu. Un endroit sûr, silencieux, froid et dénué de sentiments. Notre poitrine nous faisait mal. Notre respiration était saccadée. Un souffle de vent impromptu au ras du sol le long du grillage souleva la poussière qui tourbillonna sur nos chaussures et nos chaussettes.

— Addie, soufflai-je doucement.

Mes paroles s'insinuaient à travers les fissures de la prison qu'elle s'était forgée. Je la sentais qui tremblait à l'intérieur, recroquevillée en elle-même, essayant de m'exclure.

« *Addie, je comprends. Vraiment, Addie, je t'assure.* »

Si elle avait perdu le contrôle, j'aurais été elle et elle moi… coincée dans notre tête. À regarder, à écouter, paralysée.

Je comprenais.

« *Je ne vais rien forcer*, dis-je. *Addie ? Tu m'entends ? Jamais. Jamais je ferai ça, jamais.* »

Addie ne répondit rien. Elle regardait d'un œil vide à travers le grillage. Il y avait quelques voitures originales garées à côté du bâtiment et une camionnette noire un peu plus loin, mais c'était tout. Un livreur déchargeait des boîtes de l'arrière de la camionnette, une casquette enfoncée sur sa tête pour le protéger d'un soleil implacable. Il fit rouler ses épaules, étira les bras, et détendit ses doigts avant de saisir une caisse volumineuse et de se diriger vers une porte latérale.

Son trajet le fit passer à quelques mètres de nous.

Nous le contemplâmes silencieusement. Concentrer notre attention sur lui nous évitait de nous observer l'une l'autre, et nous permettait de parler sans avoir à scruter mutuellement nos âmes.

« *On peut attendre, Addie*, soufflai-je. *Je m'en fiche.*

— *Tu parles que tu t'en fiches* », répondit-elle. Ses paroles déchirèrent notre espace ténu. Notre cœur se serra. Elle ferma nos yeux.

« *Tu veux bouger. Tu veux prendre le contrôle. Tu veux... Tu veux prendre le contrôle chaque fois qu'il est dans le coin et...* » Elle prit une profonde respiration ; nos muscles souffraient de la tension qui habitait nos membres. « *Et je...* »

Quelque chose claqua contre le grillage, nous forçant à nous extraire des replis de notre esprit. Nous fûmes brusquement de retour dans le monde qui nous entourait : la cour, l'air chaud et sec, les maillons de métal sous nos doigts. Le grillage. Quelque chose était coincé contre le grillage, quelque chose de carré, un carton, apporté par le vent. Nous nous penchâmes pour essayer de l'attraper.

Notre main était juste assez petite pour passer à travers le grillage. Nous grimaçâmes en le tirant vers nous, le métal dur éraflant notre peau.

La phrase qu'Addie n'avait pas terminée restait toujours en suspens entre nous, transparente et brumeuse : *Et je... Et je...*

Mais elle resterait à jamais incomplète. Nous lûmes le message écrit au feutre noir sur le morceau de carton que nous tenions dans nos mains.

Addie. Eva.
Nous voulons vous aider à sortir d'ici.

Addie releva la tête, mais il n'y avait personne. Rien. Rien d'autre que les voitures, le bitume et le... le livreur qui avait maintenant presque atteint le bâtiment.

Il nous vit le regarder, et il sourit.

Chapitre 27

Devon ne vint pas s'asseoir à côté de nous pour le déjeuner. Je me demandais si c'était pour apaiser les infirmières ou pour nous apaiser nous. Non. Pour apaiser Addie. Parce qu'Addie n'était pas moi et que je n'étais pas elle. Et c'était bien comme ça... mais là, nous étions si éloignées l'une de l'autre que je craignais la rupture.

Nous n'avions plus le morceau de carton. C'était trop dangereux. Addie l'avait caché sous notre chemisier jusqu'à ce que nous rentrions, puis l'avait fourré au fond de la poubelle des toilettes après avoir barbouillé l'écriture avec de l'eau.

Elle avait hésité à le jeter dans la cuvette des w.-c., mais il aurait pu boucher les canalisations.

Addie. Eva.

Nous voulons vous aider à sortir d'ici.

L'infirmière frappa dans ses mains et dit à tout le monde de se lever et de venir se mettre en rang devant la porte. Je vis Devon nous jeter un coup d'œil, juste une fois, mais rien dans son expression ne trahissait un quelconque sentiment. Puis il se détourna et je ne pus rien faire d'autre pour attirer de nouveau son attention. De temps en temps, il nous arrivait encore d'avoir des vertiges, le monde penchait lorsque nous nous levions trop rapidement.

Nos membres nous faisaient souffrir. Du jour au lendemain, les contusions s'étaient matérialisées en un rouge-violet sur nos jambes, nos bras et notre front autour du bandage.

Devon se trouvant à l'avant de la file, nous nous dirigeâmes vers l'arrière. Les autres enfants continuaient de nous ignorer.

Le spectacle que nous offrions était plutôt désastreux, voire quelque peu effrayant. Dans un sens, j'étais contente qu'on nous laisse tranquille. Nous avions l'esprit déjà pas mal occupé.

Par le livreur. Celui que nous avions vu le premier jour, dès notre arrivée à Nornand. Il nous avait considérées fixement et nous en avions déduit que c'était parce que nous étions hybride et qu'il faisait preuve d'un intérêt morbide. Mais s'il l'avait fait parce que nous étions hybride et que...

Nous voulons vous aider à sortir d'ici.

Mais pas seulement nous, quand même. Il voulait dire tout le monde. Tous les enfants. Alors, pourquoi nous contacter, nous ? Maintenant ? Et qu'entendait-il par *Nous* ?

Et était-ce si important ? S'ils comptaient nous aider à sortir d'ici, était-ce important de savoir qui ils étaient ?

Nous fermâmes les paupières et j'eus un flash de Jaime en train de pleurer dans le sous-sol.

Il est parti. Ils l'ont tranché. Il est parti. Il est parti.

M. Conivent dans la salle d'études, la pointe du crayon enfoncée dans notre main.

« Un jour parfait pour une opération chirurgicale. »

N'importe où plutôt que cet endroit. Il fallait partir d'ici. Plus important encore, il nous fallait récupérer Lissa et Hally avant qu'il ne soit trop tard.

La petite fille qui marchait devant nous s'immobi-lisa et nous la percutâmes. Elle se retourna juste assez longtemps pour nous toiser en fronçant les sourcils et nous montrer d'un geste l'infirmière qui s'était arrêtée pour discuter avec l'une des aides-soignantes. Nous n'avions jamais vu des cheveux d'un blond aussi clair que ceux de cette petite fille qui avait peut-être onze ans, l'âge de Kitty.

Je l'aurais sans doute trouvée ravissante en d'autres circonstances.

Mais là, je devais lutter pour ne pas l'imaginer enfer-mée dans le sous-sol à côté de Jaime, en train de san-gloter et de tambouriner contre la porte. Ou étendue sur la table d'opération, sa chevelure d'ange à moitié rasée pour livrer son cuir chevelu au scalpel.

Quelqu'un nous saisit au poignet et Addie faillit crier. Ce qu'elle ne fit heureusement pas, car en nous retournant pour voir qui c'était, nous découvrîmes le visage du jeune livreur : yeux bleu pâle, long nez, frange irrégulière. Il colla un doigt sur ses lèvres et nous entraîna à quelques mètres de là au fond du cou-loir, puis nous poussa à travers une porte entrouverte qui donnait sur une sorte de placard.

Entourée de produits de nettoyage, nous nous retrouvâmes coincées entre une serpillière et un balai. L'odeur était bizarre.

— Nous n'avons pas beaucoup de temps, chuchota le livreur.

Il se pencha vers nous et ne sembla pas remarquer qu'Addie chancelait, manquant renverser un flacon de produit pour vitres. La seule lumière émanait d'une lampe stylo qu'il avait allumée après fermeture de la porte.

— Addie ?

— Je vous écoute, répondit ma sœur.

La lumière dirigée sur notre visage la fit cligner les yeux et le garçon la détourna.

— Mais je... qui êtes-vous ?

Malgré la situation, l'endroit confiné, la menace d'être découvert, le jeune homme se fendit d'un grand sourire. C'est à peine si nous pouvions voir ses dents dans l'obscurité.

— Jackson, dit-il. Et je ne devrais pas être en train de discuter avec toi. Vraiment pas... Peter me tuerait, s'il le savait. Mais Sabine a estimé comme moi que tu devais savoir.

— Savoir quoi ? s'enquit Addie.

Il faisait chaud, tellement chaud dans ce placard à balais.

Il nous fallut fournir de gros efforts pour résister à l'envie de repousser le garçon qui bloquait la porte et nous empêchait de sortir à l'air frais. Même s'il était assez maigre et le placard assez grand pour que nous n'ayons pas à nous toucher, il nous dominait de sa grande taille. Addie devait pencher notre tête en arrière pour le regarder dans les yeux, ce qui nous rappelait constamment à quel point le plafond était bas.

— Il faut garder espoir, déclara Jackson. Il faut garder espoir.

Garder espoir ? Quelle étrange façon d'exprimer les choses.

Garder espoir.

— C'est-à-dire ? rétorqua Addie.

Jackson prit une brève inspiration. Ce qui sembla le rassurer.

— Nous surveillons Nornand depuis un certain temps. Et nous allons vous sortir d'ici.

— C'est qui, ce *nous* ? demanda Addie.

— Emalia nous appelle la *Résistance*, répondit Jackson avec un petit sourire, comme si c'était le moment de plaisanter. Je pense...

— Je me fiche du nom de votre groupe, cracha Addie.

« *On devrait peut-être éviter de l'énerver, Addie* », soufflai-je, mais Jackson ne semblait pas en avoir pris ombrage. En fait, il souriait toujours. Un sourire chaud comme une braise prête à devenir flamme.

— Des hybrides, dit-il, ce qui provoqua une secousse dans notre estomac. Comme toi. Comme nous.

Nous. *Lui*, un hybride ? Alors que nous avions cru qu'il nous observait parce qu'il nous prenait pour une folle, ce gars était des nôtres ?

— Peter... on va dire que c'est le chef, tu vois. Eh bien, il l'a déjà fait, de faire évader des gamins. Il avait un plan pour Nornand, mais il a échoué. Il comptait sur quelqu'un pour l'aider... (Son expression s'assombrit.) Bref, *elle* a tout fait capoter.

Faire évader des gamins. Plans. Peter.

Sans nous laisser le temps de digérer tout cela, Jackson enfonçait déjà le clou.

— Il veut remettre ça. Mais d'abord, il faut qu'il revoie son projet, et en attendant, il tient à rester discret, et c'est pour ça que je ne suis pas censé parler avec toi. Mais je sais... Je sais ce que c'est.

Il ne souriait plus. Plus du tout, et cela le vieillissait terriblement.

— Donc, ce que je veux te dire, c'est qu'on va venir. Il faut juste attendre encore un peu. Et surtout, garder espoir.

Nous nous sentions de nouveau vaseuses. Était-ce dû à l'endroit exigu, à la chute de la veille, ou à ce torrent d'informations que le garçon livreur déversait sur notre tête, je l'ignorais. Peut-être était-ce les trois.

— Ils ouvrent le crâne des enfants, déclara enfin Addie.

C'était l'information la plus importante que nous possédions, et face à une telle confusion, nous nous devions de la communiquer.

Elle détourna le regard.

— Et les vaccins que tout le monde doit prendre… ces vaccins pour les bébés, ils sont fabriqués pour que la plupart des gens perdent l'une de leurs âmes. Et… avec certains enfants, ce sont eux qui *décident* celui qui est dominant et celui qui ne l'est pas. Ils choisissent qui a le droit de vivre…

Jackson posa sa main sur notre épaule et Addie croisa de nouveau son regard.

— Je sais, dit-il.

— Est-ce que vous allez empêcher ces horreurs ? demanda Addie en se dégageant de son contact. Est-ce que cette *Résistance* va faire quelque chose pour améliorer tout ça ?

Elle avait insisté sur le mot. Mais d'un ton moqueur.

— On fait tout pour, répondit Jackson.

Et soudain, ce fut insuffisant. Ce n'était pas du tout une réponse.

— Addie, reprit-il doucement. Fais-moi confiance, d'accord ? Je…

— Je ne sais même pas *qui* vous êtes, lança Addie, d'une voix un peu trop forte.

Il brandit ses deux mains en l'air en roulant des yeux pour nous rappeler au silence.

— Tu le sauras bientôt, affirma-t-il, comme si cette réponse pouvait suffire à nous convaincre.

« *Nous devons lui faire confiance*, dis-je. *N'importe où sera mieux qu'ici, Addie. N'importe où.* »

Jackson nous gratifiait de nouveau de ce sourire exaspérant.

— Il y a tellement de choses que tu ignores encore… mais que tu sauras bientôt. Mais il faut d'abord sortir d'ici.

Addie le regarda en plissant les yeux. Nous en avions assez d'apprendre de nouvelles choses. Jusqu'à présent, aucune ne s'était révélée positive.

— Comme quoi ? lança-t-elle.

— Comme… (Il marqua une hésitation, mais Addie ne le lâcha pas des yeux jusqu'à ce qu'il poursuive.) Comme le fait que les Amériques ne sont pas si isolées du reste du monde, contrairement à ce que voudrait nous faire croire le gouvernement. (Il enchaîna rapidement avant qu'Addie ne l'interrompe.) On n'a pas vraiment le temps d'entrer dans les détails maintenant. Mais je te jure qu'un jour on discutera autant que tu veux. Il faut juste que tu fasses preuve de patience.

Je sentais qu'Addie était tentée d'insister pour qu'il en dise plus, mais Jackson avait raison, le temps était compté. « *Concentre-toi sur l'objectif*, dis-je. *Il est en train de nous dire qu'il y a une voie de sortie.* »

Nos lèvres s'étirèrent, mais Addie ravala ses questions pour lancer à la place :

— Nous n'avons pas le temps d'attendre. Cette fille… mon amie… ils ont prévu de l'opérer. Peut-être aujourd'hui. Peut-être demain. Pourquoi est-ce qu'on ne peut pas partir maintenant ? Ce soir ?

— Il y a des alarmes sur toutes les portes latérales et, le soir, elles sont verrouillées, expliqua Jackson. On ne peut même pas les ouvrir de l'intérieur, donc personne ne peut ni entrer ni sortir. Le seul moyen, c'est par la porte principale, et elle est toujours surveillée par une équipe de nuit.

Il y eut un silence. Qui resta bref en raison de la situation. L'infirmière allait finir par mettre un terme à sa conversation, ou bien l'un des autres enfants s'apercevrait que nous avions disparu.

— Et si nous désactivons les alarmes ? proposa Addie. Est-ce que cela déverrouillerait aussi les portes ?

Jackson sourit.

— Non, mais cela nous laisserait le temps d'entrer sans alerter la cavalerie. Pourquoi ? Tu es un génie en électricité ?

— Non, répondit Addie. Mais je connais quelqu'un qui s'y connaît.

Quelques instants plus tard, nous sortîmes un peu étourdies du placard. Jackson suivait.

L'infirmière discutait toujours avec l'aide-soignante.

Les autres enfants attendaient en une vague file, certains papotant tranquillement entre eux, tandis que les autres, amorphes, étaient adossés au mur.

Combien de temps avions-nous disparu ? Trois minutes ? Quatre ? Est-ce qu'aucun…

Non, personne n'avait remarqué ; sauf Devon, qui nous fit les gros yeux. Il fallut qu'Addie pose notre doigt sur nos lèvres pour qu'il détourne le regard, faisant semblant de n'avoir rien vu.

Nous regardâmes Jackson derrière nous. Il sourit, et Addie se fendit d'un semblant de sourire. Nos plans avaient été bâtis à la hâte, à partir de décisions prises sur le vif, sans véritables hypothèses. Mais la structure de base était en place. Pour le reste, il nous faudrait improviser. Nous n'avions pas le temps pour quoi que ce soit d'autre. Lissa et Hally non plus.

Addie se retourna et se dépêcha de rejoindre le groupe.

Chapitre 28

M. Conivent nous isola, Addie et moi, en nous installant à une table proche de son bureau pendant le temps d'étude. Il relevait la tête à intervalles réguliers pour nous surveiller et s'assurer que nous faisions bien notre devoir. S'il s'écoulait plus d'une minute ou deux sans que nous soyons à écrire quelque chose, il se raclait la gorge. Peut-être se disait-il que les risques étaient moindres lorsque nous planchions sur des problèmes de maths. Peut-être pensait-il qu'en occupant notre esprit avec un fatras de matrices, de triangles obtus et de longues divisions, nous n'aurions plus de place pour échafauder des plans d'évasion.

Sage supposition, si nous n'avions pas été hybrides.

Entre Addie et moi, les problèmes de maths furent vite résolus et nous eûmes tout l'espace du monde pour réfléchir aux choses importantes.

Jackson avait revu le plan durant nos derniers moments dans le placard du concierge. La Résistance avait des camionnettes, des billets d'avion et de fausses identités pour quinze enfants.

Ils avaient tout ce qui était nécessaire une fois que nous nous serions échappés de l'hôpital. Mais il fallait d'abord parvenir à en sortir.

Nous ne jetâmes aucun regard à Devon, car cela n'aurait pas échappé à M. Conivent. Mais nous l'avions vu s'asseoir quand nous étions entrées, et sa présence dans la salle m'était aussi palpable que le disque coincé contre notre cheville. La diode brillait à présent d'un rouge continu, mais étant située sous la tige de notre chaussure, sous notre chaussette noire, personne ne pouvait la voir.

M. Conivent se décala sur son bureau pour remplir des papiers. La Commission d'examen ne s'était pas montrée ce jour-là, et je me demandais s'ils n'étaient pas partis pour de bon.

« *Je ne pense pas*, dit Addie. *Ce type a choisi Hally et Lissa. Il va rester.* »

La porte de la salle s'ouvrit. Cliquetis de talons qui s'estompèrent en quittant le carrelage du couloir pour avancer sur la moquette. Nous levâmes nos yeux qui croisèrent ceux du Dr Lyanne. Elle se tenait dans l'encadrement de la porte, perchée sur ses hauts talons noirs, toujours avec sa jupe et son chemisier impeccables, et sa blouse blanche de doctoresse.

Jolie, presque belle. Une femme aux multiples facettes.

Elle se dirigea vers le bureau de M. Conivent.

Addie et moi terminions notre devoir tout en les observant du coin de l'œil. Ils chuchotaient, mais M. Conivent n'était assis qu'à deux mètres de nous et, bien qu'il nous soit impossible de capter leurs paroles, nous pouvions sentir la tension dans leurs voix qui s'amplifia jusqu'à ce que M. Conivent pose son stylo avec la lourdeur d'un juge abaissant son marteau.

Il nous toisa sans détour.

Nous nous oubliâmes et lui rendîmes son regard.

— Addie, dit-il. (Il y avait dans sa voix l'écho du danger.) Tu as manqué ta prise de sang d'hier. Le Dr Lyanne va t'emmener pour la faire maintenant.

(Comme Addie ne se levait pas immédiatement, il ajouta :) *Tout de suite*, Addie.

Nous nous levâmes, abandonnant notre crayon et nos problèmes de maths. Nous suivîmes le Dr Lyanne. Nous avions besoin d'obtenir quelque chose de sa part maintenant, une information spécifique qu'elle *devait* nous donner, car dans notre esprit, les plans se télescopaient.

— Bonjour, dit doucement Addie en s'asseyant dans la petite salle d'examen.

C'était le premier mot que nous adressions au Dr Lyanne depuis ce matin. Dans cette salle, presque tout était blanc. Les murs. Le sol. La petite table qui nous séparait de la doctoresse. Et nous, nous étions une tache de bleue perchée sur une chaise. La machine placée entre nous était grise. Un engin de la taille d'une machine à écrire, à l'intérieur duquel se trouvaient des tubes en verre que l'on pouvait apercevoir à travers les mailles d'une sorte de filet argenté. Ces tubes étaient reliés à un tuyau en plastique qui serpentait sur la table.

La salle nous parut encore plus petite quand le Dr Lyanne eut fermé la porte. Ce n'était pas grand-chose, comparé à l'épisode du placard avec Jackson, mais nous et le Dr Lyanne semblions occuper tout l'espace, même si cette femme était mince et nous, pas très grande.

— Donne-moi ton bras, dit-elle.

Malgré la pâleur de ses joues, sa voix était toujours autoritaire. Addie s'exécuta.

Nous avions tellement subi de prises de sang quand nous étions petites que les aiguilles ne nous dérangeaient plus. Addie ne tressaillit même pas lorsque l'aiguille s'enfonça froidement dans notre veine et que notre sang se répandit dans le tuyau en plastique pour s'égoutter dans l'un des tubes en verre. Pendant un long moment, personne ne dit rien. L'aiguille enfoncée dans notre peau nous faisait à peine mal. Nous regardâmes le premier tube se remplir, puis un deuxième. Le Dr Lyanne était assise en face de nous, et considérait elle aussi la machine d'un air absent.

— Vous vous disputiez à cause de quoi ? s'enquit Addie, ce qui ramena l'attention du Dr Lyanne avec une étonnante rapidité.

— Qui ça ? s'étonna-t-elle, comme si elle ne se sentait pas concernée.

— Vous et M. Conivent, répondit Addie.

Le Dr Lyanne pressa un morceau de coton sur notre bras puis sortit l'aiguille.

— Ça n'a aucune importance, Addie. Et d'ailleurs, cela ne te regarde pas.

— Est-ce que ça concernait Jaime ? insista Addie.

— Non, répondit la doctoresse. Non, ça ne concernait pas Jaime. Appuie bien sur ton bras.

Addie obéit, mais ne lâcha pas le Dr Lyanne des yeux pendant qu'elle saisissait un enchevêtrement de câbles derrière elle.

Ils étaient reliés d'un côté à une autre machine grise, plus grosse que la première, et de l'autre à un genre de calotte.

— Est-ce que ça concernait Hally ? demandai-je en me mettant aussitôt à trembler.

Prendre le contrôle ne faisait pas partie du plan et n'avait pas été dans mon intention. J'allais attendre qu'Addie pose les questions. Mais elle prenait trop de temps et il fallait que je sache.

— Est-ce que Hally est en sécurité ?

C'était la plus stupide des questions à poser car, bien sûr, Hally n'était pas en sécurité. J'ajoutai :

— Ils ne l'ont pas encore fait ? Ils ne l'ont pas... pas encore opérée ?

Le visage du Dr Lyanne était totalement dénué d'expression. Tellement lisse, pâle, et tellement froid.

Elle affichait un *calme* qui m'énervait. Comment garder ainsi son sang-froid ?

— Elle n'a pas été opérée, répondit-elle enfin.

Un soulagement diffus détendit tout notre corps.

Je sentis que je perdais le contrôle, mais Addie réagit : « *Non, reste, Eva. Lutte, lutte. Parle-lui. Tu le feras mieux que moi, je le sais.*

— *Mais…*

— *Tu peux y arriver, Eva.* »

— Où est-elle ? demandai-je alors, luttant contre la fatigue.

Le Dr Lyanne nous fixait. Je dus déglutir, prendre une respiration, pour me réorienter dans ce corps cohabité, avant de pouvoir parler encore.

— Où est-ce qu'ils la gardent ? Dans le sous-sol ? Avec Jaime ? Quand vont-ils l'opérer ?

— Cela ne te regarde pas, répondit le Dr Lyanne.

— Et pourquoi ?

Notre voix tremblait. Le Dr Lyanne tenait un flacon de liquide clair dans les mains. Elle le serra tellement fort que ses jointures blanchirent.

— Si ça se passe comme cela s'est passé avec Jaime, l'une de mes amies va *mourir* et l'autre va devenir folle. J'ai le droit de savoir *quand* on l'opère.

— Ça ne se fera pas, murmura-t-elle. (Le flacon en plastique pliait sous la pression de ses doigts.) Jaime a eu de la chance.

Un fluide glacial s'insinua en moi. De la tête aux pieds. Jusqu'au bout des doigts.

— Que voulez-vous dire ?

Elle ne parlait plus, ne nous regardait plus, ne semblait même plus respirer. Elle restait statique comme un roc.

— Docteur Lyanne…

— Tous les autres enfants qui ont été opérés n'ont jamais quitté la table, répondit-elle. Jaime… Jaime est le seul à avoir survécu.

Le Dr Lyanne entreprit de dévisser méthodiquement le flacon qu'elle tenait. Ses mains tremblaient, elle n'y arrivait pas.

D'un geste, j'éjectai le flacon de la table.

Il tomba avec fracas sur le carrelage pour atterrir dans un coin en tournoyant, répandant le liquide clair en une large tache. L'odeur d'alcool perça l'air, âcre et agressive.

— Aidez-nous, dis-je d'un ton qui était plus qu'une supplique.

Le Dr Lyanne demeurait immobile, les yeux toujours fixés sur ses mains. J'essayai de me remémorer la femme du sous-sol, assise dans la chambre de Jaime, l'expression de son visage quand il était dans ses bras, la manière dont elle l'avait serré.

— Vous pourriez faire sortir Jaime, suggérai-je.

Et, comme elle ne répondait pas, je pris une profonde inspiration.

— Il y a des gens... qui pourraient nous emmener. Ils le prendraient lui aussi. Il serait en sécurité.

C'était la seule chose qui me soit venue à l'esprit, le seul argument majeur, capable de produire un choc, qui la pousserait à nous *regarder*, et à *venir sur notre terrain*.

Ma tactique fonctionna. Le Dr Lyanne releva vivement la tête, sa bouche s'ouvrit légèrement et ses joues reprirent un peu de couleur. Il y eut un changement dans son expression. Pas de la confusion, mais de la peur.

Puis elle parla, et ce fut comme sortir d'un rêve.

— Tu as parlé avec Peter ?

Nos membres faiblirent.

— Vous connaissez Peter ?

Ce fut comme si le Dr Lyanne se désagrégeait sous nos yeux, morceau par morceau. En entrant dans cette salle, l'endroit nous avait paru trop petit. Nous avions eu le sentiment que nous plus le Dr Lyanne occupions trop d'espace. Et maintenant, cette femme semblait ne plus exister du tout. Elle était aussi inconsistante qu'un délire de l'imagination. Diaphane.

— C'est mon frère, dit-elle.

C'était impossible. Je ne pouvais pas maintenir notre cohésion, intégrer tout cela et continuer à faire battre notre cœur, faire respirer nos poumons et…

Mais il le fallait, car j'étais aux commandes de notre corps.

— C'est votre *frère* ? Votre frère est un hybride et vous travaillez *ici* ?

— Je t'ai expliqué, dit-elle. (Il y avait à nouveau de la détermination dans sa voix.) Je voulais *aider*…

— Alors aidez pour de vrai ! m'écriai-je. Aidez-nous ! Maintenant ! Aidez-nous à sortir. (Les vapeurs d'alcool nous piquaient les yeux.) Si vous ne nous aidez pas à sortir, dis-je avec véhémence, alors, vous les aiderez à nous tuer.

Je la dévisageai fixement et, lorsqu'elle détourna le regard, je lui saisis la main.

— Est-ce que Hally est au sous-sol ?

Finalement, elle hocha la tête. Une fois. Une seule fois.

— Il y a un clavier numérique aux portes.

Je forçai notre voix à être forte, impérative et puissante, alors que je pouvais à peine respirer, à peine garder notre corps debout et nos paroles claires.

— J'ai besoin de ce code.

Calme. Respirations. La sienne, la nôtre. Rapides, saccadées, superficielles. Le bureau en bois dur. Les chaises inconfortables. Les contours du visage du Dr Lyanne. Ses lèvres fines, les rides de fatigue sur son front, entre ses yeux noisette.

Elle nous donna le code.

Chapitre 29

J'essayais de me maîtriser pour garder le contrôle. Je luttais de toutes mes forces, sachant qu'Addie ne s'y opposait pas.

Mais le contrôle m'échappait comme l'eau vous glisse entre les doigts. J'étais tellement épuisée. Et bien que j'aie toujours refusé de l'admettre, je fus soulagée lorsque Addie reprit les rênes.

Ce fut donc elle qui nous fit traverser le reste de la journée, elle qui attira le regard de Devon durant ce qui devait être un moment de loisir et devint une période de lecture solitaire. Probablement à cause de nous.

Addie qui chuchota à Devon en passant près de lui dans le couloir : *Surveille ton disque après l'extinction des feux*.

Devon hocha simplement la tête. Et quand Addie sortit en douce de notre chambre cette nuit-là, il surgit aussitôt dans le couloir.

Puis, assise à l'une des petites tables du pavillon, ma sœur lui raconta tout. Il s'était passé tellement de choses ; allions-nous réussir à tout lui relater ? Mais Addie y parvint, hésitant parfois, répondant aux questions de Devon, faisant de son mieux pour rester calme, précise et fiable. Elle et Devon parlaient sans se regarder. La salle étant plongée dans l'obscurité, chacun avait sorti son disque et le lieu baignait dans un doux reflet rouge.

— Alors, tu pourrais le faire ? demanda Addie, en lançant enfin un regard à Devon. (Celui-ci était assis, parfaitement immobile et fixait l'obscurité.) Est-ce que toi et Ryan vous pouvez désactiver le système d'alarme ?

Il nous considéra en fronçant les sourcils :

— Tu veux un travail propre ? Soigné ?

— Je veux le détruire, c'est tout, affirma Addie.

— Alors, oui, dit-il. Si on peut accéder au boîtier électrique, on peut tout couper. Les lumières, les alarmes. Peut-être même les caméras de sécurité. (Il se tourna vers la porte située à l'extrémité la plus éloignée de la salle et qui était cachée dans l'ombre.) Il faudrait déjà qu'on sorte d'ici.

— J'ai demandé à Jackson de nous procurer un tournevis, l'informa simplement Addie. La poignée de porte s'enlève, comme celle de la porte de Lissa.

Et puis Devon laissa Ryan poursuivre. Assis en face de nous, il souriait, juste un peu. De ce sourire en biais que j'aimais tant.

— On fait ça demain soir, déclara Addie.

Ce qui fit disparaître le sourire de Ryan. Mais nous *devions* intervenir le lendemain. Nous n'avions plus le temps d'attendre.

Nous avions exigé de savoir, et le Dr Lyanne nous avait répondu. L'opération de Lissa et Hally était prévue pour le surlendemain.

— Est-ce qu'on prévient les autres ? demanda Addie.

— Pas encore, répondit Ryan. (Il tripotait son jeton, le déplaçant sur la table d'un air qui aurait pu paraître absent si ce n'était la pression délibérée de ses doigts.) Mieux vaut attendre le bon moment. Rien ne nous dit qu'ils sauront rester discrets.

Addie approuva d'un mouvement de tête. Il ne serait pas évident de garder un tel secret sans s'en ouvrir aux autres enfants.

Mais il était sans doute préférable de retenir l'information pour l'instant. Parmi ces onze gamins, quelqu'un risquait de laisser filtrer quelque chose.

Bridget. Bridget, c'était couru d'avance. Serait-elle même prête à partir avec nous, le moment venu ? Bridget, avec ses yeux gris acier, sa langue acerbe et ses bras toujours croisés. Bridget, toujours en colère, mais tellement certaine qu'elle serait sauvée. Qu'elle serait soignée. Qui d'autre se cachait dans son corps ? Quand viendrait le moment de nous échapper, cette âme récessive serait-elle assez forte pour s'imposer ? Le voudrait-elle ?

— Bon, ben alors, bonne nuit, dit Addie, en refermant notre main. (La lumière rouge filtrait entre nos doigts, éclairant notre paume de l'intérieur.) À demain...

Ryan cessa de tripoter son disque et releva la tête.

— Merci, Addie, dit-il.

Il avait une façon de regarder les gens qui leur donnait le sentiment d'être importants. J'avais éprouvé cela auparavant, des dizaines de fois, et je me dis qu'Addie devait le ressentir un peu à présent. Elle resta néanmoins sans bouger sur notre chaise.

Ryan reprit :

— Merci d'avoir veillé sur Lissa quand vous étiez toutes les deux enfermées. Si tu ne l'avais pas fait, on n'aurait jamais su pour l'opération.

Addie baissa les yeux, frottant l'ourlet de notre chemise de nuit entre nos doigts.

— Ce n'était pas seulement moi. C'était aussi Eva.

« *C'était surtout toi* », dis-je.

— Je sais, répondit Ryan. Mais ça veut dire que tu étais là aussi. (Il sourit, d'un air un peu triste.) Alors, merci. Et désolé pour l'autre jour.

Nos mains tripotaient nos genoux. Addie remua sur la chaise.

— On va la sauver, finit-elle par dire. On va sauver tout le monde. Et tous sortir d'ici.

Le matin suivant, nous étions réveillées avant que l'infirmière ne fasse sa tournée. Kitty avait à peine remué pendant son sommeil, lorsque nous nous étions levées au cours de la nuit. Elle dormait toujours à poings fermés. Addie se contenta de s'asseoir au bord du lit. Quelques jours auparavant, nous nous étions aussi réveillées à cette heure-là. Nous étions allées jusqu'à la fenêtre pour regarder le soleil apparaître. Là, appuyées contre la vitre, nous avions pu sentir la chaleur avant que l'air conditionné de Nornand ne la disperse. Nous avions pu voir un peu du monde extérieur, au-delà des murs de l'hôpital.

Mais à présent, la fenêtre était barricadée avec des planches de bois carrément clouées sur les murs de l'hôpital. Pas un trait de lumière ne pouvait pénétrer.

Mais demain matin, cela n'aurait plus d'importance.

Nous partions ce soir.

Jackson nous avait dit qu'aujourd'hui il devait apporter un autre colis à M. Conivent. Il avait trouvé une excuse pour que la livraison se fasse plus tard dans la journée et nous avait alors glissé le tournevis. Il avait fallu trouver un moyen de le dissimuler en attendant de retourner dans notre chambre, mais cela nous avait au moins évité de l'avoir sur nous toute la journée. Mission difficile car nous n'avions pas de poches. Nous aurions peut-être pu le déposer quelque part dans la salle d'études, mais au moment de prendre notre douche, de nous brosser les dents et de nous mettre en chemise de nuit, nous aurions été dans le vestiaire avec les autres filles, plus une infirmière en faction près de la porte.

Mais nous nous étions débrouillées. Nous n'avions pas le choix.

La Commission d'examen était de retour ce jour-là, mais ils ne nous regardaient plus comme avant. Nous ne valions sans doute pas plus d'une journée d'observation. Comme au zoo, dès le lendemain, on appartient déjà à l'histoire ancienne. En passant maintenant près d'eux dans le couloir, nous les apercevions dans les salles d'examen, la plupart du temps avec M. Conivent, et parfois aussi avec le Dr Wendle. Ceux-ci montraient visiblement à la Commission les machines utilisées à Nornand. Une fois, nous vîmes l'un des hommes emmener une infirmière dans une pièce et fermer la porte derrière eux. Un entretien ? Un interrogatoire ?

Quoi qu'ils fassent, cela maintiendrait le personnel dans un état de grande nervosité, et M. Conivent serait occupé.

Lorsque Jackson arriva ce soir-là juste avant le dîner, il arrêta l'infirmière qui nous menait dans les couloirs et lui dit être passé dans le bureau de M. Conivent sans le trouver. Il retint son attention le temps de permettre à Addie de quitter notre place en tête de file, là où l'infirmière gardait un œil sur nous. Nous passâmes derrière.

Jackson se révéla être un remarquable baratineur. Lorsque l'infirmière réussit enfin à le convaincre qu'il ne pouvait *pas* déranger M. Conivent maintenant, qu'il lui fallait attendre ou revenir, nous étions en retard pour le dîner et l'infirmière, très agitée, se remit rapidement en marche pour rejoindre la cafétéria sans trop surveiller son troupeau.

Jackson croisa le regard de Ryan en passant, mais ce ne fut qu'un rapide échange qu'ils écourtèrent aussitôt. Lorsque les autres enfants reprirent leur progression, Addie s'arrangea pour traîner les pieds et, au passage de Jackson, elle écarta juste un peu notre main de notre corps. Jackson était beaucoup plus grand que nous. Il lui fallut, très légèrement, se pencher pour glisser sa main autour de la nôtre. Nous sentîmes le métal froid et pointu du tournevis et les rebords cassants du plan qu'il nous avait dessiné pour nous indiquer l'emplacement de la salle de maintenance. C'était là que Ryan allait devoir se rendre pour désactiver les alarmes. Nos doigts enveloppèrent tout ça.

Cela avait pris moins de trois secondes. Addie ne jeta pas un regard par-dessus notre épaule pour s'assurer que Jackson s'éloignait dans le couloir, mais nous pouvions entendre le léger crissement de ses chaussures sur le carrelage ciré. Elle accéléra le pas pour rejoindre la fin de la file en glissant le tournevis dans la ceinture de notre jupe. Mais le papier, lui, risquait de tomber. Elle se pencha pour le glisser dans notre chaussette à côté de notre disque.

Lorsqu'elle se redressa, l'une des autres filles s'était aussi arrêtée. Elle nous regardait, avec ses nattes blondes qui serpentaient sur ses épaules.

Bridget.

Est-ce qu'elle avait vu ?

— Quoi ? dit Addie. Je perdais ma chaussette.

L'expression de Bridget était indéchiffrable.

— Tu devrais être à l'avant de la file.

— Les filles ? lança l'infirmière qui venait enfin de s'apercevoir que deux éléments s'étaient arrêtés. Dépêchez-vous ! Et toi, Addie, reviens par ici. Tu n'as rien à faire à l'arrière.

Addie passa calmement devant Bridget qui épiait notre marche.

Chapitre 30

Ils chargèrent le Dr Lyanne de nous surveiller dans la salle d'études après le dîner, ce qui n'était encore jamais arrivé.

De même que M. Conivent n'avait rien à faire dans la cafétéria, la présence du Dr Lyanne était déplacée dans la salle d'études, en tout cas comme surveillante.

Mais M. Conivent et les infirmières avaient disparu dans des lieux inconnus, et on nous laissa avec elle. Ce n'était plus la femme effondrée que nous avions vue dans la salle d'examen.

Elle s'était ressaisie et avait retrouvé son attitude dure, froide et professionnelle. Mais il y avait sur son visage un détachement qui n'existait pas avant, une sorte d'absence dans son regard qui incitait les enfants à s'enhardir davantage qu'ils ne l'auraient fait avec les infirmières, et certainement plus qu'avec M. Conivent. Nous étions censés jouer à des jeux de société sans parler, mais peu à peu, un murmure de conversation démarra. Comme le Dr Lyanne n'intervint pas et restait perchée, raide et droite, sur sa chaise près de la porte, de plus en plus d'enfants se mirent à discuter. Bientôt, la salle bourdonna d'un papotage tranquille.

Addie ne releva pas la tête lorsque Devon vint s'asseoir à côté de nous. Nous étions par terre, à moitié dissimulée par une table et quelques chaises, à deux ou trois mètres de la personne la plus proche, Cal.

— Tu as tout, dit Devon de son ton habituel qui faisait toujours planer ses phrases entre question et affirmation.

Addie hocha la tête. Cal avait récupéré un paquet de cartes avec lesquelles il construisait et reconstruisait un château, sans même broncher quand elles s'écroulaient. Ses mouvements étaient plus maladroits que la normale, mais ses yeux semblaient plus clairs, plus alertes. Avaient-ils interrompu son traitement ?

« *Peu importe*, dis-je. *Il part avec nous ce soir.* »

Après, avec un peu de chance, il irait bien. Il guérirait. Il ne serait pas condamné par des blessures atroces et irrémédiables.

Addie lança un regard vers l'entrée de la salle, sur l'horloge accrochée au-dessus de la porte. Dix-neuf heures quarante-cinq. Le moment approchait.

« *Où est-elle passée ?* »

Il me fallut une seconde pour comprendre à qui Addie faisait allusion. Mais la chaise vide était une réponse en soi.

— Addie ? dit une voix derrière nous. (Kitty se cramponnait à un jeu de société dont la boîte abîmée s'enfonçait sous ses doigts.) Tu veux jouer ?

Addie parvint à sourire en tapotant le sol à côté de nous et Devon.

— Bien sûr. Tu veux bien l'installer ?

Kitty fit oui de la tête. Addie se tourna de nouveau vers la chaise vide du Dr Lyanne.

— Là, dit Devon, en inclinant sa tête pour nous parler à l'oreille. (Je vis Kitty détacher son regard du jeu pour nous observer, mais juste un instant.) Près du bureau de Conivent.

Le Dr Lyanne s'approchait du bureau de M. Conivent. Quiconque, n'y prêtant pas attention, aurait pensé qu'elle était à sa place. Mais nous savions désormais décrypter le Dr Lyanne. Nous étions hybride, entourées d'hybrides. Nous savions déceler tout changement dans la voix, le mouvement, l'expression. Nous vîmes la tension dans ses mains lorsqu'elle ouvrit l'un des tiroirs du bureau pour en sortir une petite boîte en carton.

— Qu'est-ce qu'elle fabrique ? chuchota Addie.

Devon ne répondit pas. Il fixait le Dr Lyanne, qui avait posé le carton pour l'ouvrir, révélant plusieurs petites boîtes blanches. Elle les sortit et les mit de côté, pour aller chercher quelque chose au fond du grand paquet : une feuille de papier.

— C'est un colis, dit-il.

Il avait raison. Nous arrivions à distinguer le tampon de la poste sur le côté. Ce devait être ce que Jackson avait apporté plus tôt, lorsqu'il nous avait glissé le tournevis et le plan, après avoir expliqué à l'infirmière qu'il lui fallait trouver M. Conivent car lui seul était le destinataire et pouvait signer.

Pourquoi le seul à pouvoir signer ?

« *Parce que ce sont des trucs privés ?* » devina Addie en détachant son regard du bureau.

« *Alors pourquoi les faire envoyer ici ?* demandai-je. *Si c'est aussi privé que ça, pourquoi ne pas les faire envoyer chez lui ?* »

Kitty avait fini d'installer le jeu. Elle choisit un jeton et le plaça sur *Départ*, puis proposa les autres pions à Devon. Il en prit un et le plaça sur le jeu à côté du sien.

Le Dr Lyanne était toujours debout près du bureau, lisant à toute vitesse ce qui était écrit sur la feuille de papier. Addie s'était tournée vers Kitty pour lui dire de commencer, lorsque la porte s'ouvrit. Elle se raidit et notre bouche resta muette. M. Conivent se tenait dans l'encadrement de la porte et se retournait pour s'adresser à l'homme qui se trouvait derrière lui.

Jenson.

Nos yeux revinrent rapidement se poser sur le Dr Lyanne. Elle aussi avait remarqué le mouvement à la porte. En un éclair, elle fourra la feuille de papier dans la poche de sa blouse de laboratoire et se déplaça de façon à dissimuler le colis.

M. Conivent et Jenson lui lancèrent un coup d'œil et le premier lui adressa un signe de tête. Auquel elle répondit en s'affaissant légèrement pour faire croire qu'elle s'appuyait sur le bureau pour surveiller la salle et les enfants.

Mais M. Conivent fronçait les sourcils, alors même qu'il poursuivait sa conversation avec Jenson, et après un moment, il lui fit signe de le suivre. Ils entrèrent tout en discutant, et se rapprochèrent du bureau de M. Conivent, ainsi que du Dr Lyanne et de ce colis qu'à mon avis elle n'était pas censée fouiller.

Deux agents de sécurité les suivirent dans la salle, mais restèrent en faction près de la porte. Peut-être que, désormais, Jenson avait besoin d'être protégé des enfants. À moins que le Dr Lyanne ne fût déjà dans une situation critique.

« *Ce n'est rien de grave, Eva* », souffla Addie avant que je puisse dire quoi que ce soit, mais nos yeux passaient de M. Conivent au Dr Lyanne. À côté de nous, Devon s'était figé.

« *Bien sûr que c'est grave*, répliquai-je. *Il va l'attraper. Jenson aussi. Et ils vont...* »

Je ne savais pas ce qu'ils feraient, mais M. Conivent et Jenson ne semblaient pas nourrir les meilleures intentions à son égard, et...

« *Je m'en fiche. On s'en fiche, Eva* », insista Addie.

Elle lança alors à Kitty :

— C'est toi qui commences. Tu as les dés ?

Kitty hocha la tête et, mettant ses mains en coupe, secoua les cubes de bois avant de les lancer. Devon nous observait du coin de l'œil, mais Addie semblait résolument absorbée par le jeu. Il ne restait plus que quelques heures avant l'extinction des feux. Avant que l'hôpital ne se vide à l'exception de nous autres patients, et du personnel de service minimum. Plus que quelques heures avant l'évasion.

Nous n'attendions plus rien du Dr Lyanne. Elle nous avait donné les codes des chambres du sous-sol.

Mais…

M. Conivent et Jenson étaient presque arrivés à notre hauteur. Nous étions adossés contre le mur, à mi-chemin entre eux et le Dr Lyanne. Il fallait que je les arrête d'une manière ou d'une autre, que je donne au Dr Lyanne le temps de tout remettre en place. J'aurais pu me lever et leur dire quelque chose. Mais que leur dire pour retenir leur attention sur nous et laisser assez de temps à la doctoresse ?

Un éclair rouge et blanc effleura notre vision périphérique.

Le château de cartes de Cal s'était de nouveau écroulé.

« *Eva*, s'alarma Addie.

— *Je ne veux pas qu'elle se fasse prendre*, insistai-je. *Elle nous a aidées, Addie. On lui doit bien ça.*

— *On ne lui doit rien du tout !* »

— Cal, dis-je.

Le mot franchit nos lèvres avec une certaine résistance, mais pas autant que je l'aurais cru. Devon redressa la tête. Kitty arrêta de secouer les dés.

— Eli, murmura-t-elle.

Cal avait levé les yeux en entendant son nom. Il fronçait les sourcils, l'air méfiant. Je n'avais pas mesuré la portée de ce que je venais de dire. *Cal.*

À quand remontait la dernière fois que quelqu'un l'avait appelé par son vrai nom ?

— Mais il n'est pas Eli, dis-je. N'est-ce pas ?

Kitty détourna les yeux et laissa tomber les dés. L'une de ses barrettes s'était détachée.

— Il est celui que les docteurs disent qu'il est.

302

— Non, affirmai-je. Non, Kitty...

« Eva, souffla Addie. *Tu le mets en danger. Est-ce que tu t'en rends compte ? Si tu le mets dans le coup et qu'on se plante, si quelqu'un découvre qu'il nous a aidées... Lissa nous a aidées. Regarde ce qui s'est passé pour elle et Hally.* »

J'hésitai. Elle avait raison. Mais M. Conivent n'était plus qu'à un ou deux mètres du fond de la salle. Il marqua une pause en désignant un enfant à Jenson, et je pus voir le Dr Lyanne agripper le bord du bureau.

— Cal, repris-je. Cal, tu peux me rendre un service ?

— Qu'est-ce que tu fais ? protesta Devon.

Maintenant, c'était plus facile. Chaque mot exigeait une concentration particulière, mais je pouvais y arriver.

— Il faut détourner l'attention de M. Conivent avant qu'il arrive à son bureau. Parce que le Dr Lyanne...

— Ce n'est pas le moment de s'occuper d'elle, lança Devon.

— Elle nous a aidés, rétorquai-je. Elle nous a donné le code de la chambre de Hally...

Il se tut alors, et je ne lui laissai pas le temps de se ressaisir.

— Cal, repris-je, est-ce que tu pourrais... faire quelque chose pour attirer l'attention ? Juste pendant quelques secondes ?

Une idée subite me traversa l'esprit.

Ils avaient drogué Cal quand lui et Eli s'affrontaient. Ils pourraient le droguer de nouveau. Alors que ses yeux avaient retrouvé un peu de leur clarté...

Cal s'accroupit sur ses cartes en avançant sa lèvre inférieure.

Il n'avait que huit ans. Il était plus jeune et plus petit que Lyle.

Juste un peu plus vieux que Lucy. J'avais été dingue de lui demander une chose pareille, dingue de l'exposer à un danger encore plus grand.

Nos épaules s'affaissèrent.

C'est alors que Cal se mit à hurler.

Son cri déchira la salle, qui passa en un instant du calme pesant au chaos le plus total. Je titubai en arrière, faisant reculer Kitty. Devon faillit plaquer ses mains sur ses oreilles.

Un jeu de cartes complet s'écrasa contre le mur, aussitôt suivi par un jeu de société abandonné. Cal brailla de nouveau.

Les cartes volaient en tous sens. Blanc. Rouge. Blanc. Les enfants qui étaient dans le coin s'empressaient de déguerpir. Près de la porte, les agents de sécurité observaient la scène sans réagir. Peut-être ignoraient-ils ce qu'ils étaient censés faire avec un petit garçon en pleine crise.

M. Conivent se retourna.

J'attrapai la main de Kitty et l'entraînai en courant vers le mur opposé pendant qu'il s'avançait vers Cal avec un rictus sinistre. Jenson resta à l'endroit où il était. Je risquai un coup d'œil vers le Dr Lyanne. Elle était à moitié tournée, en train de remettre les petites boîtes blanches dans le carton.

Cal s'arrêta de beugler, s'accroupit et s'esquiva quand M. Conivent essaya de l'attraper. Le nouveau silence était pesant. M. Conivent serrait les mâchoires. Il fit une autre tentative pour saisir Cal, mais une fois encore, le garçon lui échappa.

L'homme mûr et le petit garçon se défiaient des yeux, sans dire un mot.

Puis M. Conivent poussa un soupir, comme s'il ne s'était agi que d'un inévitable désagrément. Il se tourna alors vers Jenson, l'air de dire : « Que peut-on attendre de ce genre de gamins ? »

Le Dr Lyanne était maintenant près de la bibliothèque, les mains le long du corps. Le colis n'était plus sur le bureau de M. Conivent.

Je repris mon souffle en frémissant et lançai un regard à Devon. Il s'adossa lentement contre le mur, en desserrant ses doigts qu'il posa à plat sur ses jambes. C'est alors que Kitty pressa notre main. Elle tira sur notre bras pour nous montrer le sol.

— Quoi ? chuchotai-je.

Lorsque je suivis son regard, ma question se révéla inutile.

M. Conivent se dirigeait vers nous.

Il aperçut en même temps que nous le petit tournevis jaune gisant par terre.

Chapitre 31

M. Conivent ne posa aucune question. Il ne brandit pas le tournevis en exigeant d'en connaître le propriétaire. Il se contenta de se pencher, de le ramasser et de le glisser dans sa poche.

Puis il fit signe aux agents de sécurité et leur dit de nous ramener, Devon et nous, dans nos chambres.

Nous ne nous laissâmes pas faire. Nous hurlâmes, nous luttâmes, nous ruâmes, tout en entendant Devon se débattre derrière nous. Mais ils étaient plus forts, et ils nous jetèrent dans notre chambre, cette terrible chambre avec ses lourds lits en métal et sa fenêtre barricadée. Les agents de sécurité restèrent à l'extérieur après nous avoir jetées sur notre grabat, mais M. Conivent entra dans la chambre avec nous. Je voulais l'attaquer, le balancer contre le mur, mais nous ne le fîmes pas. Nous attrapâmes le bord de notre lit en criant :

— Pourquoi ?

Conivent avait un regard dur.

— Parce que je veux voir si tu peux sortir de celle-là.

Il vint vers nous, et nous nous éloignâmes de lui en sautant sur le matelas jusqu'à nous retrouver dos au mur. Pourtant, il continuait de se rapprocher.

J'aimerais te voir arracher le bois de cette fenêtre avec les mains, Addie. J'aimerais te voir enfoncer cette porte.

— Je ne vais aller nulle part, lui assura Addie d'une voix rauque. Vous n'avez pas besoin de m'enfermer.

M. Conivent s'arrêta au bord de notre lit.

— Je tiens à être tranquille, répliqua-t-il. Je veux te savoir bouclée ici lorsque ce soir Hally Mullan sera sur la table d'opération.

Nous nous écroulâmes contre le mur.

Ce soir ? Le Dr Lyanne nous avait dit que l'opération était prévue le lendemain. Elle nous avait promis que ce ne serait pas avant *demain*.

— On pourrait presque dire que c'est ta faute, lança M. Conivent en s'éloignant, nous laissant figées sur notre lit.

Il avait pris un ton de reproche, de déception.

— C'est toi qui es allée fourrer ton nez là où il ne fallait pas. Si tu t'étais comportée correctement, Hally n'aurait pas malencontreusement tenté de t'aider. Elle n'aurait sans doute pas été choisie.

Il ferma la porte derrière lui et nous laissa digérer ses paroles.

Nous essayâmes la fenêtre. Mais pas avant d'avoir frappé, frappé et encore frappé contre la porte. L'avoir rouée de coups de pied jusqu'à ce que notre tibia nous fasse souffrir. Ils avaient emporté nos tables de nuit ; il ne restait donc que les lits, trop lourds pour servir de béliers.

Finalement, quelqu'un dehors nous cria de nous taire et de nous calmer. Un agent, peut-être. M. Conivent en avait laissé un, posté dans le couloir. Nous échapper par là ne serait pas facile.

Donc, nous essayâmes la fenêtre. Enfonçant nos doigts dans les fissures qu'il y avait entre le bois et le mur, nous prîmes notre courage à deux mains, et tirâmes de toutes nos forces.

Nous abattîmes notre poing au centre des planches, espérant les briser. La coupure sur notre main gauche s'était rouverte et le sang coulait à travers le bandage. Mais rien n'avait bougé. Rien ne s'était même fissuré.

Nous retournâmes nous asseoir sur le lit. Tout notre corps nous faisait mal. Notre disque était posé à côté de nous sur le mince matelas et clignotait doucement d'une lumière rouge. Que faisait Ryan dans sa chambre ?

Comment avions-nous pu laisser tomber le tournevis ?

La culpabilité nous comprimait la poitrine, écrasant nos côtes comme de la ferraille. Les bords acérés mordaient notre cœur.

Ma culpabilité, mon plan, mon plan stupide. Oui, nous avions aidé le Dr Lyanne. Mais nous avions perdu le tournevis. Et avec lui, toute chance de sortir de notre chambre.

Je reprenais la maîtrise de notre corps, mais les larmes se mirent à affluer, et je ne les contrôlais plus du tout. C'étaient elles qui semblaient me contrôler.

Des larmes pour nos parents qui n'avaient pas osé nous protéger.

Pour Hally et Lissa, qui avaient tellement besoin de l'être.

Pour Jaime, pour qui il était déjà trop tard.

Je pleurai jusqu'à être ramollie par les larmes, nos cheveux collant à nos joues, notre vision brouillée. Et cette douleur lancinante dans les mains.

Mais je dis : « *On ne peut pas abandonner.*

— *Non*, abonda Addie dans mon sens. *Non, pas question d'abandonner.* »

Garder espoir.

Garder espoir.

Je pouvais sentir la présence de ma sœur, blottie contre moi. Chaude, résistante, une vraie source de force.

« *On a toujours le plan qui mène à la salle de mainte-nance* », dis-je. Nous serrâmes notre front entre nos mains, retenant notre respiration pour essayer d'arrê-ter les larmes. « *Si on arrivait à sortir du Pavillon, Ryan pourrait encore désactiver les alarmes.*

— *On connaît le code de la chambre de Hally et Lissa dans le sous-sol*, enchaîna Addie. *Si on arrive à y des-cendre, on pourra la libérer.* »

Si l'opération n'avait pas déjà commencé. S'il n'était pas déjà trop tard. Mais c'était impensable. Je refusais d'y croire. Nous pouvions encore agir. Nous pouvions encore sauver Lissa et Hally, Jaime et tous les autres enfants…

D'ailleurs où étaient les autres ? Plus d'une heure s'était écoulée depuis que M. Conivent nous avait enfermées ici.

Tout le monde aurait déjà dû revenir au Pavillon.

« *Ils vont bien finir par les renvoyer ici*, dis-je. *Et à ce moment-là, ils seront bien obligés d'ouvrir la porte pour faire entrer Kitty et Nina.* » Je lançai un regard vers le mur blanc à côté de la porte. « *Si on se met là-bas…*

— *On fera quoi ?* demanda Addie. *On passera devant l'agent de sécurité et on se mettra à courir ? Même si on arrivait à sortir du Pavillon, ils nous rattraperaient avant qu'on quitte l'étage.*

— *Il est tard*, lui rappelai-je. *Il n'y aura plus beau-coup de gens dans les couloirs. Ils seront tous rentrés chez eux.* »

Mais l'agent s'empresserait de donner l'alerte, et alors l'endroit fourmillerait de monde. Je le savais. J'avais juste envie de me bercer d'illusions.

« *Et ils ne sont pas obligés de ramener Kitty ici*, reprit Addie. *Pas obligés d'ouvrir la porte.* » Elle hésita, puis ajouta : « *Il y a probablement un autre lit vide ailleurs.* »

Mais juste au moment où la réalité me heurtait de plein fouet, alors que nos yeux glissaient à nouveau sur le sol et que nos épaules s'affaissaient contre le mur, une clé tourna dans la serrure.

La porte s'ouvrit et le Dr Lyanne entra, tenant Kitty par la main.

Je sautai du lit et courus vers elle avant que la porte ne se referme complètement, écartai Kitty et sifflai :

— Vous avez menti. Vous avez *menti*. Vous aviez dit que ce ne serait pas avant demain. Vous...

— Ils ont changé leur plan, affirma la doctoresse. Je l'ignorais.

— Vous l'ignoriez...

— Chut, Addie, souffla le Dr Lyanne.

Elle portait toujours sa blouse blanche de docteur et ses cheveux bien brossés étaient tirés en arrière.

— Pourquoi ? lançai-je d'un ton agressif. Hein, pourquoi ?

— Parce que l'agent de sécurité ne me laissera pas t'emmener si tu fais un esclandre, répliqua Lyanne. Il est près de la porte extérieure, mais il va rappliquer en courant si tu continues à hurler comme ça. Et s'il le fait, je te laisse ici.

Je la fixai, puis me tournai vers Kitty, qui nous regardait avec dans les yeux un espoir tellement confus que je fus incapable de parler.

— J'ai appelé Peter, avoua le Dr Lyanne comme si c'était une faiblesse, comme si, maintenant, dans cette tourmente, elle avait commis une erreur en contactant son frère hybride. Il connaît l'heure. Il attendra à la porte latérale. Ils auront les camionnettes.

Je hochai la tête instinctivement. La main de Kitty se serra autour de la nôtre.

— Ce garçon, Devon. C'est à lui que tu as parlé du groupe de Peter, n'est-ce pas ? Il peut désactiver les alarmes ?

Est-ce qu'elle nous faisait marcher ? Est-ce qu'elle avait, d'une manière ou d'une autre, découvert notre plan et qu'elle essayait de... je l'ignorais. Mais si elle savait déjà tout ça, pour quelle raison nous posait-elle toutes ces questions ?

— Oui, soufflai-je.

— Alors, suis-moi, m'ordonna-t-elle.

Elle sortit un objet de la poche de sa blouse et nous le lança. Je dus me précipiter pour l'attraper avant qu'il ne touche le sol. Une clé.

— Pour la salle de maintenance. Tu as toujours le plan ?

J'acquiesçai de la tête en me penchant pour cacher la clé dans notre chaussette gauche, sans détacher nos yeux du visage du Dr Lyanne. Le contact du métal contre notre peau était plus froid que celui du disque de Ryan.

— Les autres enfants attendent. Nous n'avons pas beaucoup de temps.

— Les autres enfants ? (Je fronçai les sourcils.) Tout le monde ? Jaime et Hally aussi ?

— Non, admit le Dr Lyanne.

— Alors, il faut qu'on aille les chercher, lançai-je. Ce ne sera pas long, pas avec le code…

Le Dr Lyanne secoua la tête.

— Ça n'est pas aussi simple, Addie.

— Qu'est-ce que vous voulez dire ? Je sais que ce ne sera pas facile, mais…

— Tu ne comprends pas.

— Alors, expliquez-moi.

Le Dr Lyanne détourna le regard pour le diriger vers la fenêtre barricadée.

— Nous n'emmenons pas Hally.

Avec Addie, nous réagîmes en même temps, l'incrédulité s'ajoutant à l'incrédulité, la colère nourrissant la colère.

— Quoi ? (Je partis d'un rire étranglé.) Bien sûr que si.

Elle secoua la tête.

— Addie, écoute-moi. Tu penses que cet hôpital est vide la nuit ? Que tout le monde rentre chez lui avec ses affaires en laissant les patients tout seuls ?

— Non, bien sûr que non, mais…

— Ici, il y a *toujours* des docteurs, continua le Dr Lyanne en haussant le ton. Toujours. Toujours des infirmières. Toujours quelqu'un qui fait sa ronde.

— Oui, mais…

— Sauf les jours où l'on opère l'un d'entre vous, m'interrompit-elle.

Je fus incapable d'émettre une parole. Je ne pouvais pas entendre ça. Elle ne pouvait pas dire ça. C'est pourtant ce qu'elle faisait. Et elle continuait de parler.

— Addie, les gens vont aller voir. Les gens vont aller regarder. Pas tous les docteurs, mais bon nombre d'entre eux. La Commission d'examen sera là au grand complet. Et comme il y aura beaucoup d'infirmières dans la salle d'opération, il y en aura moins dans les couloirs. Je pourrai leur dire que j'emmène les enfants pour un examen. Ils trouveront cela bizarre, mais tant qu'ils ne…

— Non, lançai-je. Non.

— L'opération de Hally est notre seule chance, insista-t-elle.

— Non !

Je ne le hurlai pas, ni ne le criai. Mais je le dis d'une voix ferme, dure comme de l'acier.

— Jamais. Nous ne partirons pas sans elle. Et Jaime ? Lui aussi, il est en bas. Vous allez l'abandonner aussi ? *Encore une fois ?*

Le Dr Lyanne fit un pas vers la porte, les joues empourprées d'un rouge dangereux.

— Quand tu seras plus vieille, Addie, tu comprendras que, parfois, il faut savoir faire de terribles sacrifices pour pouvoir…

— C'est ça, rétorquai-je. C'est ce que vous vous êtes dit quand ils ont ouvert le crâne de Jaime ?

Ma question l'immobilisa.

Personne ne parla.

La main de Kitty se tordait dans la nôtre, et il me fallut un moment pour comprendre qu'elle voulait qu'on la lâche. Je baissai la tête vers elle, mais elle avait les yeux rivés sur le Dr Lyanne. Je la laissai partir. En quelques pas, elle fut près de la doctoresse.

Kitty passa les doigts qui avaient été mêlés aux nôtres autour de ceux du Dr Lyanne.

— Faites-moi sortir d'ici, l'implora-t-elle en braquant sur elle ses immenses yeux noirs et son visage pâle de petite fée. S'il vous plaît, faites-moi sortir d'ici. Laissez Addie aller dans le sous-sol. Et faites-nous tous sortir d'ici.

Chapitre 32

Le Dr Lyanne mit une éternité à déverrouiller la porte de Ryan. Je dus me retenir de lui arracher les clés des mains pour le faire moi-même. Si nous voulions récupérer Hally avant que les chirurgiens ne s'en emparent, il nous fallait faire vite. Il y avait aussi cette oppression dans notre poitrine, ce pincement qui, je le savais, diminuerait un peu, quand je verrais Ryan et saurais qu'il allait bien.

Quand la porte s'ouvrit enfin, il sauta du lit et je sus très vite que c'était Ryan et non Devon qui courait vers nous, avec une expression d'intense désarroi. Je tendis les bras, les passai autour de son cou, et enfouis mon visage dans son épaule. Je sentis son cœur battre sous sa chemise, *boum, boum, boum*, aussi vite que le mien. La chaleur de sa poitrine contrastait avec la froideur de l'hôpital. Une seconde s'écoula, une seule seconde, avant qu'il ne m'entoure de ses bras à son tour.

— Eva, murmura-t-il dans mes cheveux. (Il resserra son étreinte.) Qu'est-ce qui se passe ? Qu'est-ce qui se passe ?

— Il faut qu'on se dépêche, répondis-je.

Les couloirs étaient toujours à demi éclairés, mais déserts. Le bruit de nos pas résonnait et nos ombres nous suivaient comme des fantômes écorchés. En courant devant les fenêtres, nous traversions parfois un faisceau de lune avant de replonger dans l'obscurité. Obscurité et lumière. Lumière et obscurité.

Puis nous atteignîmes l'escalier complètement plongé dans la pénombre. Notre main survolait la rampe, prête à la saisir si jamais je trébuchais, ce qui n'arriva pas. Nous n'arrêtions pas de courir, courir, courir. Ryan était parfois à nos côtés, parfois un peu devant ou un peu derrière. En arrivant enfin au sous-sol, nous étions hors d'haleine.

La lueur jaune de l'éclairage d'urgence donnait à ce niveau une ambiance de danger, et il fallut ralentir l'allure. Hormis un faible bourdonnement, tout était calme et paisible. Le silence amplifiait le bruit de notre respiration, du froissement de nos vêtements, de nos pas sur le carrelage. Au fur et à mesure que nous franchissions les portes, je jetais un coup d'œil à travers les fenêtres et apercevais tables d'examen et lampes opératoires au bout de longs bras articulés, réminiscences de nos cauchemars. Mais pas de Hally. Pas de docteurs. Où qu'ils soient, ils n'étaient pas dans cette aile-là.

« *B42*, dit Addie, comme si j'avais oublié. *Il faut qu'on aille chercher Jaime.* »

Je ne mis pas longtemps à trouver la bonne chambre.

Les lumières d'urgence éclairaient la porte froide et solide.

Ils avaient charcuté ce garçon derrière cette porte. Sans raison, sans aucune raison valable…

Et c'était le seul survivant.

J'arrivais à peine à taper les chiffres sur le clavier. Je me trompai la première fois et fus terrifiée à l'idée de recommencer. Et s'il n'y avait qu'un nombre limité de tentatives ? Et si une alarme se déclenchait au bout de plusieurs erreurs ?

Mais Addie me souffla : « *Garde ton calme, Eva. Garde ton calme.* » Je pris alors une profonde inspiration et recommençai. La lumière clignota en vert et, dans le vertige du soulagement, j'ouvris la porte.

— Jaime, soufflai-je. Jaime, réveille-toi. Il faut y aller.

Il s'éveilla en sursaut et poussa un cri. Je reculai d'un bond, bousculant Ryan, qui me ceintura brièvement. Je dus me dégager pour approcher Jaime.

— Chut, chut, dis-je en tendant les bras vers lui. Ce n'est que moi. Tu te souviens de moi ? Je suis venue avant-hier. Nous avons parlé à travers le haut-parleur.

Il ne fit ni oui ni non de la tête. Il ne dit rien. Mais il y eut comme une lueur de reconnaissance dans son regard.

— Est-ce que tu peux te lever, Jaime ? demandai-je. On va te sortir d'ici. On va en haut, d'accord ? Fais-moi confiance.

Il hocha la tête, repoussa ses couvertures et déplaça lentement ses jambes jusqu'à ce qu'elles pendent sur le côté du lit.

Il réussit à se mettre debout tout seul, mais il titubait. Alors que je tendais la main pour l'aider, Ryan le saisit par le bras. Jaime eut l'air surpris, mais Ryan lui adressa un petit signe de tête, auquel le gamin répondit par un sourire en biais. Maintenant que nous pouvions le voir de près, il semblait beaucoup plus petit. Oui, petit, avec d'un côté du crâne une masse de cheveux bruns bouclés et de l'autre, la peau nue et blême. Et cette longue cicatrice courbée.

J'étais en train de refermer la porte quand nous entendîmes le hurlement.

Ryan poussa Jaime sur le côté du couloir.

— Reste ici...

J'étais déjà en train de courir à toute vitesse.

Lissa hurla de nouveau et, cette fois-ci, ce fut un mot chargé de terreur. Elle appelait son frère. Je tournai à l'angle du corridor en dérapant et piquai un sprint. Tout au bout, j'aperçus un éclat de lumière. Pas l'éclairage d'urgence jaune, mais des lumières brillantes, fluorescentes. Le genre de celles qui éclairaient les autres étages de Nornand.

Après avoir encore bifurqué, j'aboutis dans un couloir très lumineux, où tout brillait si fort que c'en était presque aveuglant. Il n'y avait qu'une porte ouverte, d'où provenait le cri. Je me précipitai à l'intérieur, Ryan sur mes talons.

Là, un agent de sécurité nous tournait le dos, bras écartés. Plus deux infirmières, les mains gantées de caoutchouc. L'une d'elles, armée d'une seringue. Et une fille, qui se débattait et hurlait, hurlait et hurlait, quand soudain... Ryan me doubla et bondit en avant. Il repoussa violemment l'agent de sécurité, qui percuta le mur. Les infirmières relevèrent la tête, le visage pâle, les yeux écarquillés. Les lunettes de Lissa étaient tombées par terre et les strass blancs de la monture scintillaient dans la lumière.

Ryan et moi bondîmes sur les infirmières presque en même temps. Il attrapa celle qui maintenait toujours Lissa sur la table ; l'autre, celle qui tenait la seringue, avait déjà reculé en trébuchant. Nous les repoussâmes, et je pris Lissa par la main.

L'agent de sécurité s'était remis debout. Il m'attrapa par l'épaule et, sans réfléchir un quart de seconde, j'écrasai notre pied dans son genou. Il grogna. Je lui balançai notre coude dans le nez et cela suffit à le faire renoncer. Il y avait du sang. Du sang et ses imprécations de douleur et de surprise.

L'une des infirmières tenta de saisir à nouveau Lissa. Je vis l'éclair de la seringue, et Ryan qui l'éjecta de sa main. Il l'écrasa d'un coup de pied, cassant presque l'aiguille, désormais tordue et inutilisable. Dans un même geste, il ramassa les lunettes de Lissa et les lui lança. Elle s'empressa de les chausser.

Nous nous tenions là, tous les trois, enfin... tous les six, au milieu de cette salle, entourés d'infirmières et d'un agent de sécurité à bout de souffle.

La sueur brillait sur la peau pâle de l'homme. Il avait ôté sa main de son nez et du sang lui dégoulinait sur les lèvres. Cela nous retourna l'estomac, mais ce n'était pas le moment de faire du sentiment. Nous devions encore combattre. Nous devions lutter pour leur passer devant, sortir par la porte et puis courir, courir, courir.

La porte. Si seulement nous pouvions atteindre la porte...

Pendant un instant, juste un instant, un millième de seconde, tout le monde demeura immobile.

Une fraction de seconde. Un instantané de peur, de sueur et de sang.

Puis les sirènes se mirent à beugler.

Leur cri strident s'insinua dans la concentration de tous, sauf dans la mienne.

Je tenais déjà Lissa par le poignet. Nos yeux croisèrent ceux de Ryan, avant de se fixer sur la porte. Chacun nous regarda fuir, mais il était trop tard. La salle était petite.

Nous fonçâmes entre les infirmières, échappant de justesse à la tentative de blocage de l'agent, puis ce fut le dernier mètre vers la porte. Je me retournai vivement et claquai le battant. Avec l'aide de Ryan et Lissa qui empêchaient infirmières et agent de la rouvrir, je tapai le code sur le cadran et la verrouillai.

La sirène hurlait, hurlait. Cette même sirène entendue le jour de notre arrivée et qu'ils avaient testée sur nous.

Celle qui m'avait poussée à sortir de notre lit et qui, désormais, tonitruait dans tout l'hôpital.

Cette fois-ci, je le savais, cela n'avait rien d'un test. Cette fois, c'était réel. Quelque chose avait mal tourné. Très mal tourné. Aucun de ceux que nous avions enfermés dans la salle où était Lissa n'avait pu contacter quelqu'un, aucun n'avait pu nous dénoncer. Donc il devait s'agir des autres enfants et du Dr Lyanne. Il leur était arrivé quelque chose.

L'agent continuait de tambouriner contre l'épaisse porte qui étouffait ses cris, tout comme la stridence de la sirène.

Ryan agrippa notre bras. La prise de Lissa sur notre main nous faisait souffrir, car ses ongles s'enfonçaient dans le pansement de notre paume. Mais la douleur m'aidait à réfléchir, même si elle lançait des éclairs brûlants dans notre bras.

— Venez… (Je les entraînai à ma suite.) On récupère Jaime et ensuite, on monte. *Maintenant*.

Jaime tituba vers nous dès qu'il nous aperçut. Il ressemblait à un fantôme égaré avec ses cheveux noirs contrastant avec son pyjama blanc. De sa main libre, Lissa l'attrapa par le bras et l'entraîna à notre suite. Mais il était chancelant, il vacillait, pleurait, tombait, et nous dûmes nous arrêter.

« *Il y a du monde qui arrive* », m'indiqua Addie.

Nous pouvions les entendre. Bruits de pas précipités et paroles confuses. De l'endroit d'où nous venions.

Mais Jaime ne pouvait pas aller plus vite, même si Lissa et moi le portions presque. Ryan revint en courant pour nous donner un coup de main et, à nous trois, lentement, très lentement, nous aidâmes Jaime à gravir l'obscurité oppressante de l'escalier.

« *Les alarmes*, lança Addie tandis que nous progressions. *Il faut que Ryan désactive les alarmes…*

— *Oublie les alarmes. Ils sont au courant de ce qui se passe.* »

La sirène crachait son étrange hurlement tellement fort que je sentais notre cœur prêt à éclater. Son rythme sourd scandait notre ascension dans l'escalier, couvrant le bruit de nos pas sur les marches. Plus qu'un étage !

Lissa poussa doucement la porte ouvrant sur le rez-de-chaussée, et nous glissâmes à travers le hall d'entrée peu éclairé. Il ne donnait que sur un unique couloir. La porte latérale devait être quelque part par ici. Elle ne pouvait pas être bien loin.

Et le hall d'entrée était toujours désert.

Je lâchai Jaime.

Ryan tendit le bras vers nous.

— Qu'est-ce que…

— Je vais aller voir en haut dis-je. Je veux être sûre que les autres vont sortir.

— Eva, c'est de la folie ! s'exclama Lissa.

« *Eva*, dit Addie. *Eva, il faut qu'on les conduise à la porte latérale.* »

J'essayai de déglutir, mais notre gorge était trop sèche.

— Il y a un truc qui cloche. Il faut que j'aille voir. Je veux juste… Kitty… Cal… les autres enfants… ils vont…

— Eva… insista Ryan.

— La porte latérale, dis-je. De l'autre côté du hall d'entrée. Continuez jusqu'à ce que vous la trouviez ; elle ne doit pas être très loin. Dis à Jackson que j'arrive.

— Non, intervint Lissa.

Après la bagarre dans le sous-sol, elle avait les cheveux en bataille, les joues griffées et les yeux brillants. Elle tenta d'attraper notre main. Je la poussai vers l'avant.

— Il faut que tu y ailles, Lissa. Il faut que tu emmènes Jaime jusqu'à la porte avant qu'ils n'arrivent. Il ne peut pas marcher très vite. Vous devez y aller *maintenant*.

Elle demeurait immobile. Elle secoua la tête. Regarda son frère.

— Viens, dit-il. Je t'en prie, Lissa, viens. On y sera très vite.

Lissa hésita encore un moment. Puis elle hocha la tête. Je la regardai se fondre dans le hall sombre, se mêlant aux ombres, entraînant Jaime.

— J'y vais, lançai-je à Ryan.

Si je n'avais pas été aussi stupide en perdant le tournevis, tout se serait déroulé autrement. Tout le monde serait déjà dans les camionnettes de Peter, à filer vers la liberté. Ce chaos, cette incertitude, c'était ma faute.

— Je dois y aller. Tu ne m'en empêcheras pas, Ryan.

— Alors, je t'accompagne, déclara-t-il en me tendant la main.

Je la saisis. Nous gravîmes les marches quatre à quatre. Nous venions d'atteindre le deuxième étage lorsque les lumières s'allumèrent à puissance maximale.

« *Ils savent que nous sommes ici*, lança Addie. *Ils savent ce que nous faisons, Eva. Eva… il faut qu'on file.* »

Je secouai la tête. « *Non. Non, on ne peut pas.* »

— Eva, dit Ryan, s'ils allument partout, ça veut dire qu'ils vont fouiller les couloirs. Même si les autres ne se sont pas déjà sauvés, on n'arrivera jamais à les faire sortir en évitant les agents de sécurité.

Je me penchai et glissai notre main libre dans notre chaussette pour en sortir la clé que j'avais cachée. Le pansement sur notre paume me ralentissait, mais je finis par y parvenir.

— Il faut éteindre les lumières. Toutes les lumières.

Je lui confiai la clé que m'avait donnée le Dr Lyanne, ainsi que le plan de Jackson.

— C'est au dernier étage. Il y a une porte, une salle de maintenance…

— … Où je pourrai couper toutes les lumières, termina-t-il.

Alors que nous étions à découvert dans cet escalier, avec les sirènes qui hurlaient, il se mit soudain à rire en secouant la tête.

— Dis-moi, Eva, tu ranges toujours tout dans tes chaussettes ?

Je ne savais pas si je devais rire ou pleurer. Sûrement les deux. Mais je me contrôlai, le poussai vers la prochaine volée de marches en lui disant avec un sourire :

— Je te retrouve très vite, d'accord ? En bas, à la porte… la porte latérale.

Il hocha la tête avec un sourire las.

La sirène cessa.

Notre sourire s'effaça. Qu'est-ce que ça voulait dire ?

— Vas-y, dis-je.

Ryan se précipita dans l'escalier. Je pris une profonde inspiration et ouvris la porte qui donnait sur le deuxième étage.

Chapitre 33

Le silence était inquiétant. L'écho de la sirène continuait de résonner dans mes oreilles. Je la regrettais presque. Au moins, elle aurait couvert le bruit de nos pas pendant que nous dévalions le couloir. Elle aurait masqué le bruit de notre respiration. Nous nous sentions nues et exposées en traversant ce couloir, assaillies par les lumières vives.

Je marchai aussi vite que je pouvais, mais nos chaussures d'école n'avaient pas été conçues pour être silencieuses. Elles claquaient sur le sol. Je finis par les retirer et les tenir à la main. Si je ne l'avais pas fait, l'histoire aurait été chamboulée.

Addie et moi étions presque arrivées au bout du couloir lorsque nous la vîmes... la petite fille fée dans sa tenue bleue Nornand.

Et M. Conivent qui lui serrait le bras.

Ni l'un ni l'autre ne nous avait remarquées.

Addie pressa notre dos contre le mur, à côté d'un chariot abandonné, et jeta un œil derrière l'angle du mur. M. Conivent n'était qu'à un ou deux mètres de nous, mais il avait le dos tourné.

— Où sont les autres ? demanda-t-il en secouant Kitty, qui ferma les paupières. Si tu veux rentrer chez toi, Kitty, il va falloir que tu me le *dises*.

Je luttai contre Addie.

« *Attends* », lança-t-elle d'un ton sec.

— Je ne sais pas, répondit Kitty. Sûrement avec le Dr Lyanne et les agents de sécurité. Bridget… Bridget, ne voulait pas venir et l'infirmière a appelé la sécurité et…

Il la secoua de nouveau, ce qui la fit taire.

— Je ne parle pas d'eux, Kitty. Où sont Devon et Addie ?

— Je sais pas…

Le chariot qui se trouvait à côté de nous était vide, hormis les plateaux en métal qu'utilisaient les Dr Lyanne et Wendle pour transporter leurs instruments médicaux. Lentement, Addie se baissa, et posa nos chaussures sur le sol. Elle tendit le bras et saisit un plateau des deux mains.

— Je le jure, insista Kitty. Je vous jure que je ne sais pas. Je…

Je ne pouvais pas en supporter davantage.

Je surgis brusquement de l'angle et écrasai le plateau dans le dos de M. Conivent. Il rugit. Kitty hurla. Elle avait les yeux écarquillés, le visage blême. Mais ne resta pas immobile. Elle se libéra et se précipita vers nous. Je l'attrapai et la poussai derrière nous pour reculer à tâtons. M. Conivent avait retrouvé son équilibre et se retourna. Les veines de son cou étaient prêtes à éclater. Ses yeux étaient tels deux cristaux de glace sur un visage de cire. Fini l'élégance et l'onctuosité. Il n'était plus que dureté, angles acérés.

Mais quand il parla, sa voix était toujours doucereuse.

— Addie, te voilà.

Il sourit. Lentement, il sortit son talkie-walkie de sa poche et lança :

— Deuxième étage. Aile Est. Tout de suite.

Notre cœur s'emballa.

Nous étions dans une impasse. Kitty se tenait derrière nous, et il y avait bien trois à quatre mètres entre nous et M. Conivent.

S'il plongeait sur nous, j'aurais le temps de reculer, il perdrait l'équilibre et alors, je pourrais l'attaquer. Si Kitty et moi faisions demi-tour pour partir en courant, nous serions vulnérables car il pourrait se jeter sur nous par-derrière et nous plaquer au sol.

Impasse.

— Nous partons, dis-je.

Notre gorge était tellement sèche que les mots avaient du mal à sortir. Je reculai d'un pas prudent.

— Nous partons, M. Conivent.

Celui-ci aboya de nouveau dans son talkie-walkie.

— Vous m'avez entendu ? Je veux que vous rappliquiez *immédiatement*. (Puis s'adressant à nous :) Addie…

— Je ne suis pas Addie, rétorquai-je en cessant de reculer. Je suis Eva.

Mon prénom sortit en bouillonnant de ma gorge, doux et clair.

— Ne sois pas ridicule, répliqua M. Conivent.

Je me mis à rire.

— Ridicule ?

— Tu es malade, reprit-il. Tu es une enfant malade et destructrice, et tu ne comprends pas…

— Je ne suis pas malade, crachai-je. (Il ouvrit la bouche pour riposter, mais je lui coupai la parole.) Je ne suis pas malade. Ni détraquée. Je n'ai pas besoin d'être opérée, soignée ou quoi que ce soit d'autre.

Je pris une profonde inspiration. J'avais l'impression d'être la seule qui respirait encore dans ce couloir.

— Addie, tenta M. Conivent d'une voix plus forte.

Le velours de sa voix avait disparu.

— Je ne suis *pas* Addie ! criai-je.

Et les lumières s'éteignirent.

Je bondis en avant, écrasant le plateau de métal sur le crâne de M. Conivent. Le coup fut si dur que nos os vibrèrent sous le choc.

« *Eva !* » hurla Addie.

Je me reculai. Il n'avait pas crié. M. Conivent n'avait pas crié quand je l'avais frappé.

L'éclairage de secours se déclencha, baignant l'endroit de la même lumière blafarde que dans le sous-sol.

M. Conivent était avachi sur le sol. Une poupée désarticulée. Une poupée de chiffons.

Oh, mon Dieu.

Mon Dieu.

Je lâchai le plateau. Il tomba sur le sol avec fracas, un fracas qui résonna encore et encore dans les couloirs.

Mon Dieu.

Une petite main froide se glissa dans la nôtre. Kitty ! Elle nous entraîna loin du corps avachi. Un pas. Puis deux. Puis trois.

Il nous fallait partir. Peter nous attendait.

Je serrai la main de Kitty au point de l'écraser, mais elle ne protesta pas. Nous partîmes en courant vers l'endroit d'où Addie et moi étions venues, en direction de l'escalier.

Ryan nous retrouva au rez-de-chaussée, nous percutant presque.

— Tu les as trouvés ? Ils étaient là-haut ? Ils sont sortis ?

Puis il découvrit Kitty. Elle avait du mal à tenir le coup. Elle avait des cheveux collés sur ses joues, dans sa bouche. Elle serrait notre main. Nous la sentions trembler.

Elle secoua la tête.

— Bridget… Bridget ne voulait pas partir… (Sa voix se brisa, mais elle réussit à poursuivre.) Nous sommes tombés sur une infirmière, et le Dr Lyanne a dit qu'elle nous emmenait quelque part, mais Bridget a dit qu'elle mentait. Elle a dit qu'il se passait quelque chose de bizarre, et... (Sa main pressa la nôtre avec une telle force qu'elle nous fit mal.) Tout le monde a couru, mais l'infirmière a appelé les agents de sécurité. Elle a tiré sur le signal d'alarme, et... j'étais avec Cal, mais il s'est fait prendre et... il y avait tellement de gens. Je me suis cachée jusqu'à ce qu'ils soient tous partis. (Elle prit une brève inspiration.) Je veux partir d'ici, Addie. Je...

— Tu vas partir, affirmai-je. Tu pars. Maintenant.

Je me tournai vers Ryan. Je pensai à Cal et aux autres enfants, même à Bridget, mais en le regardant, je sus que nous n'avions pas le temps. Pas si nous voulions mettre Kitty et Nina en sécurité.

— Une autre fois, dit-il doucement. Nous les retrouverons, Eva. Tous.

Mais pour le moment, il fallait partir.

Le bricolage de Ryan avait aussi coupé les lumières du hall d'entrée, mais l'éclairage d'urgence demeurait et les lampes torches des agents de sécurité croisaient leurs faisceaux dans les airs. Ils hurlaient :

— Personne ici. Zone sous contrôle...

Nous étions accroupies en bas des marches, masquées par la semi-obscurité, fascinées par la pagaille.

À espérer, à prier que Lissa et Jaime aient réussi à trouver les camionnettes promises par Jackson.

Ryan toucha notre épaule, nous tirant de nos pensées.

— À trois, articula-t-il.

Je pris la main de Kitty et la serrai.

Un.

Deux.

Trois.

Nous avions presque, presque traversé le hall quand l'un des agents de sécurité nous apostropha en criant.

Nous ne ralentîmes pas. Je resserrai mon étreinte sur la main de Kitty.

Nous courûmes droit devant. Cul-de-sac. Un tour à gauche.

Et là... apparut le panneau lumineux rouge indiquant la sortie tout au bout du couloir. L'agent de sécurité nous criait de nous *arrêter*.

— Stop. Maintenant ! Tout de suite !

Et soudain, Jackson. Jackson surgissant de la pénombre, accompagné d'un autre homme derrière lui.

Il tendit le bras pour nous aider au plus vite. L'homme souleva Kitty pour l'emporter. Et puis, nous fûmes dehors, dans la lueur du clair de lune. Nous bondîmes dans une camionnette noire, atterrissant presque sur Lissa qui nous sauta au cou. Jaime était au fond. Ryan s'engouffra derrière nous et Jackson claqua la porte après avoir rejoint le siège passager.

Nous démarrâmes sur les chapeaux de roues, juste au moment où l'agent de sécurité déboulait dans le parking.

Chapitre 34

Tout se passa tellement vite.

Le trajet, l'aéroport, le vol, les papiers d'identité avec notre photo mais pas nos vrais prénoms. Tout se déroula dans un mélange flou de couleurs et de bruits de moteur. Avant même de nous en rendre compte, nous étions dans un avion, avec Jaime qui bougonnait dans le siège voisin du nôtre.

Kitty regardait fixement par le petit hublot, sa paume appuyée contre le panneau en plastique. Lissa dormait. Devon – à présent, c'était Devon – gardait les yeux baissés sur ses mains et, bientôt, finit lui aussi par s'endormir.

Étrange. Ce n'était que notre deuxième voyage dans les airs, mais nous ne ressentions aucun enthousiasme. Juste de la lassitude.

Avant l'aéroport, nous avions fait halte dans un petit motel où nous avions échangé notre bleu Nornand pour des vêtements pas assortis et pas à notre taille.

Nous avions coiffé nos cheveux, lavé notre visage et remarqué, dans le miroir, nos yeux creusés.

L'homme n'était autre que Peter. Il était encore plus grand que Jackson, plus costaud, et nous pouvions presque reconnaître le Dr Lyanne dans les traits de son visage, la couleur châtain de ses cheveux. Il nous avait souri, mais nous étions vraiment trop épuisées pour lui rendre son sourire. C'était lui qui nous avait retiré le bandage autour du front tandis que nous nous mordions la lèvre pour ne pas grimacer de douleur. Il l'avait remplacé par un pansement plus petit.

Les bandages sur nos jambes étaient plus faciles à dissimuler sous un pantalon, et ceux de nos mains par des manches trop longues.

Jaime avait été coiffé d'une casquette de baseball usée pour dissimuler la marque de son incision et les agrafes dans son crâne. Mais on n'avait rien pu faire pour les coupures que Lissa avait sur la joue, nos contusions et le pansement sur notre front. J'avais laissé nos cheveux retomber sur notre visage pour masquer les dégâts.

Peter et Jackson étaient montés avec nous dans l'avion, mais étaient allés s'asseoir quelques rangs plus loin. Il y avait eu un troisième homme, mais il avait pris un autre vol. C'était le chauffeur de l'autre camionnette noire. Celle qui était vide, qui aurait dû accueillir les autres enfants. Ceux que nous n'avions pas sauvés.

L'avion se posa dans une ville située près de l'océan. Tout n'était qu'un rêve bruyant et surpeuplé. Nous n'avions pas de bagages. Personne n'était venu nous attendre à l'aéroport. Tout le monde s'entassa dans un énorme van, et le trajet s'effectua en silence. Dans le ciel, la lumière vive des étoiles perçait à travers les bandes de nuages noirs.

Nous arrivâmes à l'immeuble peu après l'aube. Deux femmes attendaient sur le bord de la route. L'une avait un peu plus de la vingtaine, l'autre à peu près l'âge de notre mère. Elles riaient et papotaient en attendant que notre van s'arrête.

Peter et Jackson descendirent. Jaime, la tête appuyée contre la fenêtre, se murmurait des histoires en se tordant les mains sur ses genoux. Devon était assis à côté de lui, silencieux. J'espérais le retour de Ryan, qui m'aurait souri, qui ne se serait pas isolé du reste d'entre nous. Mais Ryan n'était pas là. Alors je détournais le regard en essayant de me concentrer sur le monde extérieur à travers la fenêtre.

La route était déserte. Une douce brume rose et jaune planait dans les rues, les illuminant et les obscurcissant par intervalles.

Je laissai nos yeux errer sur l'immeuble, grand bâtiment couvert de briques rouges avec un escalier de secours métallique sur le côté. Peter, Jackson et les femmes discutaient tranquillement à l'ombre d'un réverbère.

Soudain, je compris le sujet de leur discussion.

— Non ! lançai-je en ouvrant la porte du van.

Lissa sursauta, l'air abasourdi.

La dernière phrase de Peter s'évanouit sur ses lèvres.

— Non, répétai-je. Pas question de nous séparer.

Il y eut comme un silence pesant. Qui s'amplifia.

La plus jeune femme nous adressa un sourire hésitant.

Ses cheveux couleur cappuccino bouclaient comme de la mousse autour de son visage. Tous ces enfants ensemble, cela pourrait éveiller les soupçons, dit-elle. Nous resterions très proches, promis.

Nous refusâmes.

Ils finirent par abandonner l'idée, et notre groupe de cinq enfants s'entassa dans le petit appartement de Peter. Il n'y avait que deux chambres, les filles en partagèrent donc une et les garçons l'autre. Kitty s'éveilla à peine lorsque Peter la transporta dans l'escalier de l'immeuble et l'allongea sur le lit. Jackson partit chercher des couvertures et des oreillers supplémentaires afin que Lissa et moi puissions organiser des lits de fortune sur le sol. Personne ne se changea. Nous n'avions aucun autre vêtement, à part nos uniformes, et personne ne voulait plus y toucher.

Et puis, nous étions tellement fatigués que tout le monde s'écroula sans demander son reste.

J'eus du mal à empêcher Addie de hurler lorsque nous fûmes harcelées, de longues heures plus tard, par des cauchemars de Cal sur la table d'opération, de scalpels découpant des lignes sanglantes sur son visage. À côté de nous, Lissa marmonna quelque chose sans s'éveiller.

Lentement, je me rallongeai et passai la main sous mon oreiller pour en sortir le disque. Après toutes ces nuits passées à Nornand, nous nous y étions tellement habituées. La douce pulsation de la lumière était rassurante. Notre cœur ralentit jusqu'à ce que les deux rythmes se synchronisent pour battre à l'unisson.

Puis les clignotements rouges se mirent à accélérer.

Je repoussai nos couvertures et m'assis avant même de me rendre compte de ce que je faisais. Je bougeai beaucoup plus facilement maintenant, rien à voir avec mes premiers pas si douloureux. Peut-être était-ce les effets secondaires du Refcon qui avaient rendu les choses difficiles.

Addie demeura silencieuse lorsque j'enjambai Lissa et fonçai vers la porte.

Ryan nous attendait dans l'entrée. M'attendait, moi.

— Eva, souffla-t-il.

L'instant d'après, mes bras étaient autour de son cou, ma tête sur son épaule.

— Tu vas bien ? demandai-je.

Il se mit à rire.

— J'allais te poser la même question.

— Ça va, affirmai-je d'une voix étouffée.

Nous glissâmes ensemble sur le sol, aucun de nous deux ne voulant lâcher l'autre. Il était calme, adossé contre le mur. Je finis par m'écarter un peu en penchant la tête pour voir son visage.

— Quoi ? s'enquit-il d'un air grave, auquel succéda un sourire qui répondait au mien. Qu'est-ce qui te fait rire ?

— Je crois que c'est toi, dis-je en riant de plus en plus fort, tellement tout ça me semblait absurde.

Rire me faisait mal, mais ne pas rire était pire. Ryan essaya de me faire taire, mais il riait lui aussi. Notre rire était crispé, haletant, délirant.

Chacun bâillonna la bouche de l'autre en essayant de retenir son souffle jusqu'à ce que nous puissions reprendre le contrôle.

— Il fait sombre, Ryan. Je distingue à peine ton visage, mais je sais que c'est toi.

Il sourit. Ça, au moins, je pouvais le dire, malgré l'obscurité.

Il avait toujours les mains posées sur nos épaules, le visage à environ quarante centimètres du mien.

— Et tu sais que c'est moi, insistai-je. (Il hocha la tête.) Comment tu sais que c'est moi ?

Je déglutis, soudain intimidée.

Soudain consciente de notre proximité, consciente que j'étais pratiquement sur ses genoux, moi qui n'avais jamais été aussi proche de quelqu'un. Une sorte de malaise sombre et désagréable s'insinua en moi. Je me raidis et détournai les yeux. Mais ce malaise n'était pas le mien. Il ne me concernait pas et j'essayai de le repousser.

— Eva ? dit Ryan. (Sa main descendit le long de mon bras et ses doigts s'enroulèrent autour de mon poignet.) Eva ? répéta-t-il avec tendresse.

Il se pencha vers moi, pour essayer de rencontrer mon regard. J'oubliai tout.

Il se passa une chose inexplicable, comme un hoquet dans le temps. Sa bouche se posa sur la mienne. Je sentis ses lèvres douces, pressantes. Cela dura une seconde. Un battement de paupières, de cœur. Il s'écarta sans rien dire. Je pris son bras.

Cette fois, ce fut moi qui l'embrassai. J'étais tellement étourdie que j'en serais tombée si nous n'avions pas déjà été sur le sol.

Mais quelque chose se tordait au fond de moi, protestait. C'était vif, cassant et ça criait. Et avant que je sache ce que je faisais, je m'écartai en suffoquant... *« Addie. Addie, Addie... »*

Elle ne disait rien, mais je l'entendais pleurer, et je me mis à trembler. Je m'éloignai et Ryan ne chercha pas à me retenir.

Il se contenta de me regarder et je sus qu'il avait compris.

Il ne se releva pas, mais il effleura ma main juste avant que je me retourne, et là, à cet instant, il n'y eut que moi, il n'y eut que lui, et personne d'autre au monde.

Mais cela ne dura qu'une seconde. Parce que je n'étais jamais seule, et lui non plus. Je filai dans la salle de bains. Je sentais le contrôle qui m'échappait tandis que les émotions d'Addie bouillonnaient de plus en plus fort. Au moment de fermer la porte, nous étions en larmes.

« Je suis désolée, dit Addie. *Je suis désolée. J'ai essayé...*

— Ce n'est rien », répondis-je. Qu'aurais-je pu dire d'autre ?

Elle, c'était Addie. Elle était ma moitié, mon autre partie de moi.

Elle était plus importante que quiconque.

« Jamais je n'aurais cru... » Elle couvrit notre visage de nos mains, en essayant d'étouffer ses larmes. *« Jamais je n'aurais cru... »*

Elle n'aurait cru regarder, ressentir le baiser de quelqu'un qu'elle ne désirait pas embrasser. Cela avait toujours été ma peur secrète, mon fardeau.

Je ne sus que répondre.

Lorsque nous nous hasardâmes dans l'entrée, Ryan était parti.

Les jours s'écoulèrent. Un, puis deux, puis une semaine. Peter n'était pas souvent à l'appartement mais, quand il venait, il amenait toujours ses amis avec lui. Il y avait la jeune femme aux cheveux couleur cappuccino, l'autre plus âgée, avec ses lunettes à monture en écaille, un homme à la peau couleur noix de muscade, et une fille qui avait l'élégance d'une ballerine. Et puis Jackson, qui n'arrivait jamais sans un sourire pour Addie et moi. Ils s'installaient autour de la table de la salle à manger et discutaient à voix basse pendant des heures. Une fois, alors que nous nous rendions dans la cuisine, l'homme basané demanda de nos nouvelles.

— Ils récupèrent, répondit Peter.

Récupérer ?

J'imagine que c'était le cas.

Ryan et moi ne nous évitions pas vraiment, mais nous n'étions jamais là. J'avais dit à Addie que j'étais trop fatiguée pour prendre le contrôle, et chaque fois que nous regardions, saluions, ou même croisions le garçon aux cheveux bruns bouclés et aux yeux noirs, je savais que c'était Devon et non Ryan. Lui et Addie ne se parlaient pas beaucoup. Si Hally ou Lissa le remarquèrent, elles ne firent aucun commentaire. Elles étaient beaucoup plus calmes qu'elles ne l'avaient été auparavant et passaient beaucoup de temps seules, ou avec Jaime. Mais au fur et à mesure que les jours passaient, elles se mirent de nouveau à sourire, juste un peu. Puis de plus en plus.

Il y avait toujours des provisions dans le frigo : du lait, des œufs, des pommes. Nous avions trouvé du beurre de cacahuète et du pain dans le garde-manger, et pendant quelque temps, nous n'avalâmes que des sandwichs. Personne ne s'en plaignait.

Les tremblements de Jaime ne disparurent jamais, mais il souriait et nous aidait à préparer le déjeuner, se mettant même à rire quand nous le surprenions à lécher ce qui restait sur le couteau du beurre de cacahuète. Parfois, nous le trouvions en train de murmurer tout seul, à rassembler des fragments de phrases comme s'il espérait faire renaître l'âme du jumeau qu'il avait perdu. Mais d'autres fois, il était vif et joyeux, et je pus facilement comprendre comment il avait conquis le cœur du Dr Lyanne plus que tout autre patient de Nornand.

Puis arriva ce jour où la sonnette retentit et où la porte s'ouvrit non pas sur la jeune femme aux boucles cappuccino ou l'homme à la peau sombre. Elle s'ouvrit sur une femme fatiguée aux cheveux châtains relevés en une vague queue-de-cheval, et qui portait une unique valise. Elle était chaussée de souliers visiblement très inconfortables.

Peter et elle se regardèrent pendant un moment. Ils étaient à la fois si semblables et si différents. Puis elle nous regarda, Hally et nous, assises à table en train de prendre notre petit déjeuner.

Les autres n'étaient pas encore réveillés.

Le Dr Lyanne, car c'était elle, attrapa sa valise et avança d'un pas, sans oser franchir le seuil. Elle eut un frémissement de bouche qu'elle s'empressa de réprimer. Elle ne dit rien, comme si elle mettait quiconque au défi de la juger, de l'empêcher d'entrer, de la forcer à partir. Mais Peter s'écarta pour lui laisser le passage tandis qu'un sourire fleurissait sur ses lèvres.

Nous étions assises sur l'escalier de secours. Au cours des douze derniers jours, nous y avions passé de plus en plus de temps. C'était la seule façon de s'exposer à la lumière du soleil sans quitter l'appartement, chose que nous n'étions pas encore autorisées à faire.

consentement parental. Mais... (Elle enchaîna devant notre air sidéré.) Mais tout le monde sait que si l'information se répand il va y avoir un retour de bâton, juridique ou pas. Pour la Commission d'examen et le gouvernement, la clinique Nornand est un échec total.

Elle eut un rire amer.

« *Ça veut dire que M. Conivent va bien*, commenta Addie. *Elle nous l'aurait dit, s'il était...* »

S'il était mort. C'était cette peur qui nous hantait. L'avoir frappé trop fort dans une mauvaise partie du corps. L'avoir tué.

— Ils cherchent tous à sauver leur peau, poursuivit le Dr Lyanne. Mais tout sera enterré. Tout sera effacé. Dans quelques années, ce sera comme si rien de tout cela n'était arrivé.

Mon rire fut tellement ironique que la doctoresse tressaillit.

— Sauf pour Jaime. Et Sallie, et tous les autres enfants qui sont morts. Ça, ça va rester. Ça ne s'effacera jamais. Et tous les enfants qui ne se sont pas sauvés. Ils sont toujours coincés. Toujours en danger. (Je fermai les paupières un instant, agrippant la rampe de fer.) Cela aurait pu se passer autrement.

— Tu m'avais vue près du bureau de M. Conivent, n'est-ce pas ? (Le Dr Lyanne scrutait toujours le ciel sanglant.) C'est bien ton tournevis qu'il a trouvé ?

Je ne dis rien.

— Merci, dit-elle. Merci d'avoir détourné son attention.

— C'était Cal, affirmai-je. Pas moi.

Tout en bas, un couple d'adolescents se baladait avec un groupe. Ils étaient trop éloignés pour que je puisse distinguer leurs visages. Mais je pouvais deviner l'insouciance que trahissait leur démarche nonchalante. Je me tournai vers le Dr Lyanne.

— Le message était-il important ?

Elle était calme.

— Il m'a prouvé que Peter ne mentait pas. (Elle finit par nous regarder.) Ce papier, Addie...

— Eva, la corrigeai-je.

Elle eut une brève hésitation, puis reprit.

— Eva. Sur ce papier, il y avait des codes. Un code par pays. Le traitement venant de différents endroits, il est codé par région. Bien sûr, il faut avoir un accès spécial pour savoir à quoi correspond chaque numéro, mais...

— Mais quoi ? l'encourageai-je.

— Le traitement qu'il y avait dans ce colis provenait de l'étranger, Eva, répondit-elle. Et je ne pense pas qu'il s'agissait juste du traitement. Je pense qu'ils nous fournissent aussi des pièces, des plans pour nos machines, la technologie pour nos équipements. Tout vient de l'étranger.

Je dus m'accrocher à la rampe tellement nos genoux s'étaient ramollis.

Et les vaccins ? Nous étaient-ils aussi envoyés d'un pays étranger ? D'un pays hybride ?

S'ils étaient hybrides, pourquoi aidaient-ils le gouvernement à nous exterminer ?

— Les gens du gouvernement nous disent-ils la vérité sur le reste du monde, si ce sont *eux* qui envoient les traitements ?

— Eva, ces gens-là valent mieux que nous. En toute logique. Du moins, certains d'entre eux.

Parmi nos premiers souvenirs, il y avait des extraits de films de guerre, les bombes qui tombent, les villes en flammes. Même au cours préparatoire ou élémentaire, ils n'avaient pas hésité à nous raconter la destruction et la mort qui sévissaient dans les pays étrangers.

Les pays hybrides, noyés dans le chaos et les guerres sans fin, toujours prêts à se lancer dans une nouvelle bataille à la moindre provocation. Les Amériques avaient soi-disant cessé tout commerce, avaient coupé toute communication, depuis l'époque qui avait suivi les invasions. On nous avait enseigné qu'il était vain d'échanger avec eux, que rien ne méritait notre intérêt.

L'Europe, l'Asie, l'Afrique, l'Océanie. Tous hybrides, dévastés, en proie aux flammes.

— Rien que des mensonges, reprit le Dr Lyanne, d'une voix si basse que je me demandai si elle s'adressait à nous ou se parlait à elle-même. Tout ce qu'ils nous ont raconté ne sont que des...

Elle se tut. S'écarta de la rampe. Ôta ses chaussures afin de regagner confortablement la porte-fenêtre. Et nous laissa au bord de l'escalier, à accuser le choc.

Et soudain, je repensai à l'homme de Bessimir. L'hybride au milieu de cette tempête de gens en colère, celui qu'on avait accusé d'avoir inondé le musée d'Histoire. Celui qui, par certains aspects, ressemblait à notre oncle.

Ce sont ces canalisations. Depuis le temps qu'on leur demande de les faire réparer ! Ça n'était pas le vrai coupable. Probablement pas. Peut-être pas.

L'important étant que ça n'avait aucune importance. Il aurait pu ne jamais avoir mis les pieds dans ce musée, ça n'aurait rien changé. Parce que notre gouvernement mentait. Parce que notre président mentait. Parce que nos instituteurs mentaient. Eux-mêmes ne savaient pas la vérité sur ce qu'ils baragouinaient en classe, sur ce qui défilait sur leurs tableaux noirs, ou était écrit dans leurs livres.

— Michelle, dit le Dr Lyanne.

Inutile de parler. Notre visage était lui-même une question.

— Tu m'as demandé si je me rappelai son prénom, expliqua le Dr Lyanne.

« *Le soir, dans le sous-sol*, me rappela Addie. *Après notre chute.* »

« Comment est-ce qu'elle était, la vôtre ? lui avions-nous chuchoté. Votre âme sœur, celle que vous avez perdue, vous vous souvenez de son prénom ? »

— Elle s'appelait Michelle, dit-elle, et les mots se dissipèrent dans l'air chaud et salé.

Chapitre 35

Nous n'étions encore jamais allées dans l'océan, nous n'avions jamais goûté l'eau salée en sautant dans les vagues, jamais senti le sable s'enfoncer sous nos pieds. J'éclaboussai Hally, qui rejetait sa tête en arrière en riant aux éclats. Le vent jouait avec ses cheveux qui lui fouettaient le visage. Kitty et Jaime, qui cherchaient des coquillages dans le sable, nous tournaient le dos. Aucun de nous n'avait de maillot de bain, mais peu nous importait. L'été s'offrait à nous. Et l'été suivant, et celui d'après, et celui d'après encore.

Les journées étaient de plus en plus chaudes. Quand le soleil brillait de tous ses feux, il parvenait presque à calciner nos souvenirs les plus glacés des couloirs blancs de Nornand. Je pensai à Lyle qui se serait éclaté avec nous. Je repoussai cette idée. Trop douloureuse.

J'avançai dans l'eau, ballottée par les vagues, le bas de notre short dégoulinait et notre chemise collait à notre peau. Comme les coupures sur nos jambes avaient cicatrisé, elles ne craignaient pas l'eau salée. Seules les balafres sur notre main et notre front piquaient un peu quand une vague venait les éclabousser. Elles laisseraient une cicatrice, mais on ne pouvait rien y faire.

Jackson était venu avec nous, mais restait éloigné de l'eau. Peut-être n'avait-il pas envie de s'intégrer à notre groupe ? Il m'adressa cependant un signe de la main.

« *Toujours ce même sourire*, dit Addie. *Comme s'il avait toujours envie de se moquer de quelque chose.* »

— Tu t'amuses bien ? demanda Jackson tandis que je sortais de l'eau pour le rejoindre.

Le bleu profond de l'océan délavait le bleu de ses yeux, les rendant presque transparents. Je lui souris, puis scrutai la plage car ce n'était pas lui que je cherchais.

Malgré le soleil éblouissant, je repérai rapidement Ryan. Il était au bord de l'eau, à une dizaine de mètres de là où nous étions avec Hally. Il avait toujours ses chaussures aux pieds. Le vent renvoyait ses cheveux en arrière. Mon sourire s'élargit en le voyant, puis disparut.

— Qu'est-ce qui se passe ? s'enquit Jackson.

— Quoi ? dis-je. Oh, rien.

— Quand une fille fait cette tête-là, c'est qu'un truc la tracasse, affirma-t-il. Il ne sait pas que tu craques pour lui ?

Jackson rit de nouveau.

— Oh, il le sait, répondis-je.

Je n'avais pas à me concentrer beaucoup pour me rappeler le baiser dans l'entrée, la chaleur de sa bouche, la pression de ses mains. Un baiser cueilli dans l'obscurité mais dont l'intensité éclipsait tout le soleil de la plage.

— Et ce n'est pas réciproque ? lança Jackson d'un ton dubitatif.

Ryan nous tournait le dos. Il jeta un coup d'œil à sa sœur, puis se tourna pour contempler l'océan, son immensité scintillante.

— Non. Non, ce n'est pas ça, précisai-je.

Addie s'agita, mais ne dit rien. Je ne voulais rien révéler non plus ; comment aurais-je pu le faire sans donner l'impression de la blâmer ? D'ailleurs, je ne lui reprochais rien.

Les choses étaient ce qu'elles étaient, point final.

— Il ne s'agit pas que de nous.

Je quittai Ryan des yeux pour croiser ceux de Jackson. Il était plutôt grand et je devais pencher la tête en arrière pour le regarder.

— Addie…

Le sourire de Jackson s'affaissa légèrement.

— Addie n'a pas besoin d'être là…

— Bien sûr que si. (Je fronçai les sourcils.) C'est une évidence. Nous sommes hybrides. Nous ne sommes jamais seules. Nous…

— Tu ne t'es jamais évadée pour revenir ensuite ? demanda Jackson.

Je le dévisageai.

Le soleil dardait ses rayons sur nous. Il faisait chaud, très chaud.

— Jamais ? répéta-t-il doucement. Il ne t'arrive jamais d'aller dormir ? En laissant Addie seule ?

L'été de nos treize ans. J'avais disparu pendant des heures. Sans médicament. Sans drogue. Juste parce que j'avais eu envie de disparaître.

— Mais… commençai-je.

— Ça demande un peu d'entraînement, dit Jackson. (Son regard était maintenant bienveillant.) Beaucoup de pratique, même, pour que ça devienne une science. Mais c'est normal, Eva. C'est ce que tout le monde fait. Je pensais que tu le savais.

Comment aurais-je pu le savoir ? Qui aurait pu nous dire ce qui était normal et ce qui ne l'était pas ? J'avais passé toute ma vie à m'agripper, terrifiée à l'idée de lâcher prise.

Hally invita Kitty et Jaime à la rejoindre dans l'eau et rit en les voyant poser leurs coquillages et courir vers elle sans ôter leurs chaussures.

« *Eva ?* souffla Addie.

— *On en discutera, mais pas maintenant*, décrétai-je. *S'il te plaît. Pas maintenant...* »

Cela faisait un peu trop. Pas aujourd'hui. Pas pour le moment.

Et Jackson devait l'avoir compris lui aussi, car il ne dit plus rien, se contentant de répondre par un sourire au mien, encore si timide. Je m'éloignai de lui.

Ryan était toujours au bord de l'eau.

J'allai vers lui, un peu hésitante, craignant qu'il ne soit devenu Devon avant que j'aie pu le rejoindre. Mais il était toujours là. Et me regardait.

— Salut, me lança-t-il.

— Salut, répondis-je en me rapprochant.

Mes orteils s'enfonçaient dans le sable. Ryan fit un pas vers moi. L'eau venait lécher ses chaussures, et mes pieds nus.

— Toi, tu as discuté avec Peter, me dit-il.

Effectivement. J'avais commencé à aller aux réunions que celui-ci organisait avec ses amis, découvrant ce que signifiait être hybride, être libre, et lutter dans ce pays. Je lui avais demandé si ce qu'on entendait dire sur les pays étrangers était vrai. S'ils étaient vraiment prospères, s'ils nous envoyaient vraiment des marchandises.

Oui. C'était vrai.

Les visages des autres enfants hantaient toujours nos rêves. Bridget. Cal. Expédiés dans un autre hôpital. Une autre institution. Affublés d'un autre uniforme.

Mais c'était la mission à laquelle se dévouaient Peter et ses amis.

Anéantir les institutions. Libérer tous ces enfants qu'on avait arrachés à leurs familles. Des familles qui n'avaient plus le droit d'en parler.

Maintenant, nous faisions partie de ce groupe.

— Ryan ! s'écria Hally. (Elle nous faisait signe de la main en riant.) Eva, mais qu'est-ce que tu attends ? Viens !

Ryan me sourit. Je lui rendis son sourire. Il me prit par la main et m'entraîna dans l'eau, au milieu des vagues qui nous faisaient gentiment danser d'avant en arrière.

— Tes chaussures ! m'exclamai-je en riant.

Mais il s'en fichait. Il riait lui aussi et je me sentais plus légère que je ne l'avais jamais été.

Je goûtai la lumière du soleil, l'air, les nuages.

Je fermai les paupières, ma main dans celle de Ryan, qui me guidait. Qui me guidait comme il l'avait fait en ce jour maintenant lointain, lorsque je gisais, aveugle et immobile, sur son divan, effrayée et désorientée, soumise au contrôle de tous sauf au mien. Je laissai ma peau boire les rayons du soleil.

Addie était près de moi, radieuse, chaleureuse. C'était la moitié de moi, l'autre partie de *nous*. Mais désormais, j'étais Eva. Eva !

Et Eva je resterais, pour toujours.

Remerciements

Après dix minutes d'intense réflexion devant la feuille blanche, je suppose qu'il est temps de plonger. Difficile de savoir par quoi commencer. Mettre un livre entre les mains des lecteurs, c'est un travail d'équipe. Tant de gens différents ont œuvré ensemble pour présenter *Ce qu'il reste de moi* au grand public. Si je devais nommer tous ceux qui m'ont aidée, il me faudrait des mois pour en écrire la liste et à vous, plusieurs jours pour la lire !

Alors, mille excuses à ceux que je ne peux pas citer et éternels remerciements à...

... Mes parents, bien sûr, qui m'entourent d'amour, qui sont toujours là quand j'ai besoin d'eux et qui me répètent depuis toujours que je suis capable d'aller au bout de mes rêves.

... Alyssa G., et Kirstyn S., qui furent les premières lectrices de *Ce qu'il reste de moi*, et suivirent le récit au fur et à mesure que je l'écrivais. Vos encouragements m'ont aidée à continuer, même pendant nos études pour le Baccalauréat International ;-) Je vous ai dit un jour, en plaisantant, que vous figureriez sur la page des remerciements si cette histoire venait à être publiée. Aujourd'hui, c'est chose faite et je tiens ma promesse !

… Les dames de Let The Words Flow, qui sont d'excellentes partenaires d'écriture (et des amies merveilleuses). Un grand merci également à Savannah Foley et Sarah Maas, pour avoir lu quatre ou cinq versions provisoires de *Ce qui reste de moi* en parfois moins d'une journée, sans jamais céder à l'impatience.

… Tous ces gens merveilleux qui ont lu les versions intermédiaires de mon livre, m'aidant à remodeler l'histoire pour en faire ce qu'elle est aujourd'hui. Merci pour vos notes et votre soutien.
J'ai beaucoup apprécié chacun d'entre vous !

… Mon sublime agent, Emmanuelle Morgen. J'ignore où en serait *Hybride* sans toi ! J'ai adoré notre travail d'équipe et j'espère pouvoir le poursuivre dans l'avenir. Un grand merci également à Whitney Lee, qui a permis à la trilogie de franchir les océans et d'être publiée aux quatre coins du monde.

… Ma fabuleuse éditrice, Kari Sutherland, ainsi que l'équipe de Harper Collins Children's. Merci à vous tous pour ce que vous avez fait. Tes suggestions, Kari, ton goût littéraire, ainsi que tes commentaires et critiques m'ont permis de renforcer la qualité de *Ce qu'il reste de moi*.

… Et pour conclure, une certaine Mme V. Patterson, qui ne se souvient probablement plus de moi mais dont je garde un souvenir attendri, car elle fut ma première introduction dans le milieu professionnel de l'écriture. Merci d'avoir encouragé une fillette de douze ans à présenter ses nouvelles, sans jamais railler son jeune âge. C'est vous qui m'avez convaincue que j'avais quelque chose à offrir au monde.

Composition
FACOMPO

Achevé d'imprimer en Espagne (Barcelone)
par CPI
le 13 octobre 2014

Dépôt légal octobre 2014
EAN 9782290054499
L21EDDN000374N001

ÉDITIONS J'AI LU
87, quai Panhard-et-Levassor, 75013 Paris

Diffusion France et étranger : Flammarion